ム認定
AUTHORIZATION

神秘の古代遺産

並木伸一郎・著　ムー編集部・編

ムー認定　神秘の古代遺産　目次

6 超文明の残滓

7 聖書遺産

8 古代神と異人類

9 ナスカ

まえがき

われわれの文明はどこから来たのか。

とてつもなく精巧な水晶工芸品であるヘッジス・スカルや、航空技術を踏まえた黄金ジェットを作ったのはだれか？　その技術も目的も、歴史の中に埋もれている。かの有名なギザの大ピラミッドですら、その巨石運搬と石積技術は解明されていない。

世界各地に眠る都市遺跡や、建造目的も不明な巨大建造物、そこに残された壁画やレリーフは、超古代に何者かが築いた高度な社会の存在を裏づける。いずれも、われわれが営む現代文明に直接接続しておらず、それらはかつて地上にホモ・サピエンスとは異なるヒトの集団がいたことを強く示唆する。

彼らはあるいは、地球外からの来訪者や有史以前に滅んだとされる恐竜と共存、交流していたかもしれない。太古、異星人が地球を訪れ、人類の起源や文化の発展にかかわった事実は神話や伝説が物語っており、その証拠となる情景は壁画にありありと描かれ、現代人の眼前に現れているのだ。

本書は、月刊「ムー」にて筆者が調査してきた古代遺跡の謎と神秘を厳選し、その証拠となる画像、図版も多数収録して紹介するものだ。

考古学、歴史学の知見を凌駕する古代のロマンをご堪能いただければ幸いである。

2019年8月吉日　並木　伸一郎

1 水晶ドクロ

No.000001-000005

No.000001

古代マヤの遺産
クリスタル・スカル

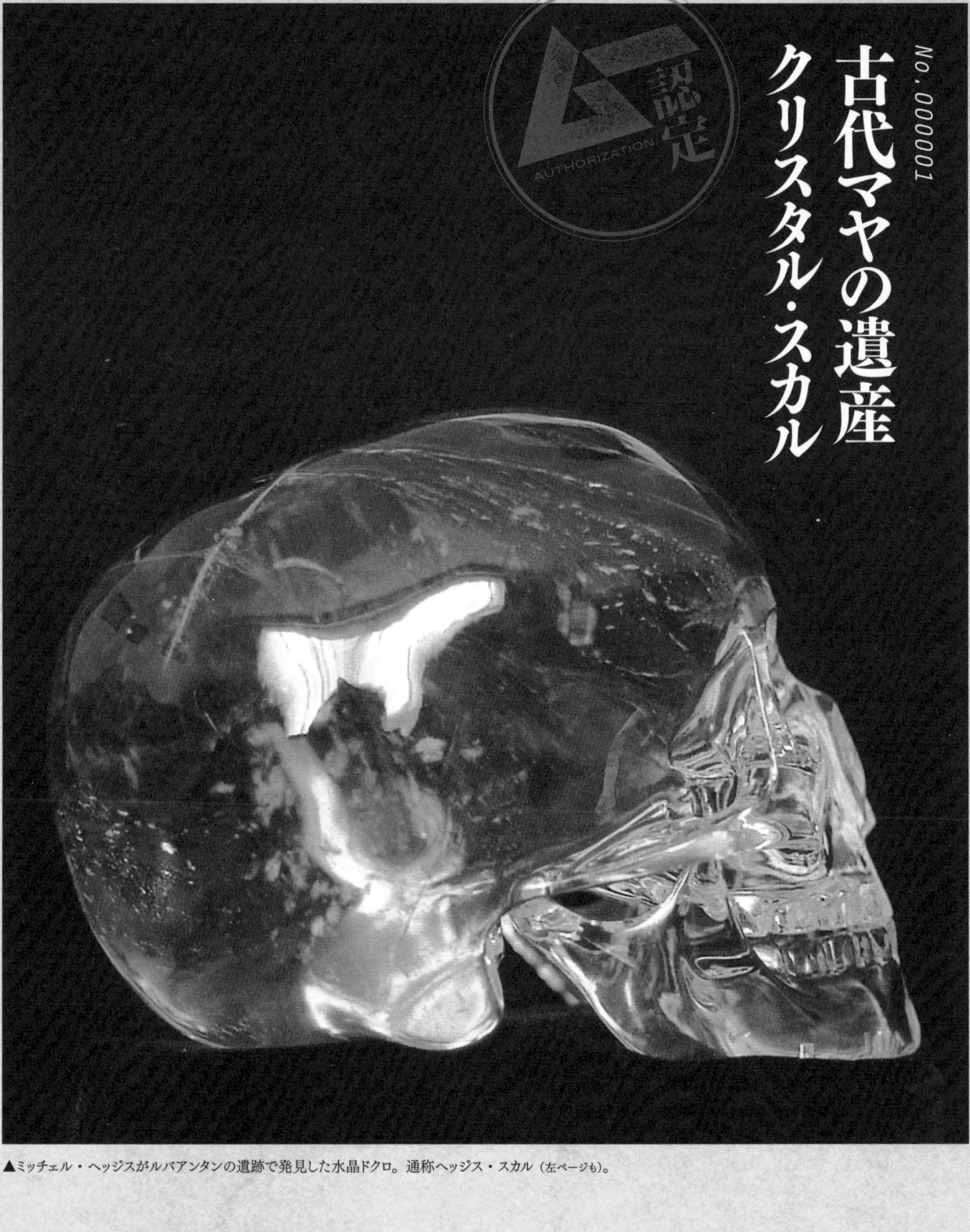

▲ミッチェル・ヘッジスがルバアンタンの遺跡で発見した水晶ドクロ。通称ヘッジス・スカル（左ページも）。

　かつてイギリスが生んだ高名な探検家、フレデリック・アルバート・ミッチェル・ヘッジス（通称マイク）は、有史以前に高度の文明をもって繁栄したとされる、伝説の大陸「アトランティス」の実在を信じる夢多き探検家のひとりだった。そして、古代マヤ文明にこそアトランティスの遺跡が残されているはずだ、とかねがね主張していた。

　そんな彼は、かねてよりイギリス領ホンジュラス沿岸のベイ湾諸島のどこかに、アトランティスの前哨地らしきものが遺されているのではないか、と目をつけていた。

　というのも、何度かの探検で非常に珍しい工芸品をいくつか手に入れており、さらにその探検の際、ホンジュラスの密林の奥深くに眠る失われた古代都市にまつわる伝説を耳にしていたからだった。

　1919年、マイクは養女のアンナ、マヤ研究家のトマス・ガン博士、そして常に彼の探検の片腕として協力してくれるレディ・リッチモンド・ブラウンを伴い、失われた都市を求めて

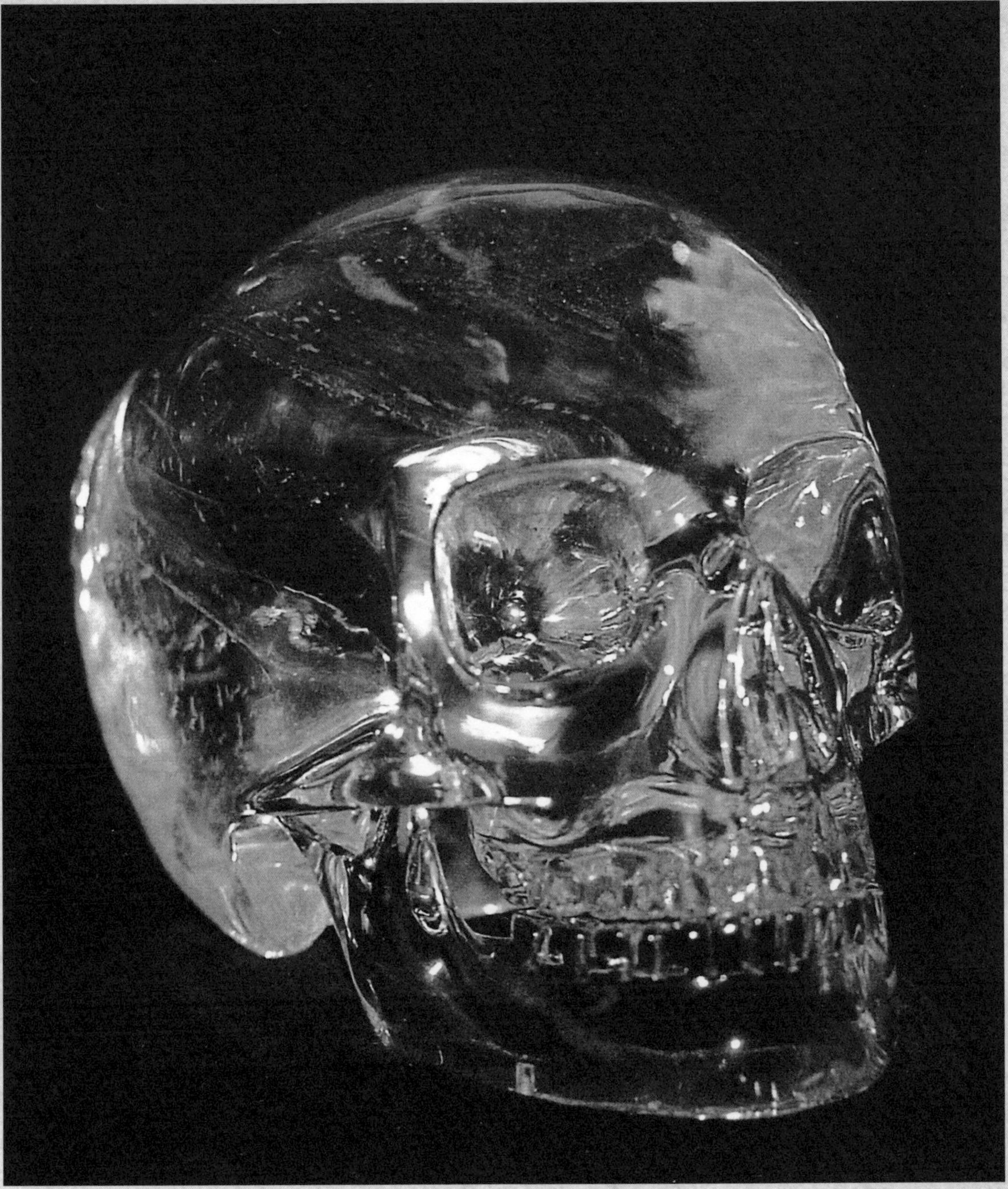

ホンジュラスの奥地へと向かったのである。

マヤ・ケチ・インディオが住む集落に到着したマイクたち一行は、そこでひとまず旅装をといた。そして、発掘調査に協力してくれる現地人を確保したあと、さらに奥地へと進んでいった。

想像以上に険しいジャングルが一行の行く手を何度もさえぎった。それを必死に切り開きながら進むこと数か月、彼らはついに〝失われた都市〟を発見したのだ。

それはまさに幸運と呼ぶべきものだった。なにしろ熱帯のジャングルは、あらゆるものを緑のカーテンで覆い隠してしまう。その遺跡も例外ではなかった。密生する草木や蔦に覆われ、普通ならだれにも気づかれなかっただろう。ただ、偶然にもほんの一か所、石組みが顔をのぞかせている場所に彼らは出くわしたのだ。

マイクの合図で火がかけられた。緑のカーテンが次第に消え去る。と、そのあとには数多くの石壁やテラス、そして塚が現れてきた。

こうして数日後、伝説の失われた古代都市は、その姿をあらわにしたのである。

「やはり伝説は本当だった！」

目の前の広大な遺跡を見てマイクら一行は、こみあげてくる感動をおさえきれなかった。

マイクはこの都市遺跡を「ルバアンタン」と名づけることにした。マヤの言葉で「崩れ落ちた石の都」という意味だ。そしてすぐにホンジュラス政府に対して遺跡発掘の許可願いを申請した。その結果、向こう7年間にわたる独占発掘権を与えられたのである。

本格的な発掘作業が開始されてから数年経ったころ、ルバアンタンの全容が次第につかめてきた。都市は約10キロ四方の広さをもち、中央にそびえ立つ巨大な砦には、ピラミッド、テラス、住居、地下室、さらには1万人以上の観客を収容するように設計された、ふたつの大きな階段のある巨大な円形劇場が付属していた。そこはまさに、〝ジャングルの中に突然出現した現代〟と形容したくなるほどの偉容を誇る遺跡だったのだ。

1923年、発掘資金と資材調達のため一時イギリスに帰国したマイクは、「ルバアンタンは、これまでアメリカ大陸で発見された単独の土着建造物の中では最大の規模を有している」と報告している。さらに「100万個は優に超える切り石を用いてつくられた巨大な砦は、すばらしいの一語に尽きる」とつけ加えた。そして遺跡から出土した像、陶器、石の道具の数々を示して居並ぶ新聞記者たちを驚かせたのである。

✽

マイクが本国へ戻っている間、娘のアンナは現地にとどまっていた。小さかったアンナはもともと遺跡の発掘に加わらず、現地のマヤ族の一家族と暮らしていたのだ。それが思わぬ幸運をもたらした。

この年の12月、アンナは自身で崩壊した壁に埋もれた寺院の祭壇の下に、何か重大なものが埋まっているらしいことを、インディオの友人から教えられたのだ。それは、マヤ・ケチ・インディオにとっては、代々伝わるきわめて神聖なものであったらしい。そこで彼女は、父が戻ってきてからそれを発掘しても

▲ルバアンタン遺跡を発掘調査したメンバー。左からミッチェル・ヘッジス（マイク）、レディ・リッチモンド・ブラウン、トマス・ガン博士。

らおうと考えた。

　クリスマスの少し前、マイクがようやく戻ってきた。アンナから好奇心をそそる情報を得た彼は、さっそく祭壇跡の発掘作業に着手した。

　祭壇は崩れ落ちた大きな石壁の下敷きになっている。細心の注意を払いながら、瓦礫の山がひとつひとつ取り除かれていった。

「おや？　何か光るものが見えるぞ！」

　だれかが叫んだ。確かにキラキラと光り輝くものが、砂から顔をのぞかせていたのである。

　一同の目がそれに集中した。マイクが近づき、用心深く周囲の砂をかきわけると、一気にそれを取りだした。

「ドクロだ、見事な細工のドクロだ！」

　マイクの興奮した声がジャングルにこだました。

　祭壇の下に埋もれていたもの、なんとそれは、水晶で作られたきわめて精巧なドクロだったのである。

　時に1924年1月1日、その日は、奇しくもアンナの17回目の誕生日だった。

認定
AUTHORIZATION

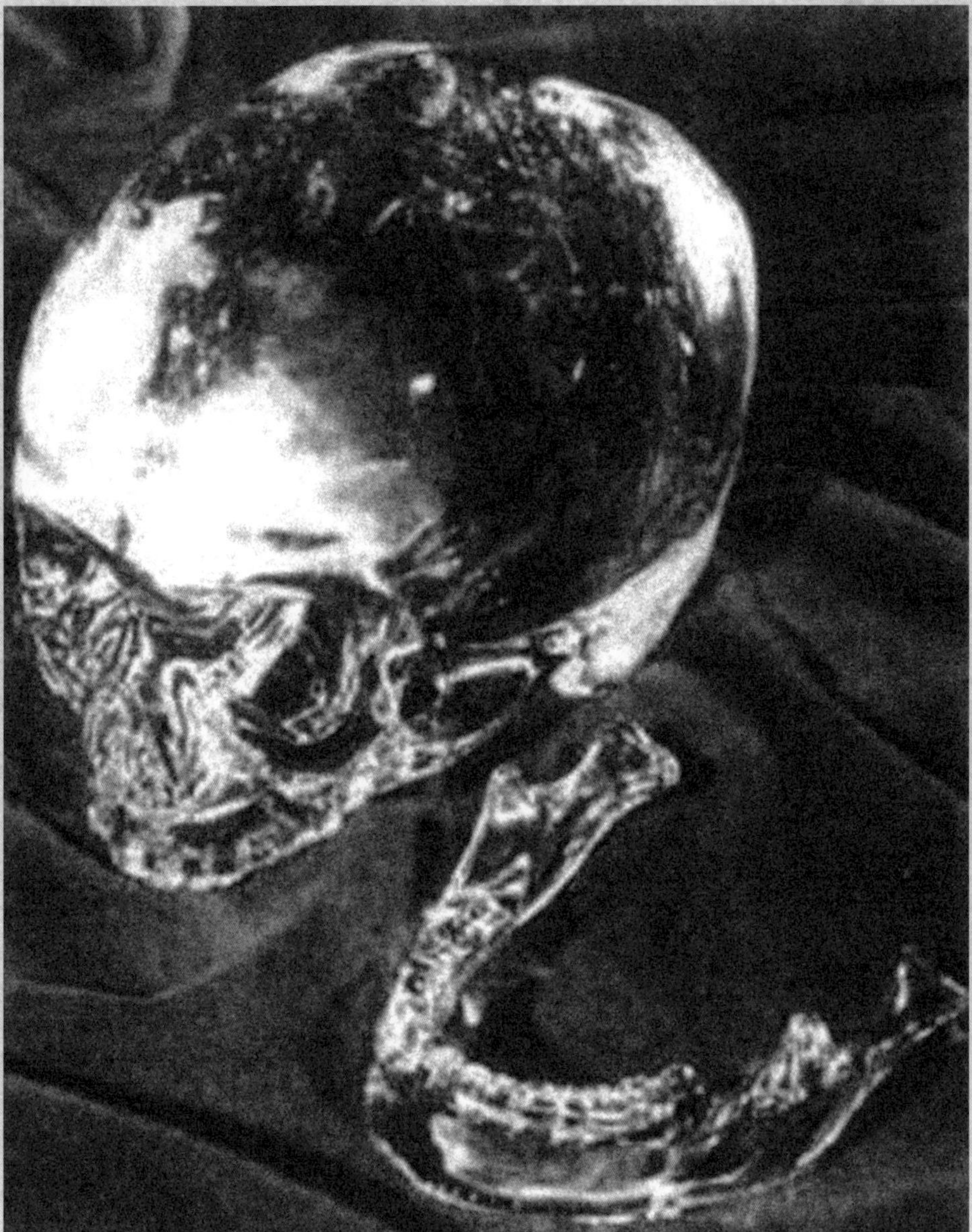

▶ヘッジス・スカルは下あごを取り外せる精密な構造だった。

ドクロを手にしたマイクは、それを高く差し上げ、まじまじと眺めた。陽光を浴びたそれはキラキラと神秘的に輝いた。

それから3か月後、この水晶ドクロが発見された場所から約8メートル離れた地点で、ドクロの下あごの部分が見つかった。これまた見事なできばえの細工物だった。しかもまったく傷んでいないのだ。

マイクはドクロの本体にこのあごを合わせてみた。はたせるかな、それはピッタリとはまったのだ。

分離する下あご、そして精緻をきわめた細工。このドクロの製作者は、よほどの熟練工だったに違いない。しかし、これほどまでに加工する技術が果たして古代のマヤ文明にあったのだろうか？

確かに遺跡自体はマヤ文明のものだろう。しかし、この水晶ドクロに関する限り、これまで知られてきたマヤ文明とは異質のものが感じられるのだ。

「もしかしたらアトランティスの遺産ではないか？」

それほどまでにこの水晶ドクロは見事なできばえだったのだ。

▲精緻に切りだされた石を積み上げた砦は、ルバアンタン遺跡の高度な文明を象徴するものだ。

ム認定
AUTHORIZATION

◀ルバアンタン遺跡の復元想像図。
▼上：マイクの娘、アンナ・ヘッジス。彼女が水晶ドクロにつながる情報を得た。下：ジャングルに覆われていたルバアンタン遺跡。

No.000002

クリスタル・スカルの高度な技術

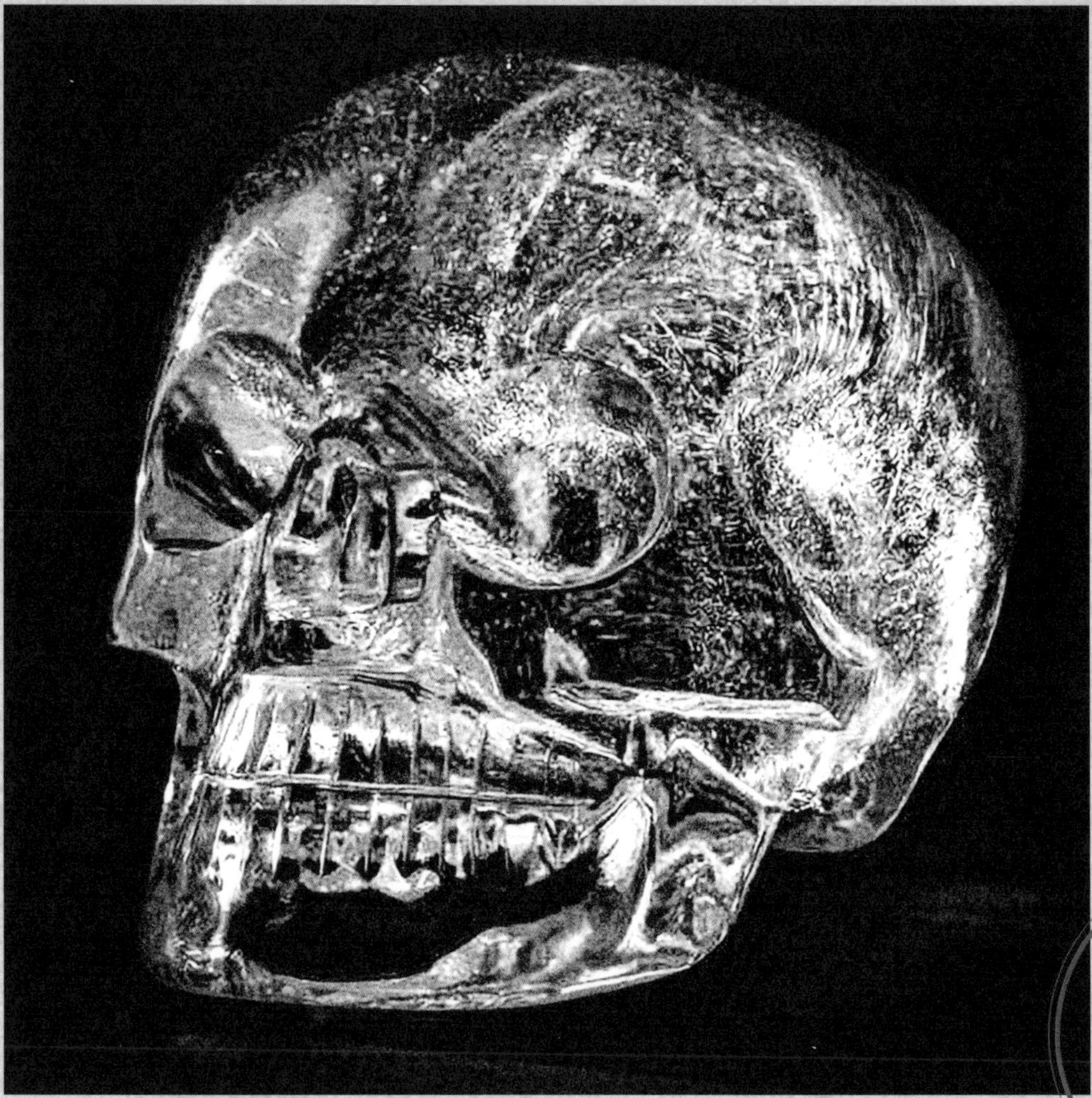

▲大英博物館に収蔵されている水晶ドクロ、通称ブリティッシュ・スカル。大きさはヘッジス・スカルと同等だが作りが粗く、精緻さに劣る。

失われた古代都市ルバアンタンから、文明世界に持ち帰られた水晶ドクロ。そのすばらしい彫刻の技術とドクロがもつ妖しげな美しさは、大変な話題を集めた。

　やがて当然のごとく、大きな疑問がクローズアップされはじめた。それはこのドクロがどのようにして作られたのか、という疑問であった。人々の関心はその製作法へと移っていったのである。

　さて、このドクロが初めて科学的な観点から調査されたのは、1936年のことだ。

　イギリスの人類学者G・M・モーラント博士は、大英博物館に保管されているもうひとつの水晶ドクロ（これは1889年にメキシコで発見されたと伝えられているが、それ以上のことは不明である）との比較を試みたのだ。水晶ドクロは、現在、世界で十数個発見されているが、マイクが発見したヘッジス・スカルとこの大英博物館のドクロだけが、人間の頭とほぼ同じ大きさなのだ。

　さて、その分析の結果だが、次のような事実が判明した。

①両者とも眉間の突起や眉の位置の隆起が見られないことから、女性をかたどったものらしい。②彫刻した道具の跡が見られない。③ヘッジス・スカルのほうが精密に彫刻されていて、デザインも優れている。そして決定的な違いは、ヘッジス・スカルは下あごが取り外し可能になっていること。

　つまり、両者は大きさも形もよく似ていたが、その製造技術に雲泥の差が認められたのだ。

　大英博物館員のH・J・ブラウンホルツは、ヘッジス・スカルについて次のようにコメントした。

「このドクロは細部にわたって正確に表現されており、頭蓋のわずかな隆起は神経質なくらい本物に合わせている。これは科学時代の解剖学的研究に従ったものと、ほとんど同じ特徴を備えている」

　彼もまた、このドクロにかなり高度な技術が駆使されていることを認めているのだ。

　一方、在ニューヨークのヘッジス・スカルの研究者フランク・

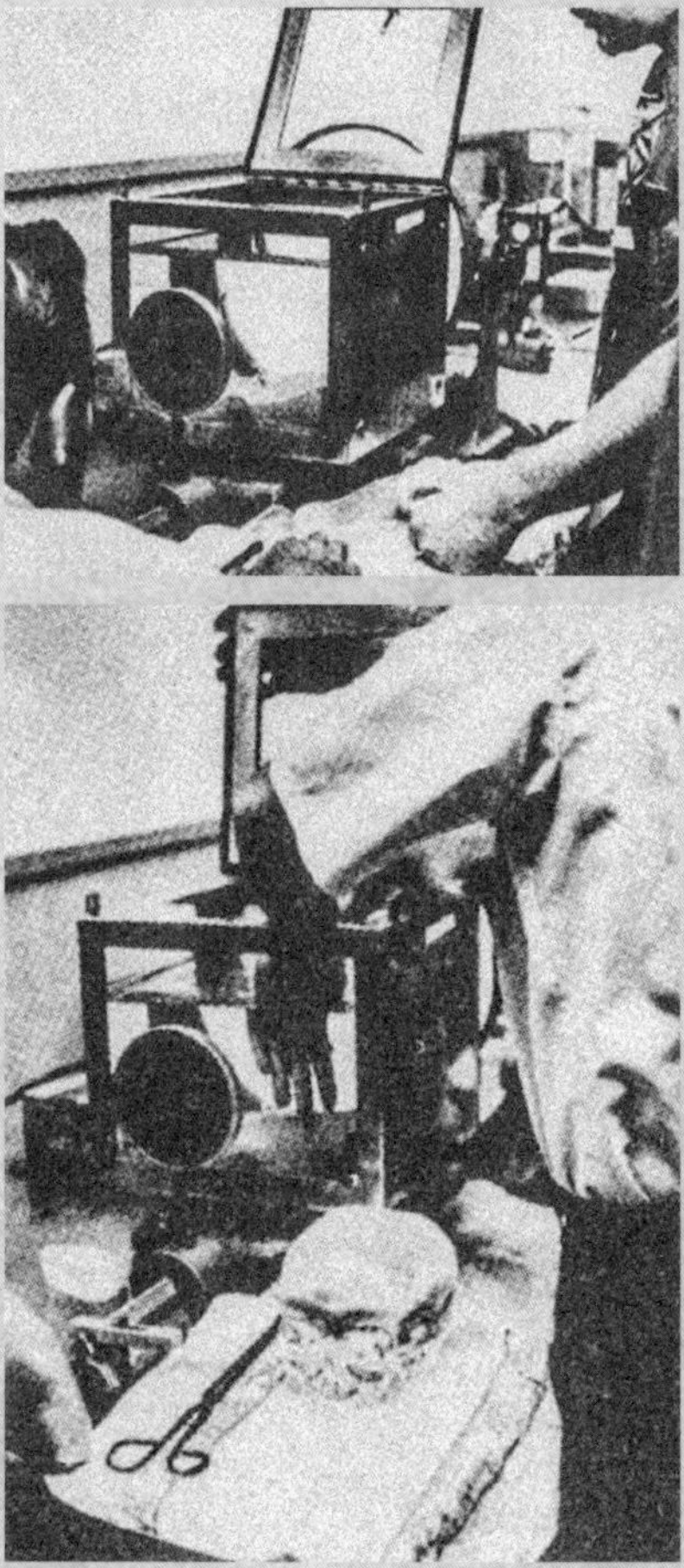

▲上・下：ヒューレット・パッカード社の研究所での偏光テスト実験。

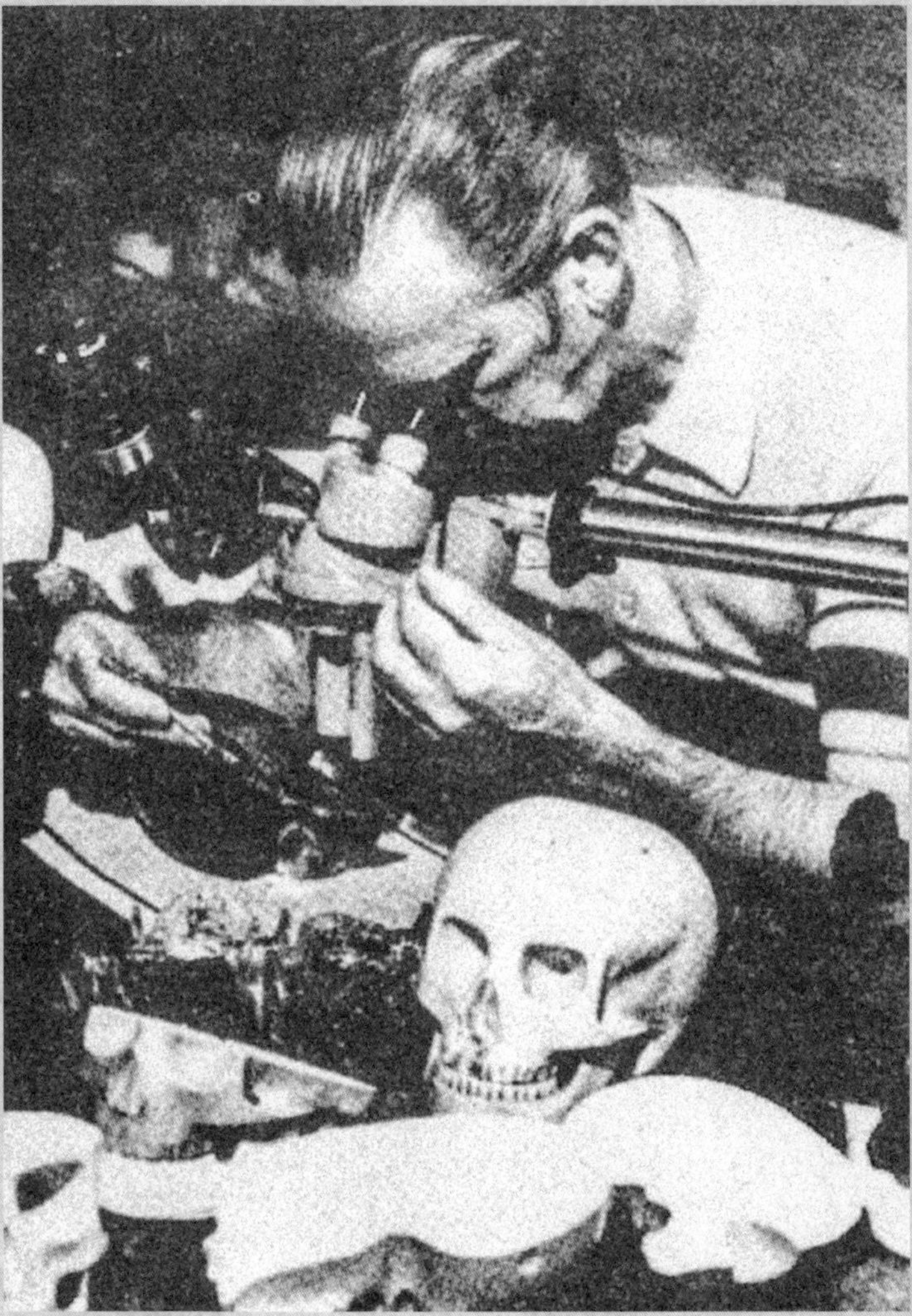

▶フランク・ドーランドの研究で、水晶ドクロに施されたプリズム効果のしかけが判明した。

ドーランドが発見した、ドクロの基底部と脳の空洞の中央、両の眼窩の背後に施された一連のレンズおよびプリズムの彫刻は、ほかの研究者たちが気づかなかった驚くべき細かさの装飾であった。

いったいこれがどんな効果を発揮するのかというと、たとえば、光がドクロの目に反射され、両目を無気味に輝かせることになるのだ。ドクロの製作者はプリズム効果の原理をちゃんと踏まえて、このしかけを施したのである。

また彼は、ドクロの細工部分を調べてみた。が、それは金属器時代の道具を用いて彫刻された可能性を否定することになった。彼のテストでは、金属器特有の同心円状の掻き傷が確認されなかったのだ。

❁

こうして、ますます謎を深めたヘッジス・スカルは、1970年、本格的な化学分析のためカリフォルニア州サンタクララにあるヒューレット・パッカード社の水晶研究所に持ち込まれた。その結果、次々と驚くべき事実が明らかになったのである。

まず、水晶ドクロは1個の水晶からできており、しかも、水晶のもつ自然軸をまったく無視して彫られていることがわかった。これは現代でも困難な作業である。なぜなら、水晶は自然軸を無視して加工すると、ひびが入ったり割れたりしてしまうからだ。

また同時に、この水晶は左回りに成長していることもわかった。水晶はらせん形に成長し、なぜか一定の方向に向かうのだ。そのため成長の状況により、結晶構造としては右回りか左回りかのいずれかになる。

さらに、取り外し可能な下あごも同じ水晶から仕上げられた後、切り離されたことも確認された。

また実験中、偶然にレーザー光線が鼻孔に向けられると、突然、水晶ドクロ全体が輝きはじめた。特に両目はプリズムの役目を果たし、無数の屈折パターンを示したのだ。

これによってドーランドの指摘どおり、ドクロの内部には複雑なレンズの反射効果やプリズム効果が仕組まれていたことが証明されたのである。

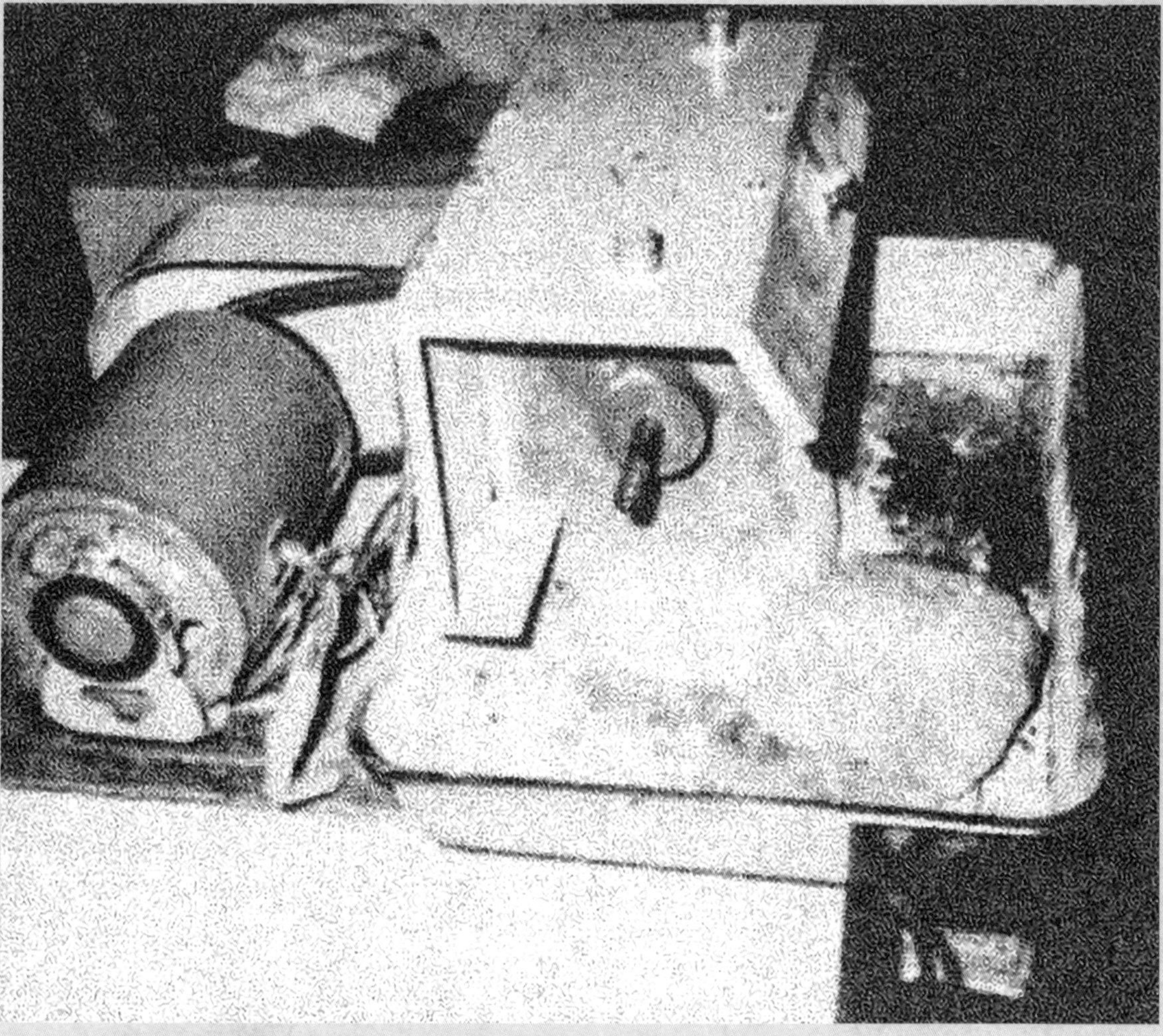

▲現代の水晶研磨機。古代マヤにはこれと同等の研磨技術があったのだろうか。

水晶は宝石の中でも多量に産出するポピュラーなものだ。その大型で透明な良質の結晶の主産地は、マダガスカル、ブラジル、コロンビア、日本（山梨県）、ミャンマー、ロシアなどである。そして、その中の無色透明なものは、眼鏡などのレンズ、占い用の水晶球、彫刻、印材、その他の装飾品として広く使われている。

しかし、人間の頭ほどの大きさで無色透明なものとなるとめったになく、それだけでもヘッジス・スカルは珍重すべきものである。

さて、水晶の用途は広いが、なんといっても有名なのは「ピエゾ電気効果」として知られている、いわゆる〝圧電効果〟だ。

水晶に圧力あるいは引っぱり応力（引っぱられている物体内部でこれに対抗する力）が加えられると、それぞれの端にプラスとマイナスの電荷が生じる。するとこれが、きわめて一定した率で振動する水晶共振体と化す、という特性を水晶はもっているのだ。

電気用語で「水晶発振子」と呼ばれる水晶を薄く切った平板は、あらゆる周波数制御装置に利用されている。だから水晶は、コンピューターから時計、電池、ラジオ、さらに電磁エネルギーの受信、調整、変調、蓄電、送信などの部品として使用されており、いわば通信装置の基盤をなしているのだ。

文明社会の象徴ともいえるこれら科学技術の最先端をいく機器には、すべて水晶が必需品になっていることがわかる。

こうしてみると、やはりドクロが水晶でつくられていることには、何か重大な意味があるような気がしてくる。もしかしたらドクロ自体に、私たちの気づかぬ〝力〟が秘められているのかもしれない。

認定
AUTHORIZATION

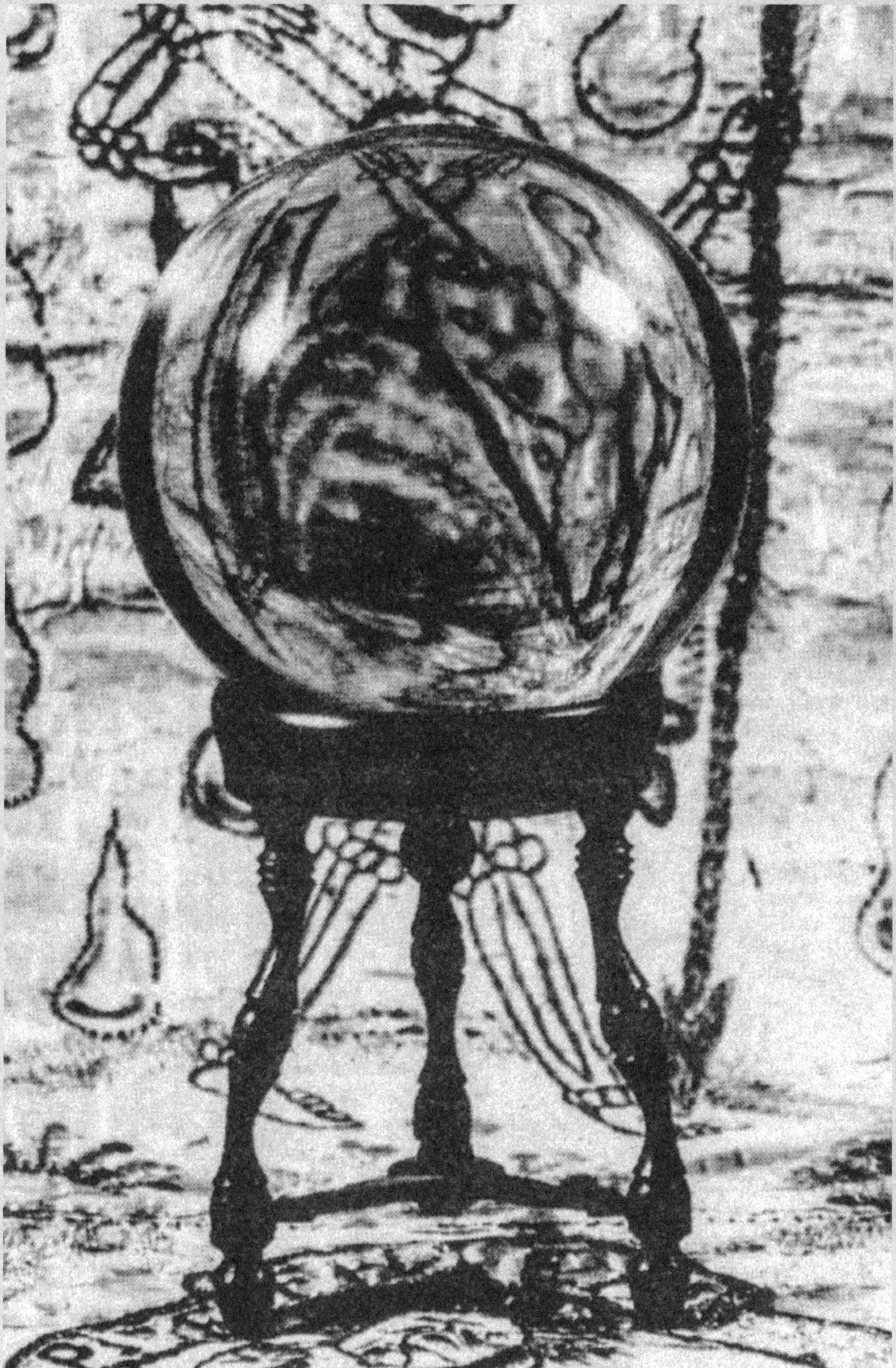

▲水晶玉は古来、占術や魔術の道具として用いられてきた。

No.000003

マヤ文明と水晶ドクロ

紀元300年から900年まで、約600年にわたって黄金時代を築いたマヤ文明。それは、今日のメキシコ南部からグアテマラ、ホンジュラス、エル・サルバドルの一部を含む地域で栄えたといわれる。

しかし、これほど広範囲にわたっているにもかかわらず、ルバアンタン以外の地では、水晶ドクロはただのひとつも見つかっていない。古代マヤ人は、水晶ドクロをただひとつだけ持っていたのだろうか。

もちろん、前出のように、ロンドンの大英博物館には、ヘッジス・スカルとほぼ同じ大きさの水晶ドクロが保管されている。が、これはマヤ以後にメキシコで栄えたアステカ文明（15～16世紀）の遺物なのだ。そしてまた、パリの人類学博物館にも、同文明の小型水晶ドクロが保管されている。こちらのドクロは、ヘッジス・スカルのほぼ半分の大きさで、杖の先端などの飾りと見られているのだ。

中米で見れば、水晶ドクロは3個実在する。が、アステカ文明の2個は、ヘッジス・スカルと比べるとつくりは粗く、下あごも外れない。歯など、水晶表面に刻みを入れただけで、質感はまったく感じられないのだ。おそらく、アステカ文明の2個は、ヘッジス・スカルを真似て作られたものなのだろう。

マヤ人は技術的な面では、金属の道具も車も持たず、ほとんど石器時代にも等しい段階にあった。が、その反面、巨大なピラミッドを建て、イメージ豊かな石彫を刻んだ。そしてまた、「ゼロ」の概念を発見し、100万のケタ数の計算を行いながら、袋に詰めたトウモロコシの重さを計算する方法を知らなかったのである。

さらに彼らは、一年を365・2420日と算出し、特定の時期に太陽暦の月日の訂正さえ行っていたのだ。現代天文学では、一年が365・2422日だから、マヤの計測がいかに正確で

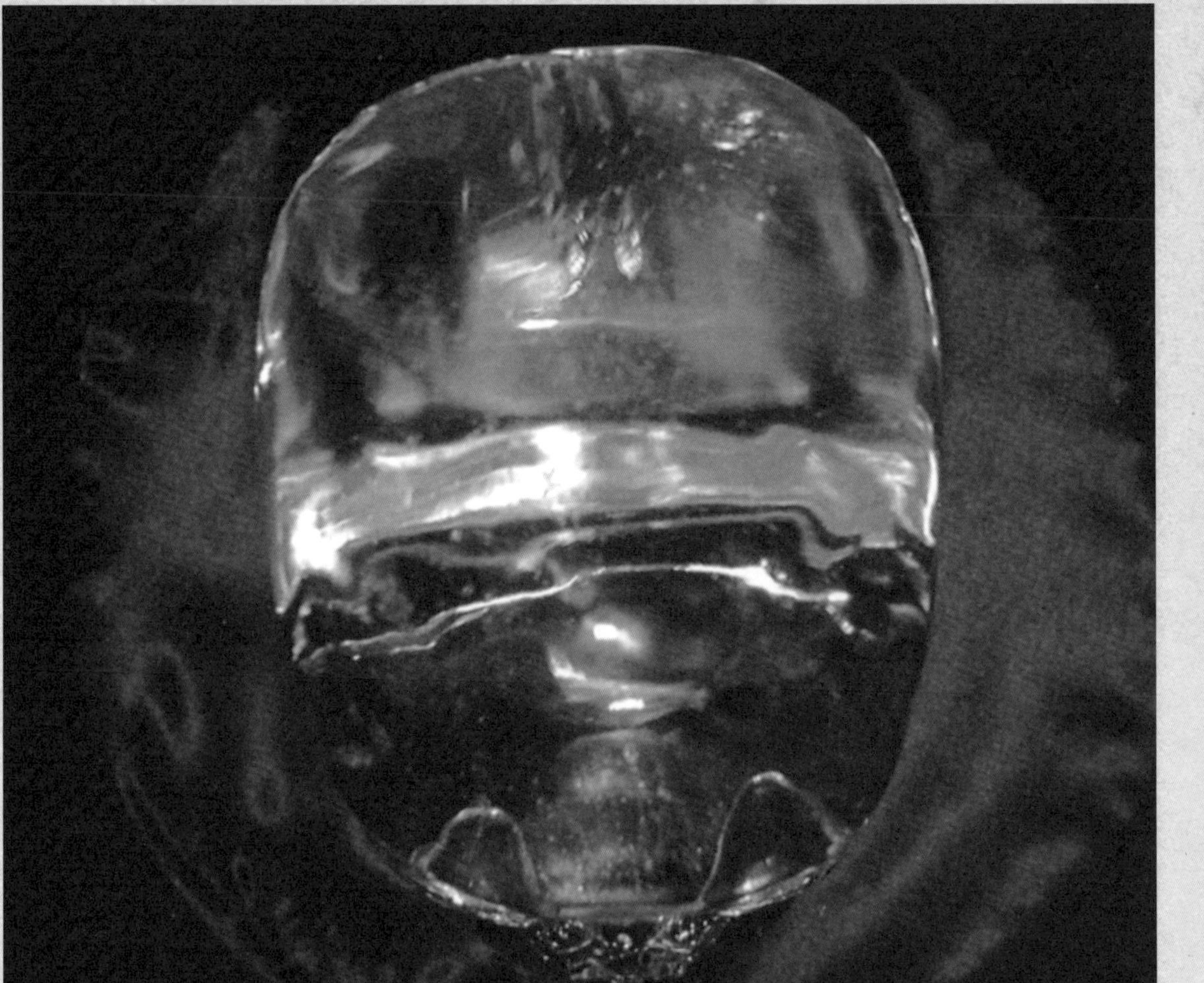

▲ヘッジス・スカルに光をあてると、オーラのようなものが放たれる。

あったかがわかるだろう。

✿

このようにマヤ人は、物質的なものより精神的なものを求め、精神世界において飛躍した民族だったとも考えられる。

実際、彼らの生活は神殿を中心に営まれていた。50軒から100軒単位の住居で「地区」が形成され、その中心に神殿ピラミッドからなる小祭祀センターがつくられた。そして、この「地区」がいくつか集まって構成される「地方」の心臓部に、ティカル、パレンケなどの大祭祀センターが築造されていたのである。

しかも、その地方同士は交友関係も維持し、互いに侵略しあうこともなかった。そのため、祭祀センターは防御に適していない場所にあり、築城の形跡も見られないのである。

精神性を重視して平和に生きたマヤ人が残した芸術を見ると、彼らが、薄浮彫《うすうきぼり》の技術に長けていたことは明白だ。数多く見られる石碑や石板には、実際、躍動感あふれる彫刻が施されている。

しかしマヤ人は、3次元の表現についてあまり関心をはらわなかったようだ。水晶ドクロのような丸彫り彫刻は、ほとんど見られないのである。

また、マヤ人は薄浮彫を刻むのに、すべて硬い玄武岩、閃緑岩などでつくった硬質の石ノミや槌だけに頼っていた。そしてヒスイ細工にも、より硬いヒスイの彫刻刀や石のヤスリなどしか使われていない。ヒスイは硬度6～7で、水晶を削るのは無理だ。

このように、技術的な面から見ても、マヤ人には水晶を加工し、丸彫りでドクロを作ることはできなかったと考えられるのである。

ならば、唯一、マヤ人が手に入れた水晶ドクロは、だれが作ったものなのだろうか？

素直に考えれば、水晶ドクロはマヤ以前の高度な技術をもった文明の産物、ということになる。しかし中米には、そうした文明のあった痕跡はまったく存在しないのだ。

マヤ人にとっても、水晶ドクロは、まったく未知の信じがたい存在だったのだ。

▼パリの人類学博物館にある水晶ドクロ。ヘッジス・スカルの約半分のサイズで細工も粗削り。メキシコのアステカ文明の遺物とされている。

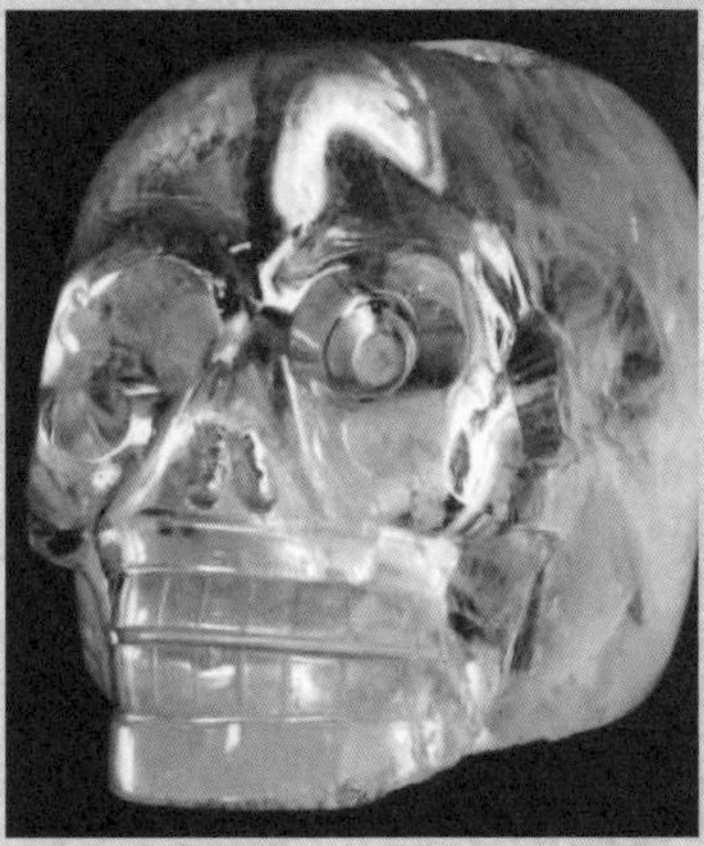

▲マヤ文明の古典期後期に属するコパン遺跡の復元図。神殿ピラミッドを中心に祭祀場が展開されていた。

▲パレンケの碑銘の神殿。9層のピラミッドの上に神殿がある。
▶マヤ文明最大の聖地ティカルの第2号神殿。その高さは50メートルを超える。

No.000004

ヘッジス・スカルは現代の産物なのか？

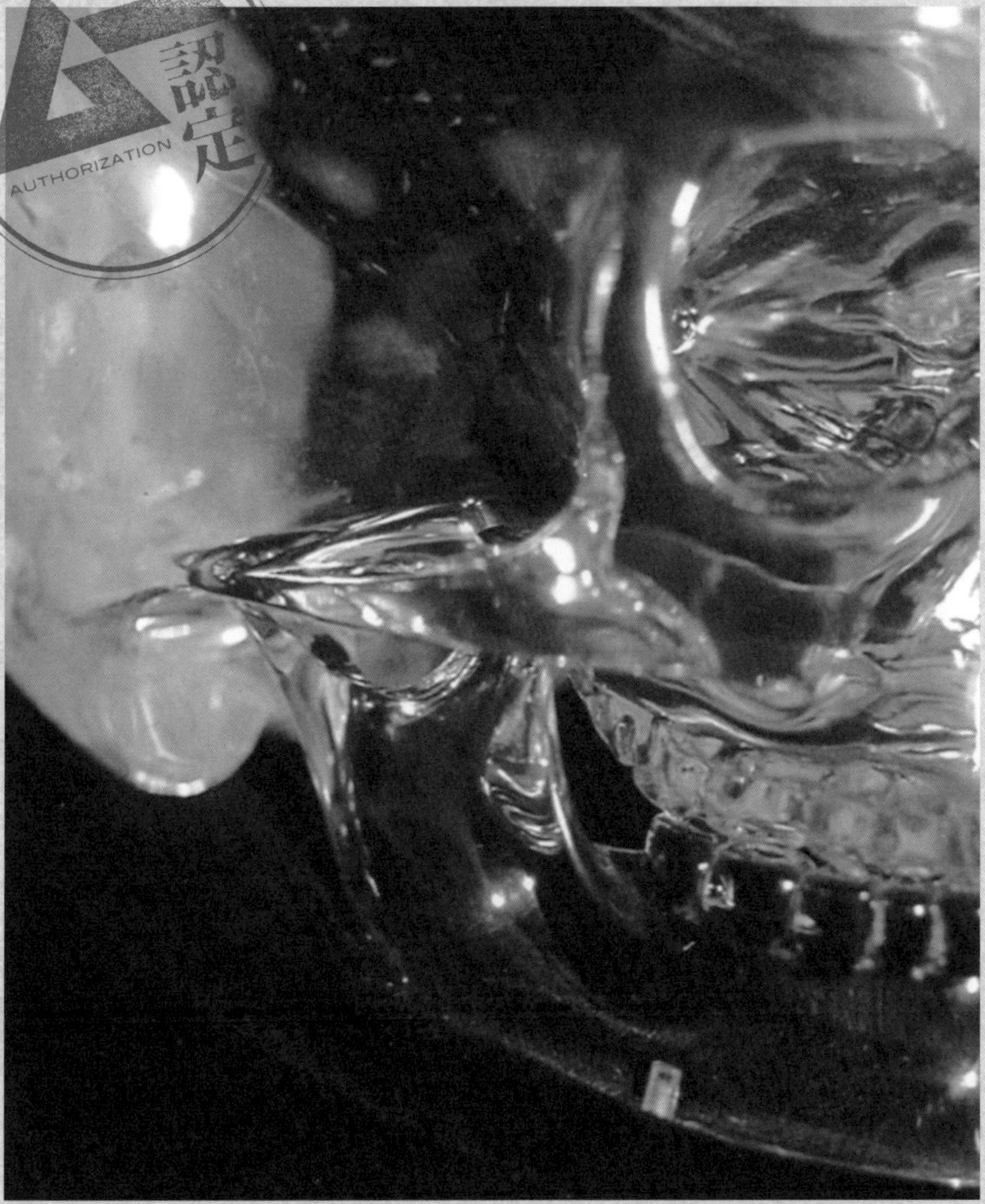

◀ヘッジス・スカルのあごの部分には四角い切り込みがある。何かに結合されていた跡なのだろうか？

２００８年に「スミソニアン研究所」が行った電子顕微鏡での分析で、ヘッジス・スカルは19世紀以降に作られた代物である、と断定された。19世紀に登場したダイヤモンド研磨剤による跡と同一の痕跡が確認されたことから、ヘッジス・スカルは古代に作られたものではない、という見解が示されたのだ。

――だが、ダイヤモンドの研磨機械でヘッジス・スカルが作れるのなら、まずは巨大な水晶の塊を探して、次にその研磨機械とやらを駆使して、寸分違わないスカルを作る必要があるはずだ。でなければ〝絵にかいた餅〟でしかない。

あわせて、ヘッジス・スカルの〝産地〟は、ドイツ中西部の小さな町イーダ・オーバイシュタインだとされているが、これも憶測にすぎない。

著名なオーパーツ研究家クラウス・ドナ氏が現地に足を運び調査したところ、「それが作られた」という証拠もなければ、伝承さえもいっさいなかったと指摘している。世界的に騒動を巻き起こしている工芸品について、いっさい口をつぐむのはおかしなことではないか？

そしてそもそも、工法の検証だけでは、ヘッジス・スカルが「古代のものではない」説明にはならない。

ミッチェル・ヘッジスはイギリスのオークションで件のスカルを落札して入手したという指摘もあるが、それは借金のかたに取られたスカルを彼が買い戻したというだけにすぎない。スカルは、それ以前から存在している。

１９８６年６月25日、筆者はアンナ・ミッチェル・ヘッジス宅で実物を目の当たりにし、手で触れる機会を得た。人間の頭蓋骨そっくりに作られ、下あごが取り外せるクリスタル・スカルに触れ、その細工の精緻さに思わず目を見張った体験は、今でも鮮明にフラッシュバックする。

この世にたったひとつしかないヘッジス・スカルこそ、史上最高にして至高のオーパーツなのである。

No.000005

世界各地の水晶ドクロ

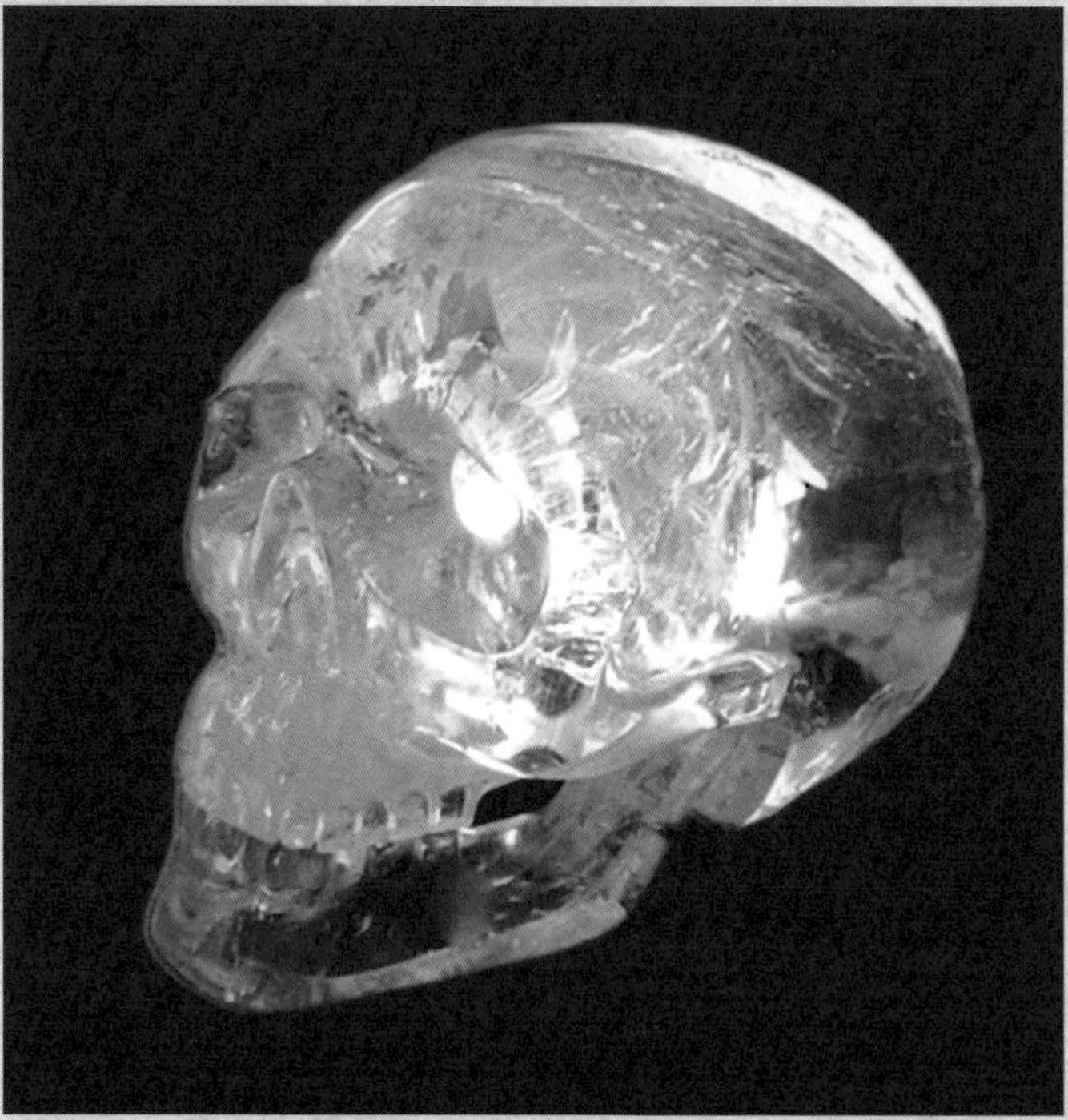

▼ヒムラーのクリスタル・スカル。スイス人ジャーナリストのリュック・バーギンが、ドイツ、ババリア地方のある老女から譲り受けたもの。女性はナチス親衛隊の高官の妻だった。同時に見つかった宝物リストの一部には、「ナンバー14：クリスタル・スカル。263－2親衛隊全国指導者コレクション・ラーン、ナンバー25592：革製ケース、水晶製頭蓋骨、南米」との記述があり、これはナチス・ドイツの親衛隊長ハインリヒ・ヒムラーの隠し財宝のひとつだという。

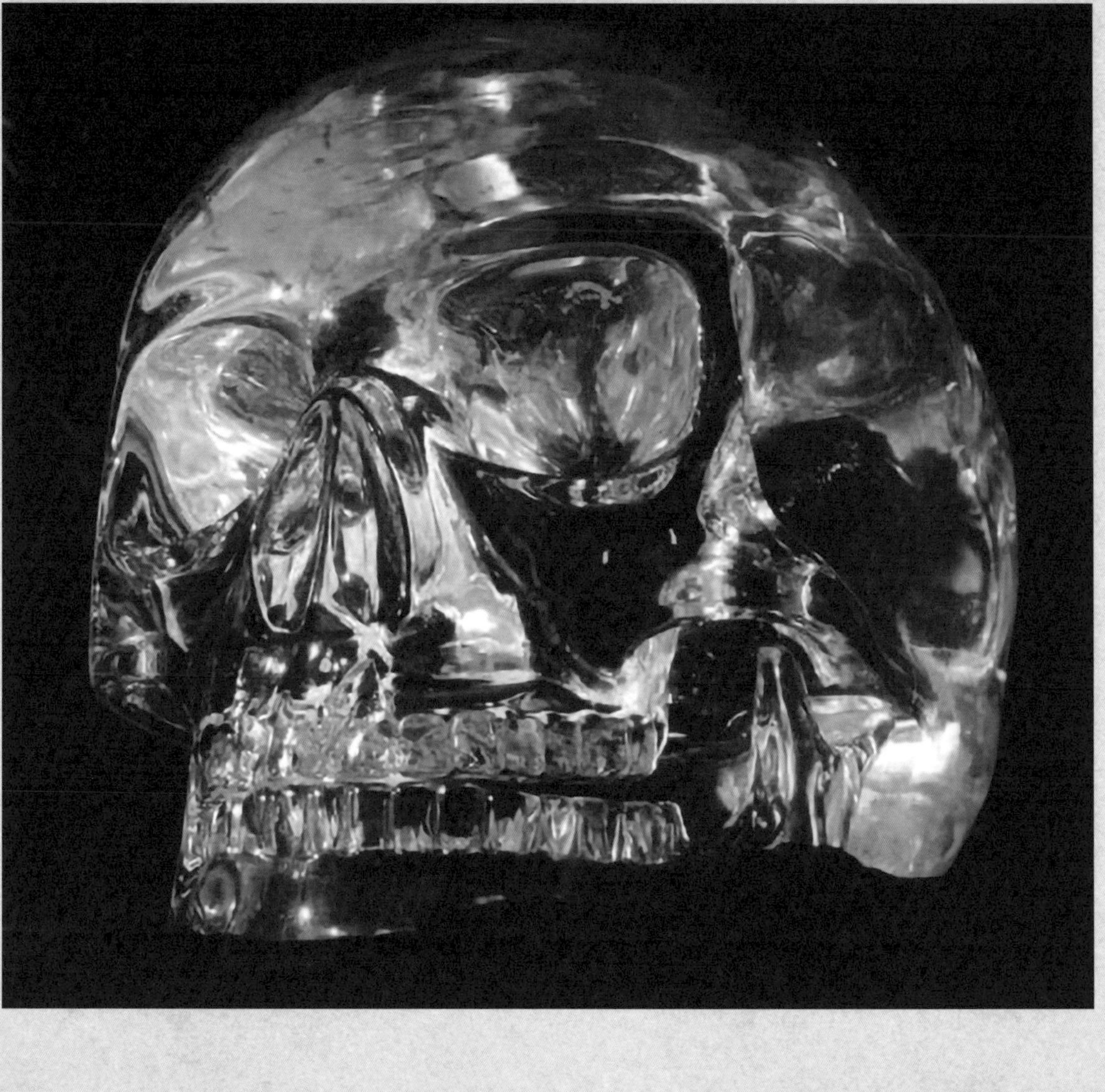

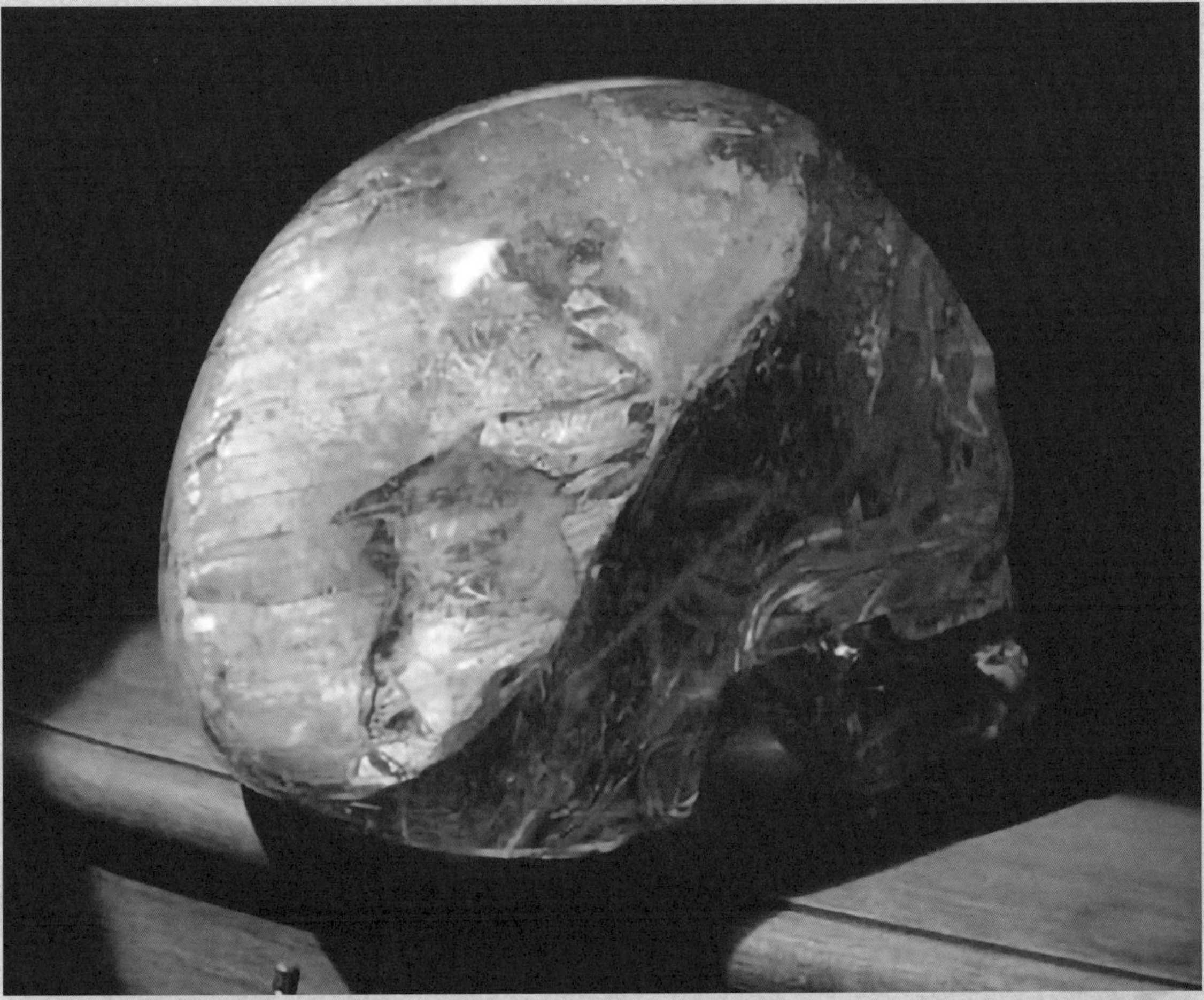

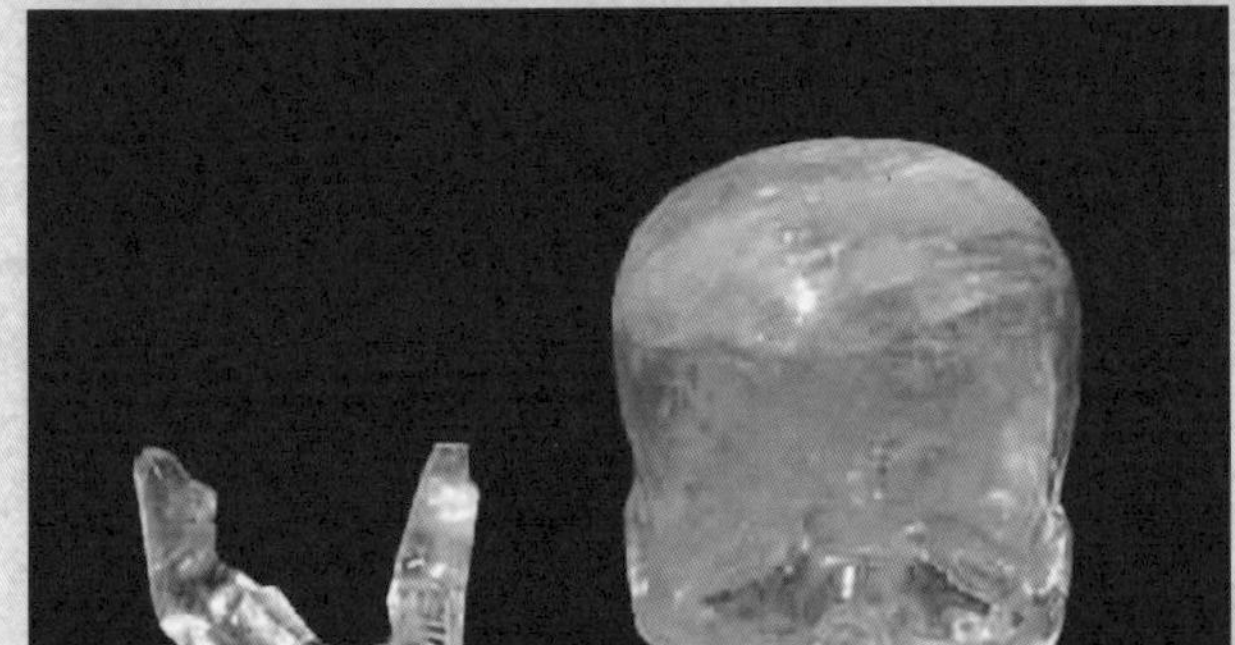

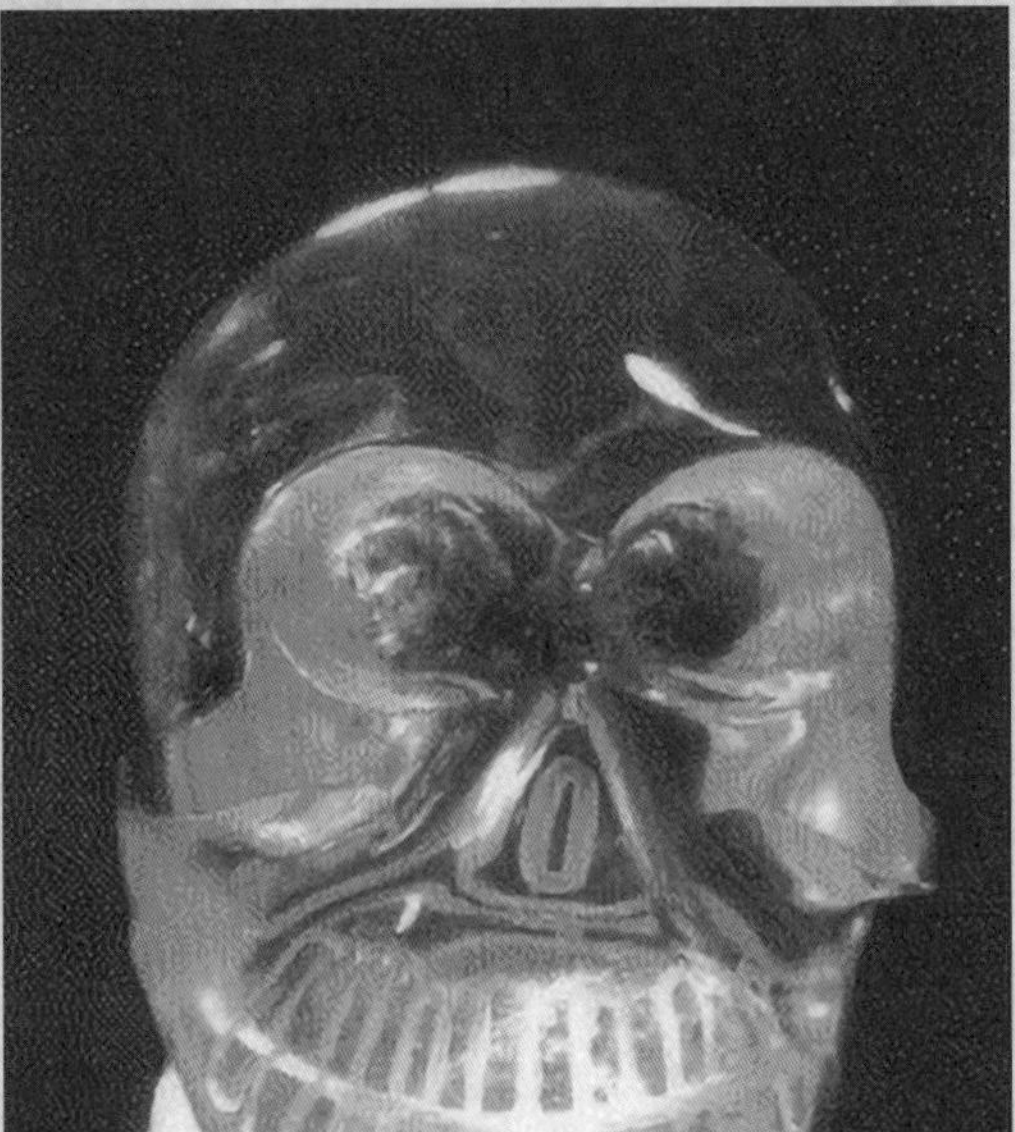

▲上2点と右ページ上：コンパッション・スカル。ヘッジス・スカルとほぼ同サイズで、下あごを着脱できる構造も同じ。下あごが着脱可能なクリスタル・スカルは、世界でこのふたつだけだ。材質の分析から原産地はナミビアだと推定される。また、天然の3層構造によって見る角度や光の加減で千変万化する不思議なパターンが見える。アラスカ在住の水晶製品コレクター、ジョゼフ・ベネットが所有する。

▶マハサマトマン・スカル。子供の頭蓋骨くらいの大きさ。イギリスのスコットランドに住む女性が所有していたが、現在は消息不明とされる。

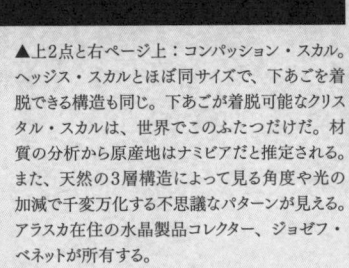

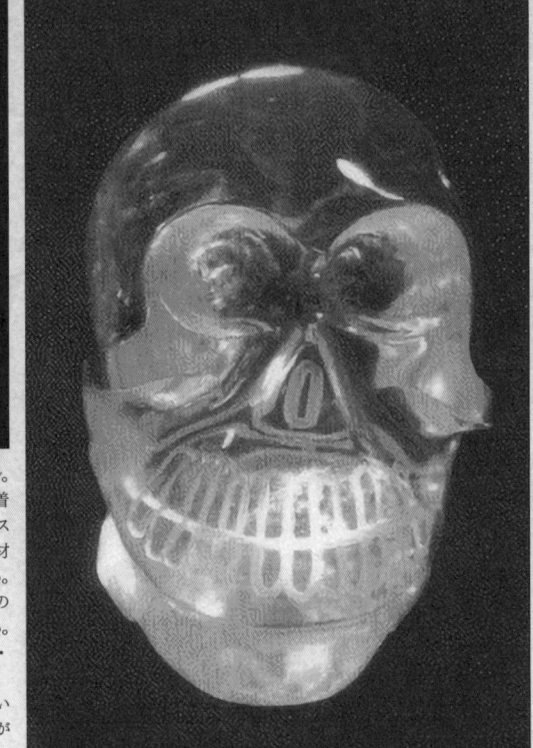

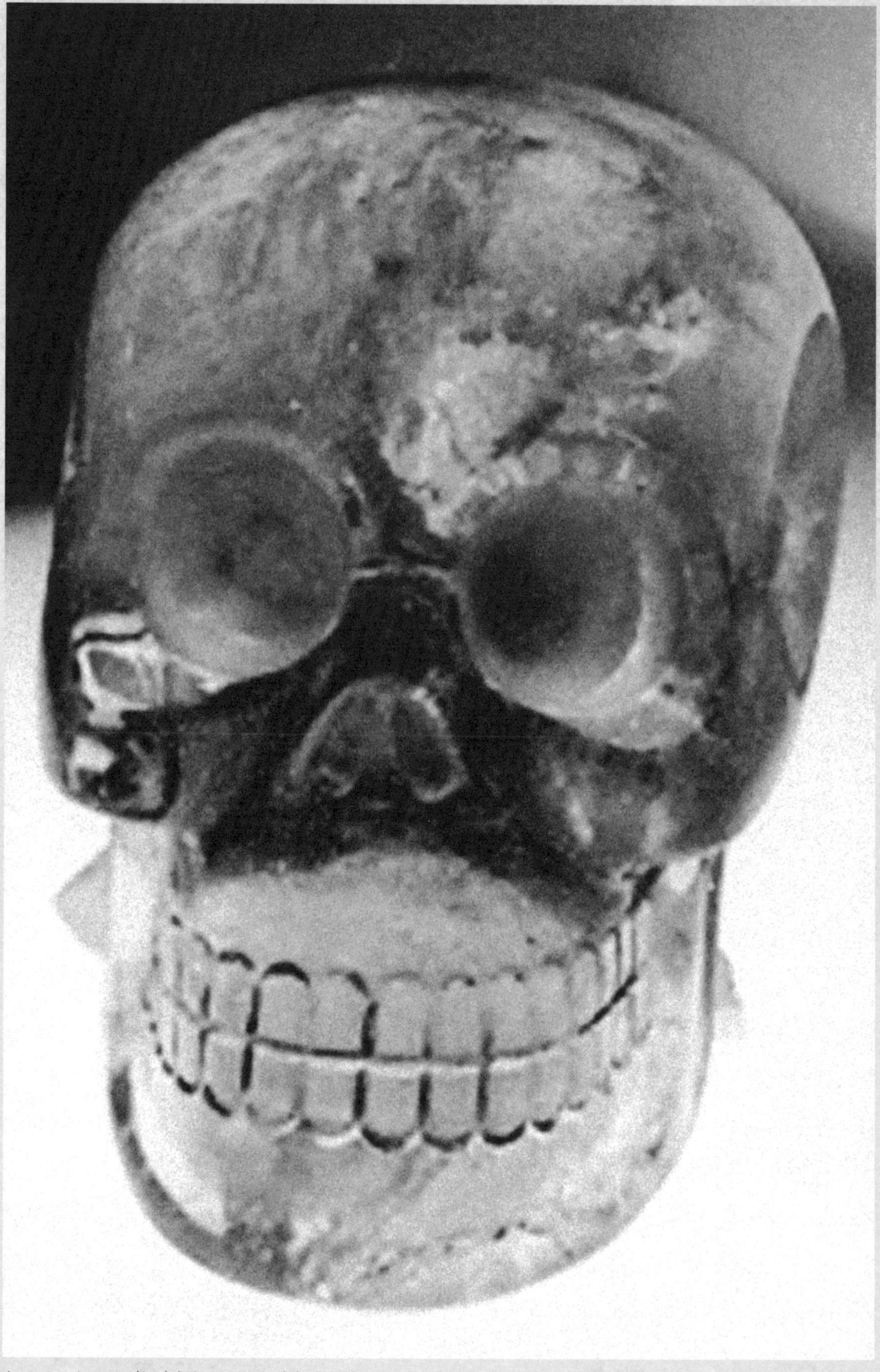
▲マヤン・スカル。1912年、中米グアテマラのマヤ遺跡で発見されたもの。人間の頭蓋骨とほぼ同サイズで、大きな歯列が特徴。光をあまり反射せず、吸収する。

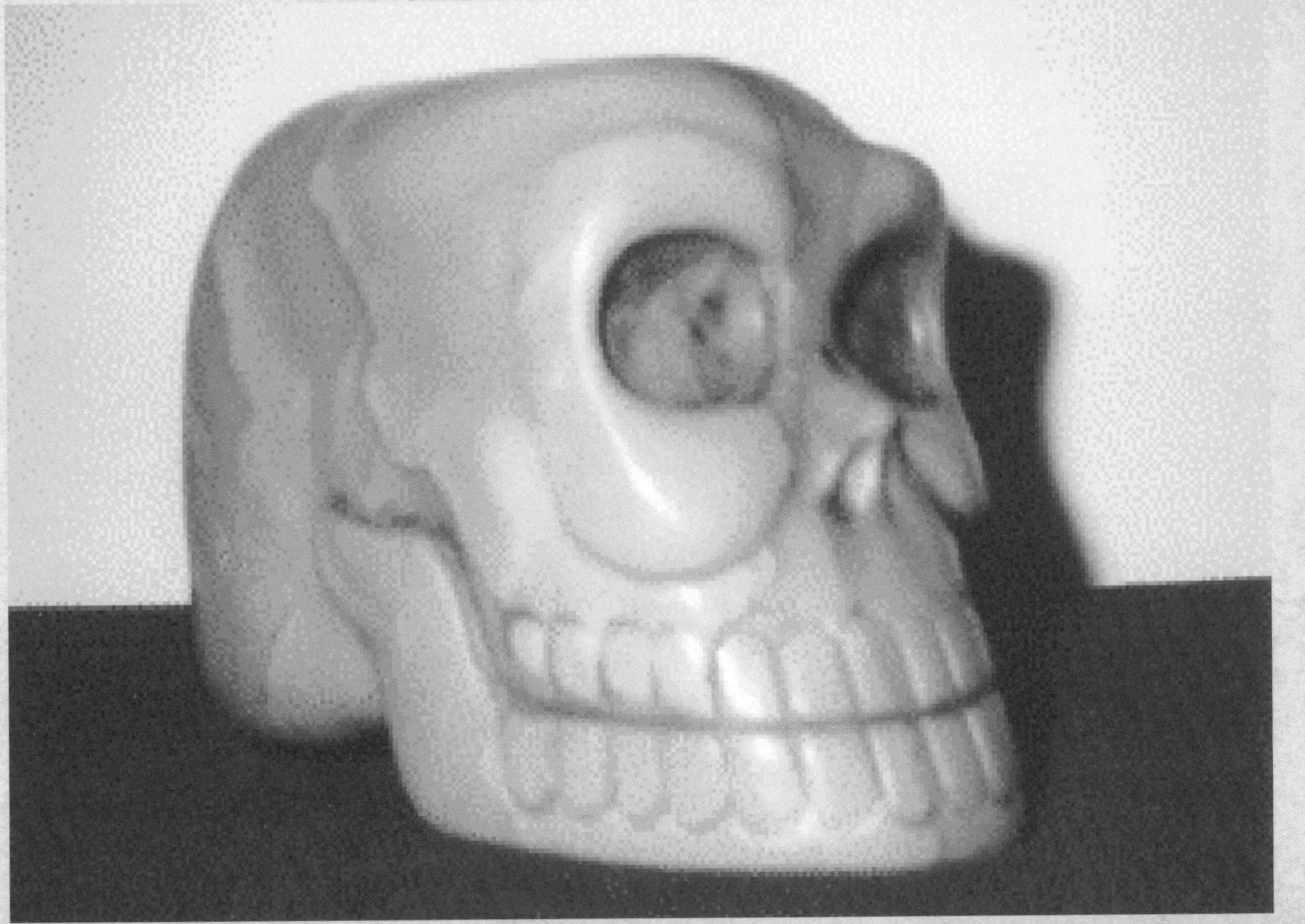

▲グリーニー・スカル。全体が淡いグリーンのため、この名がつけられた。アメリカ、ニューヨークのとある人物が所蔵し、主にヒーリングに使用しているという。
▶歪んだスカル。アメリカ、コロラド州の農場で発見された。あまりの異形に人間が作ったものではないという指摘もある。

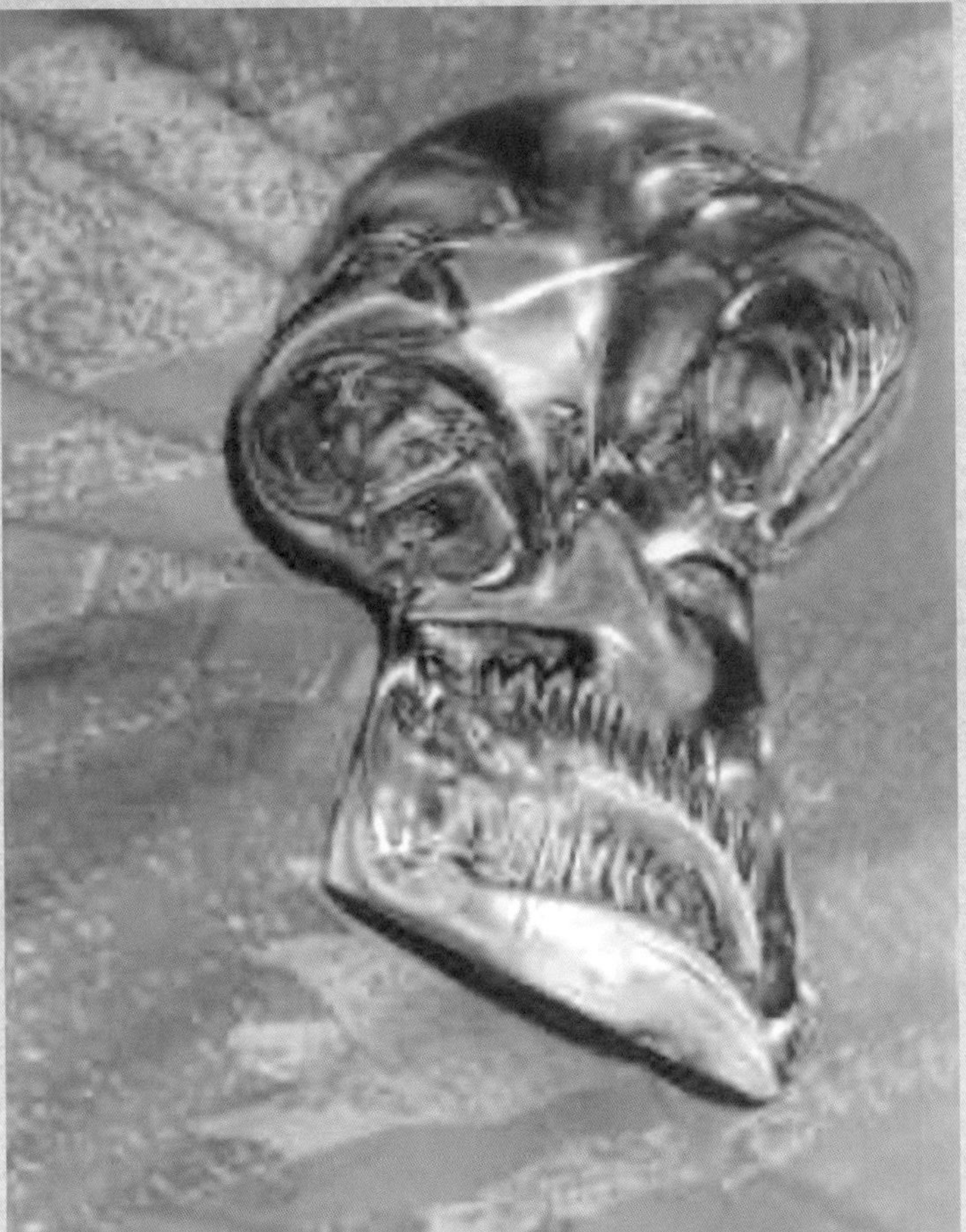

認定
AUTHORIZATION

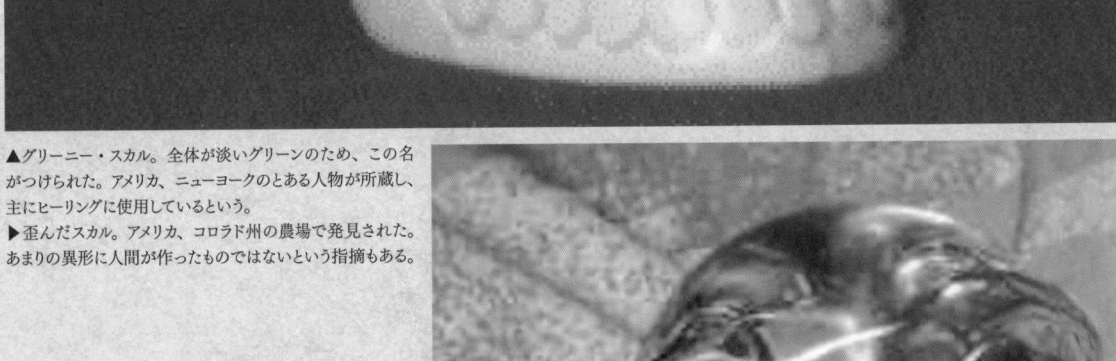

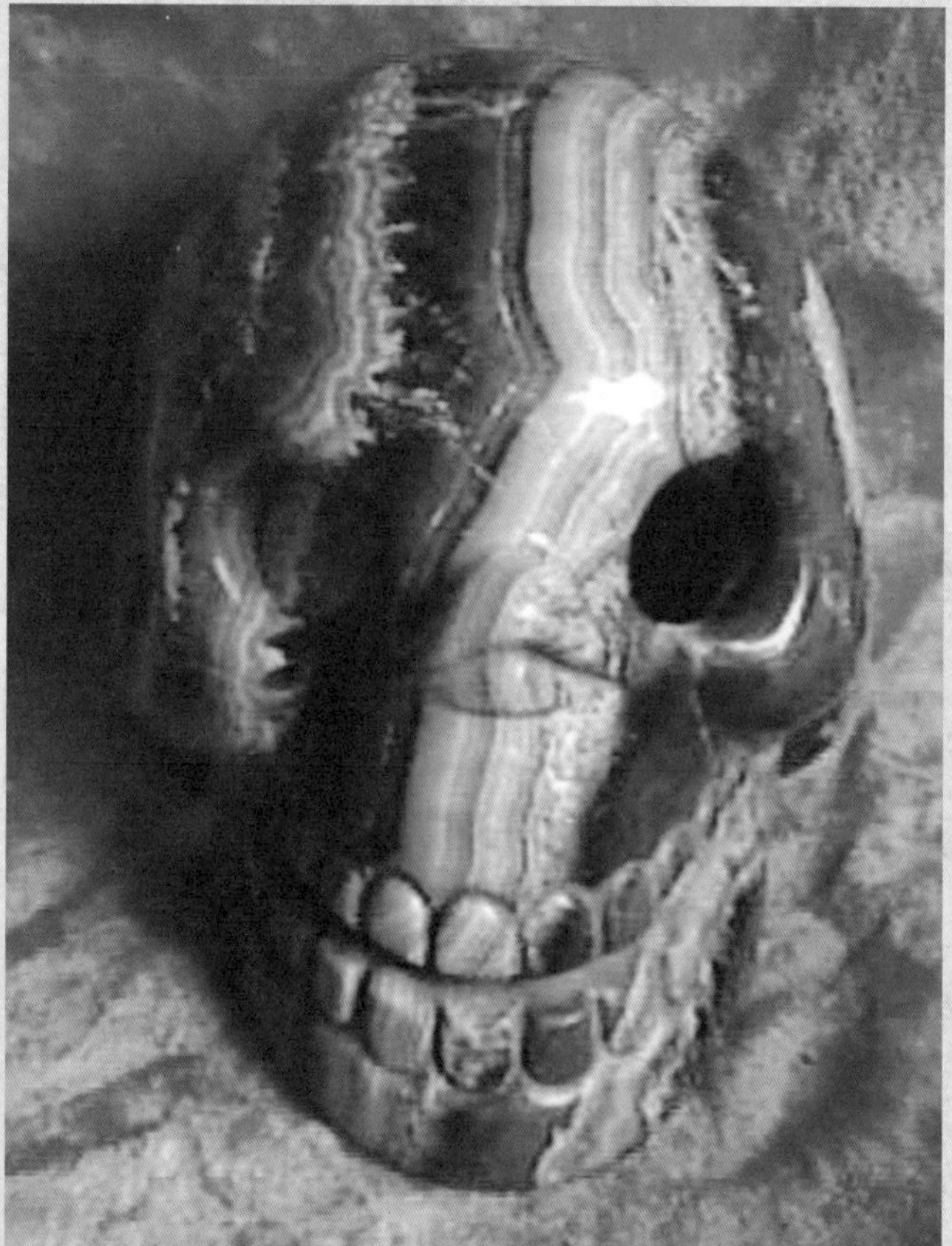

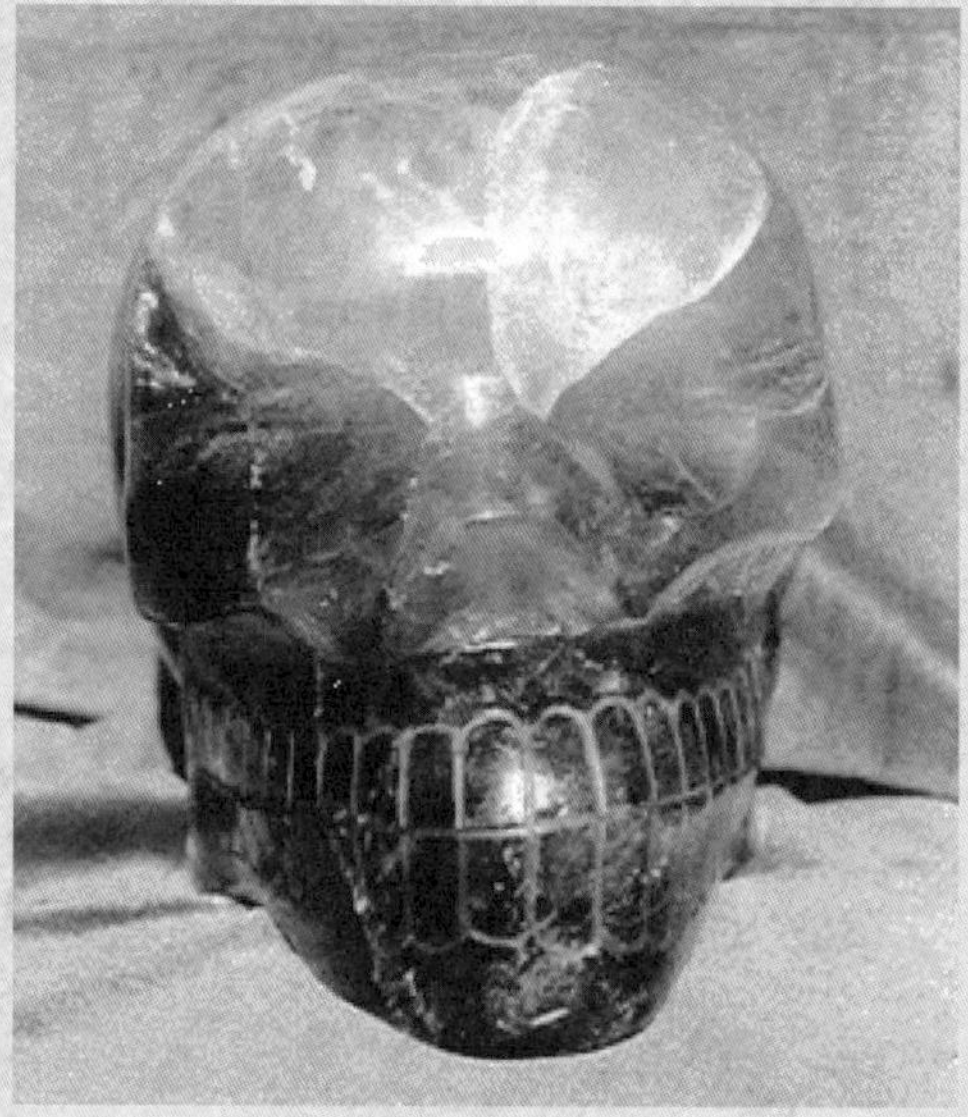

▲上：マリン・スカル。アメジストでできたスカル。アメリカ、サンフランシスコの港近くに住む人物が所有するため、この名がある。下：ソクラテス・スカル。スピリチュアリストが瞑想にいい影響をもたらすものとした、という逸話がある。哲学者の名の由来は不明。
◀イカポッド・スカル。奇妙な筋の入ったこのスカルは水晶製ではないものの、形状から水晶ドクロとの関連が指摘されている。中がきれいにくり抜かれている。

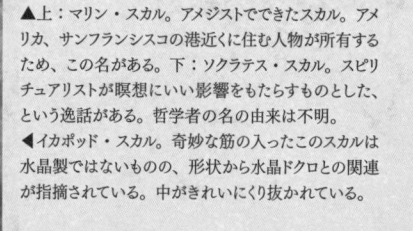

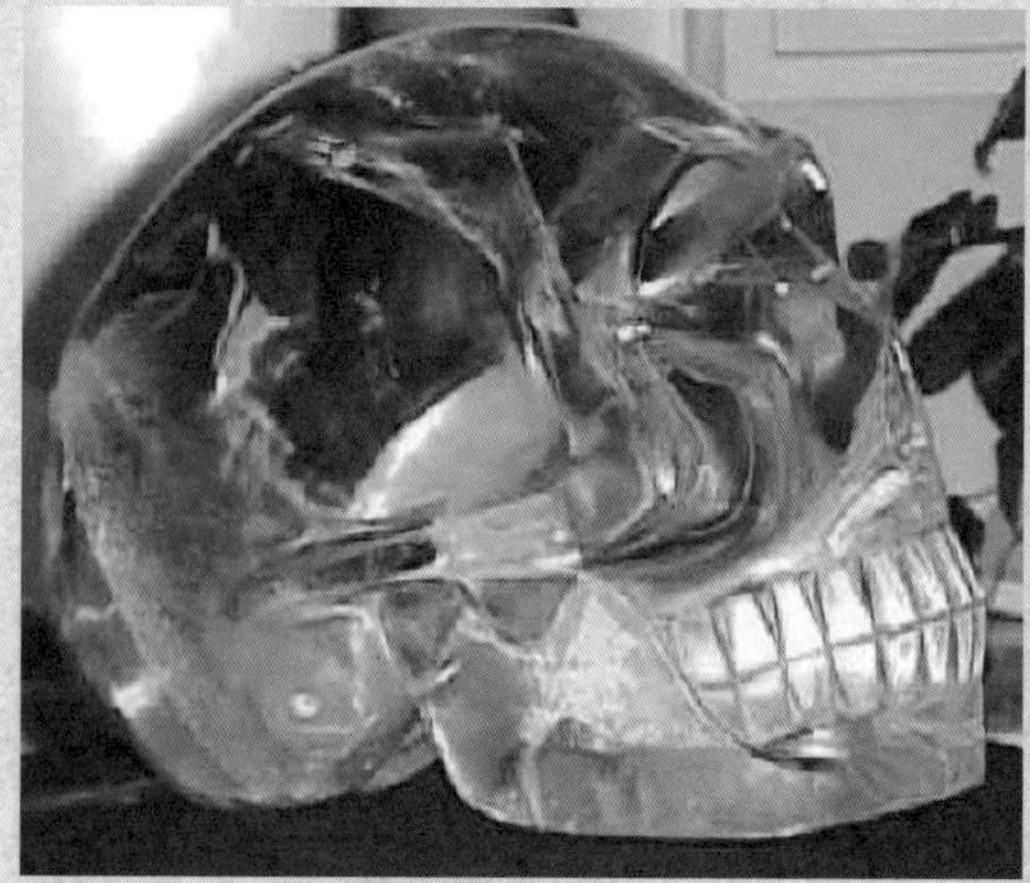

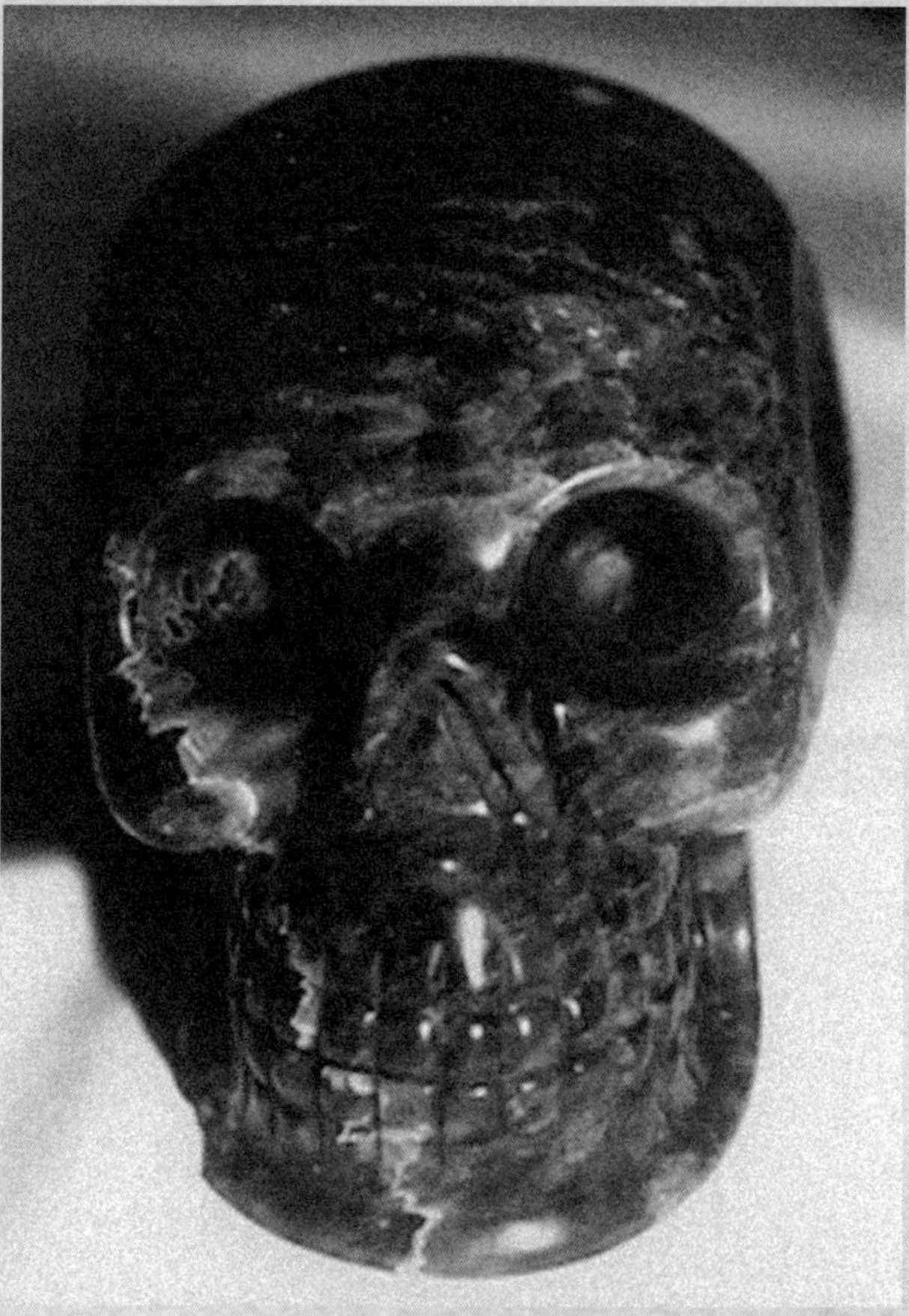

▲57ポンドスカル。名前の示すとおり、57ポンド、つまり25キロ以上もある水晶ドクロ。水晶の透明度はきわめて高い。
▶アメジスト・スカル。深い紫色のアメジスト、つまり紫水晶で作られたスカル。歯列などの形は、マヤン・スカルと酷似している。やはり古代マヤ遺跡から出土し、1982年に聖職者によってアメリカに持ち込まれた。現在まで、科学的な分析はされていないという。右側に“縫合線”と呼ばれる白い線が、後頭部まで続いているのが特徴。
▼ヘルメス・スカル。ピンク色で半透明の水晶から作られている。表面に赤い物質が付着しているが、成分は不明。内部がくり抜かれている。

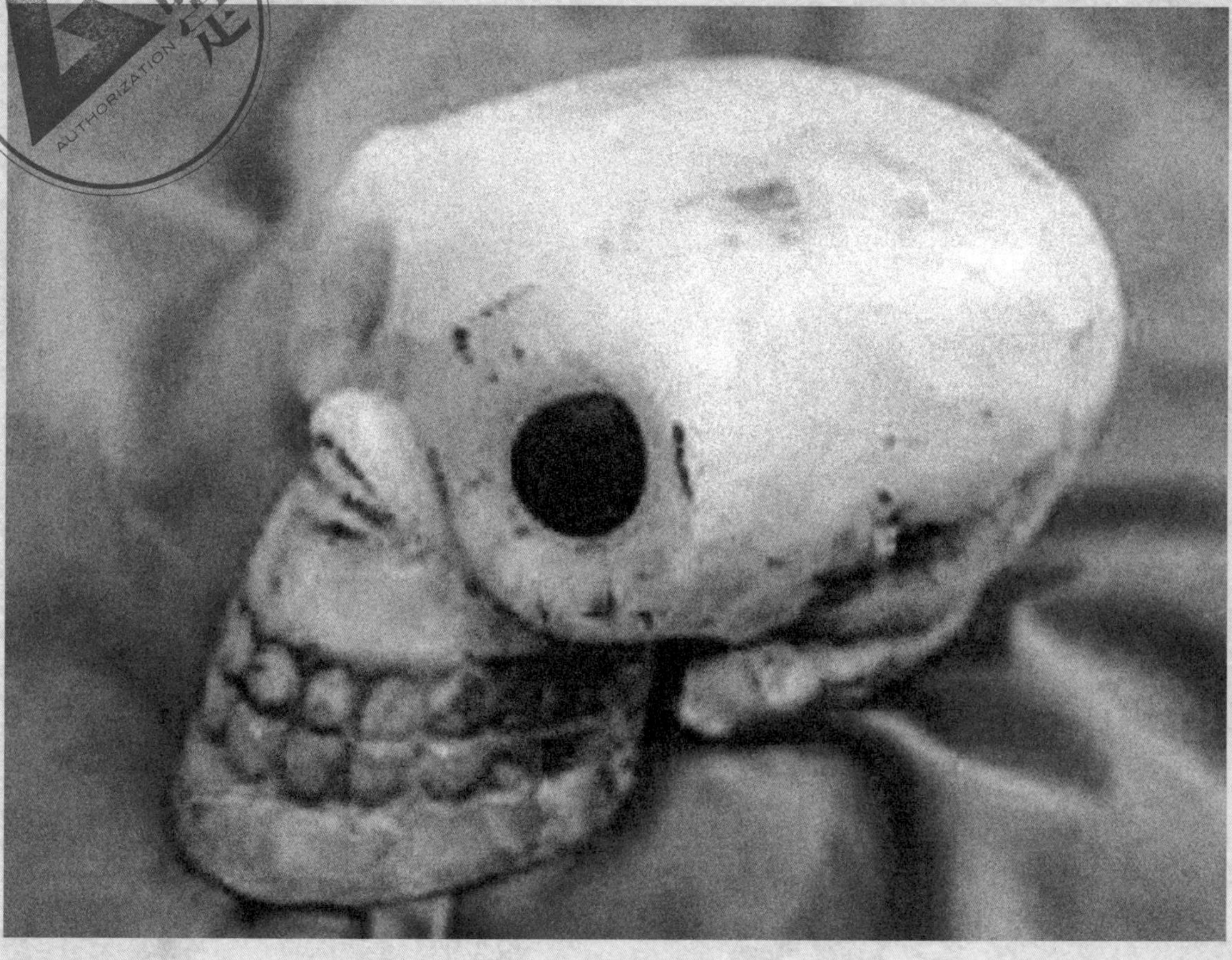

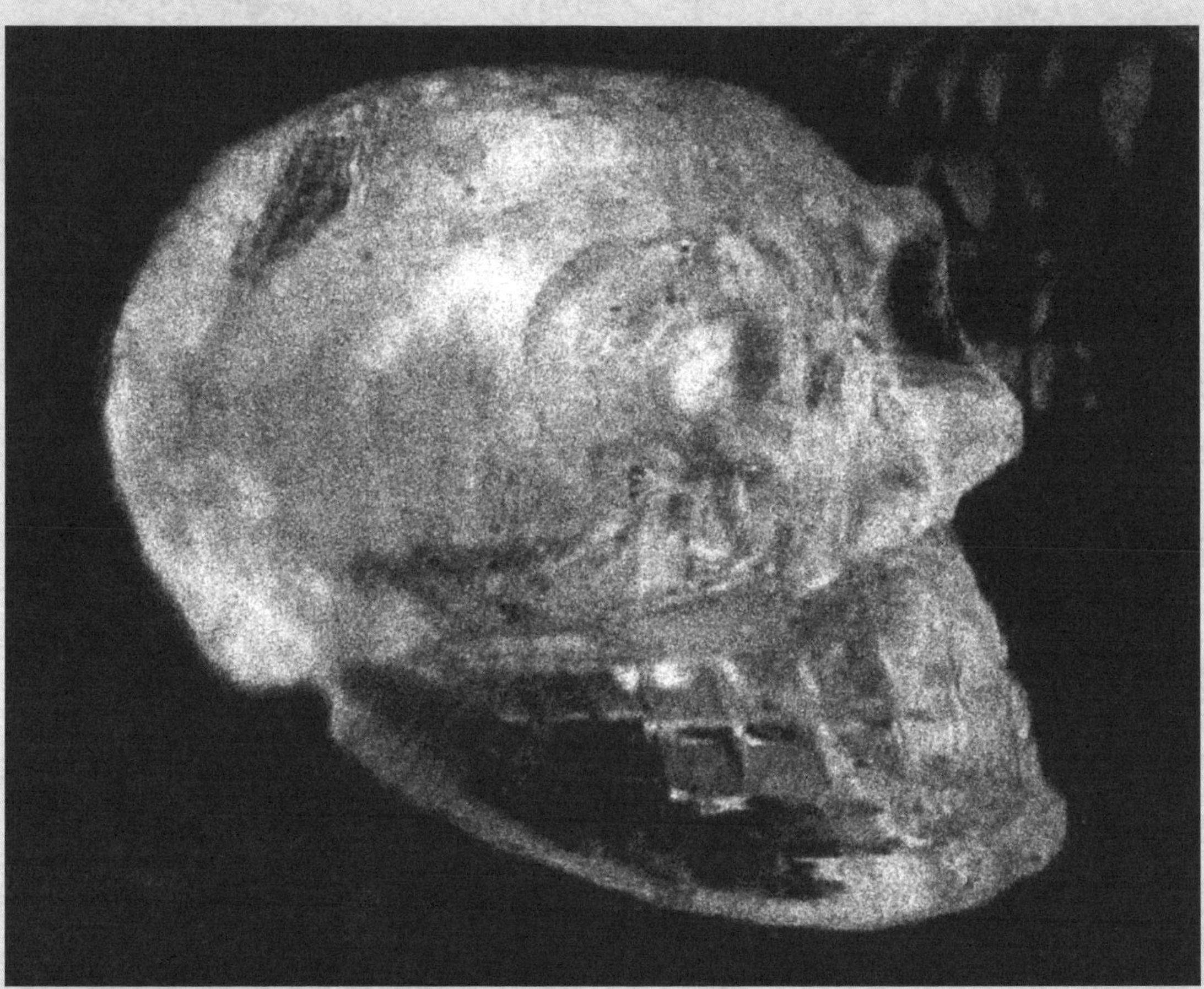

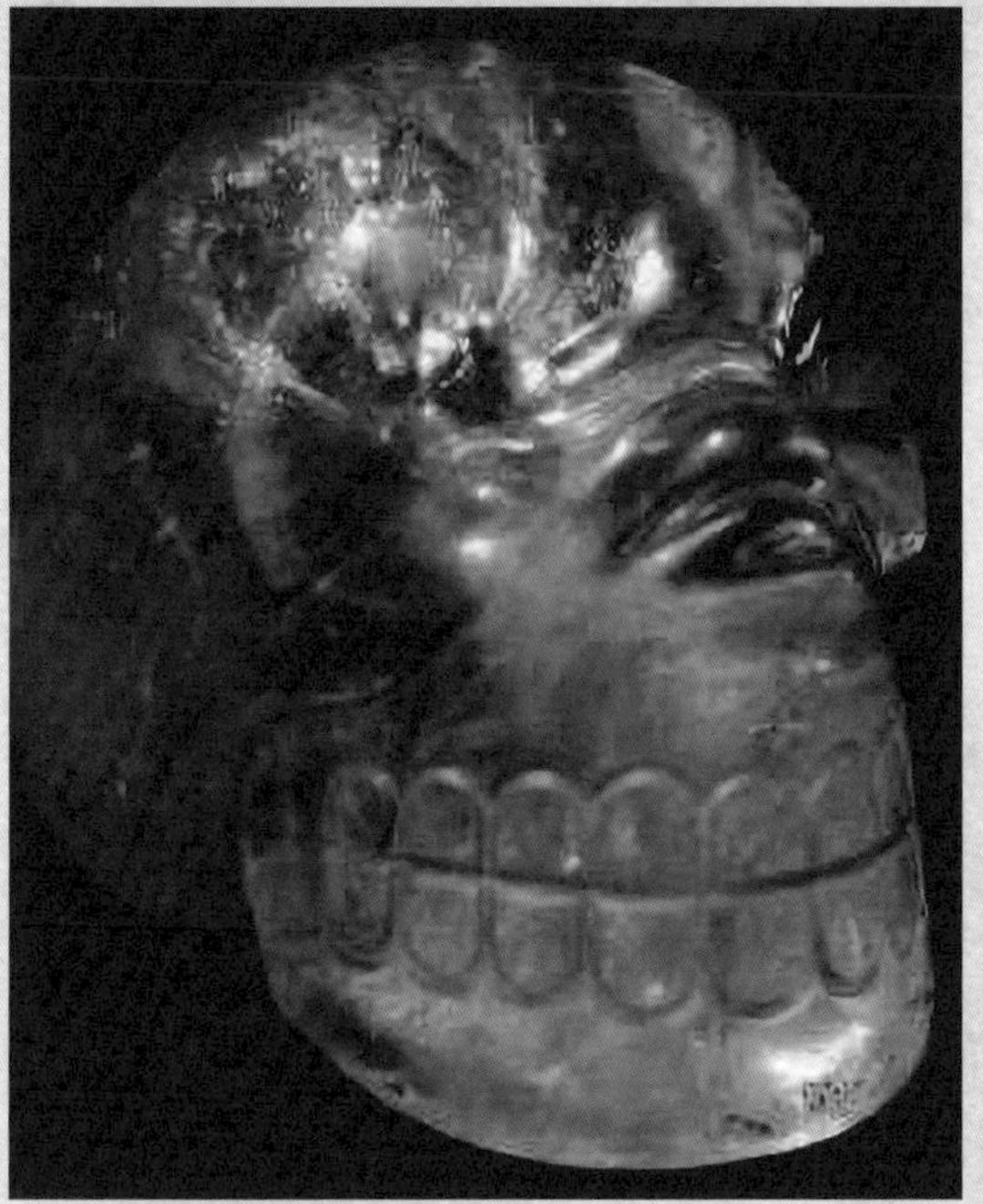

▲レインボー・スカル。透明度がきわめて高いため、光の具合によって内部が虹色にきらめく美しい水晶ドクロ。ヒーリング効果も高いという。
◀マドレ・スカル。サルの頭蓋骨に似ている。ちなみにマドレはスペインゴで“母”の意味。
▼ET・スカル。濁りのある半透明の水晶で作られている。

ムー認定 AUTHORIZATION

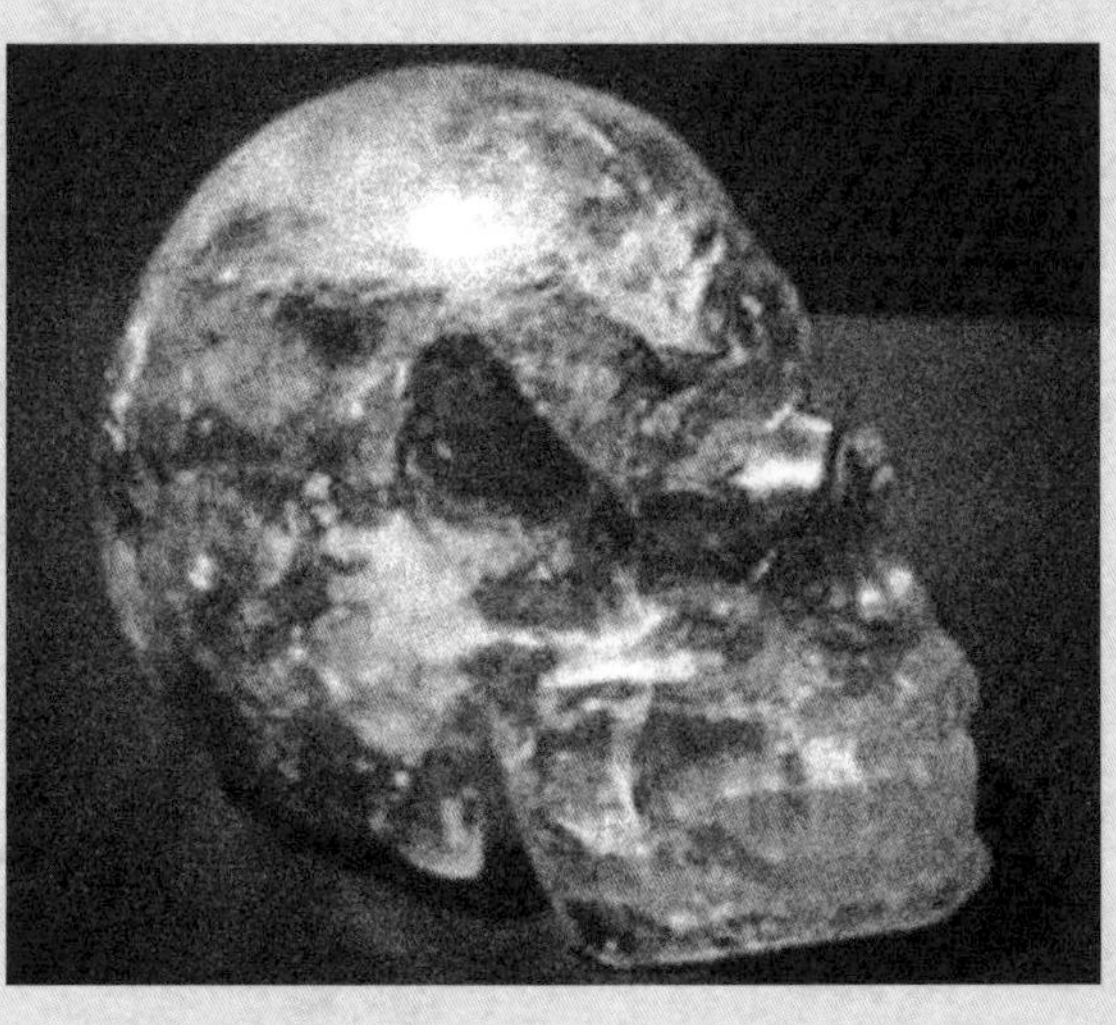

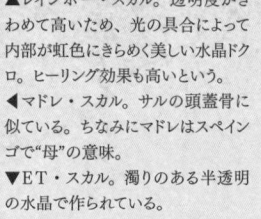

2 オーパーツ

No.000006

石棺レリーフ

▲パレンケの石棺レリーフ。操縦桿を握るパイロットがロケットに搭乗している姿を描いたものだとデニケンは指摘した。

１９５２年６月のことである。メキシコ国立大学マヤ研究センターのアルベルト・ルース博士らが、メキシコのチアパス州にあるパレンケ遺跡の「碑銘の神殿」の地下で、奇妙な遺物を発見した。それは、発掘された石棺の蓋に描かれていた不思議な絵柄のことだった。

石棺は長さ3メートル、幅2・1メートル、高さ1・1メートル、重さ5トンにおよぶ単岩をくり抜いたもので、その棺の上部を覆っていたのが、長さ3・7メートル、幅2・1メートルの一枚岩でできた蓋である。この石蓋をずらしていくと、石棺はロケットのような形にくり抜かれていて、豪華なヒスイの仮面をかぶり、装身具で飾られた40～50歳くらいの男性の遺体が現れた。

その遺体には顕著な特徴があった。墓前近くに横たわっていた陪葬者たちの身長は１５６センチ前後で、現在のユカタン半島のマヤ人の平均身長に近かった。だが、埋葬されていた人物の身長は、なんと１７３センチもあったのである。一般には、この人物は西暦６８３年に80歳で亡くなった、パレンケ王朝第11代目のパカル王とされているが、遺骸は40～50歳のものと推定されており、パカル王であるとするには、大きな矛盾が残されている。

問題の蓋は、古代マヤの神聖絵文字で縁どられ、複雑な模様の中央に、奇妙な頭飾りをつけた男性が浮き彫りにされている。一説には、このレリーフの絵柄は、パカル王が天国へ昇天するための儀式が描かれているという。

つまり、石棺はパカル王があの世に行くための乗り物として作られたものであり、蓋に描かれているのは、その乗り物を操縦し、あの世へ帰るパカル王の姿だというのである。

確かに描かれた人物は、乗り物に座っているような、着座姿勢をとっている。しかも前かがみで、前方を凝視している。つまり、前進しているときの操縦士のような前傾姿勢をとっているのだ。

乗り物の後部を見ると、エンジン機構と排気筒のように見える装備があり、さらに、その最後尾からは〝炎〟が噴射しているかのようだ。

つまり、このレリーフの絵柄は、単に儀式や死者の埋葬をシンボライズしたものとは考えにくく、今でいう飛行機に乗ったパイロットの姿を描いた、としか思えないのである。

▼王墓へと続く地下通路。

▲石棺を大きく覆う蓋にレリーフが描かれている。

▲パカル王の石棺が発見された碑銘の神殿。

　パレンケを訪れ、この墓室を調査したスイス人作家のエーリッヒ・フォン・デニケンは、石板のレリーフを見るなり「この人物は、まるでバイクに乗ったレーサーみたいだ！」と驚嘆した。しかもバイクには車輪がなく、空中を飛ぶ乗り物か、もしくは地上を滑空する乗り物だと考えられた。最下部の奇妙な模様が噴出する炎とガスを思わせることから、デニケンは「この人物は宇宙ロケットに乗ったスペース・トラベラー」だと主張した。

　確かに、その姿は宇宙飛行士が大気圏を脱するときなどに、体にかかる重力に耐えるためにとる姿勢そのものである。

　宇宙考古学の研究家たちも、レバーかコントロール盤を操縦する宇宙飛行士で、有人宇宙船のカプセル内部を描いたものではないか、と同意した。

　この絵は、宇宙船に搭乗しているパイロットとしてのパカル王と、機体のメカニックをモチーフにして描いたものだということになるのだ。

❁

　古代のマヤでは背の高い種族と、現在のマヤ人の末裔と呼ばれている人々とほぼ同じ体形をした種族がいた。メリダやイサマルの遺跡内でも、現在のマヤ人たちよりもはるかに大きな人骨が発見されている。しかも、当時は背の高い人々が支配階級だったらしいことが、ほかの遺跡の発掘調査からもわかっている。

　また、ピラミッド形遺跡内の階段の高さ（一段が約42センチもある）も、背の高い人間たちに合わせて設計されたと考えられているのだ。当時、ピラミッド内に自由に出入りできたのは、首長や神官階級だろうと推察されており、こうした事実から〝支配層＝背の高い人間〟という推測が成り立つ。

　さらには中米で紀元3世紀から9世紀ごろに栄えた、マヤ文明の古代都市コパンの遺跡には、高度な文明を伝えた存在に関する、次のような伝説が残っている。

「昔、東方から偉大な王がやってきてこの建物を建て、何年か経ったころ、空っぽの建物だけを残して故郷に引き上げてしまった」

　その後、コパンは16人の王によって統治されたが、一説によると、たったひとりの王が統治しつづけていたともいわれている。だが、そんな長命の人間が地球上に存在していたとは考えられない。

　これらの逸話は、墓室の遺骸、つまりマヤ人にしては大柄すぎるパカル王が外部から到来した偉大な王であり、のちに故郷へ引き返したことを物語っているのだろうか。

　パカル王は、地球外からやってきた〝太古の宇宙飛行士＝異星人〟か、もしくは、その子孫で、ロケットで故郷へ戻ったのかもしれない。

　古代マヤ人とは、異星人と何らかの関係をもち、高度な文明を授けられた者たちだったのだろうか。

▲パカル王の顔を覆っていたヒスイの仮面。
▶パレンケの4階建て建造物遺跡。天体観測所だったという説もある。

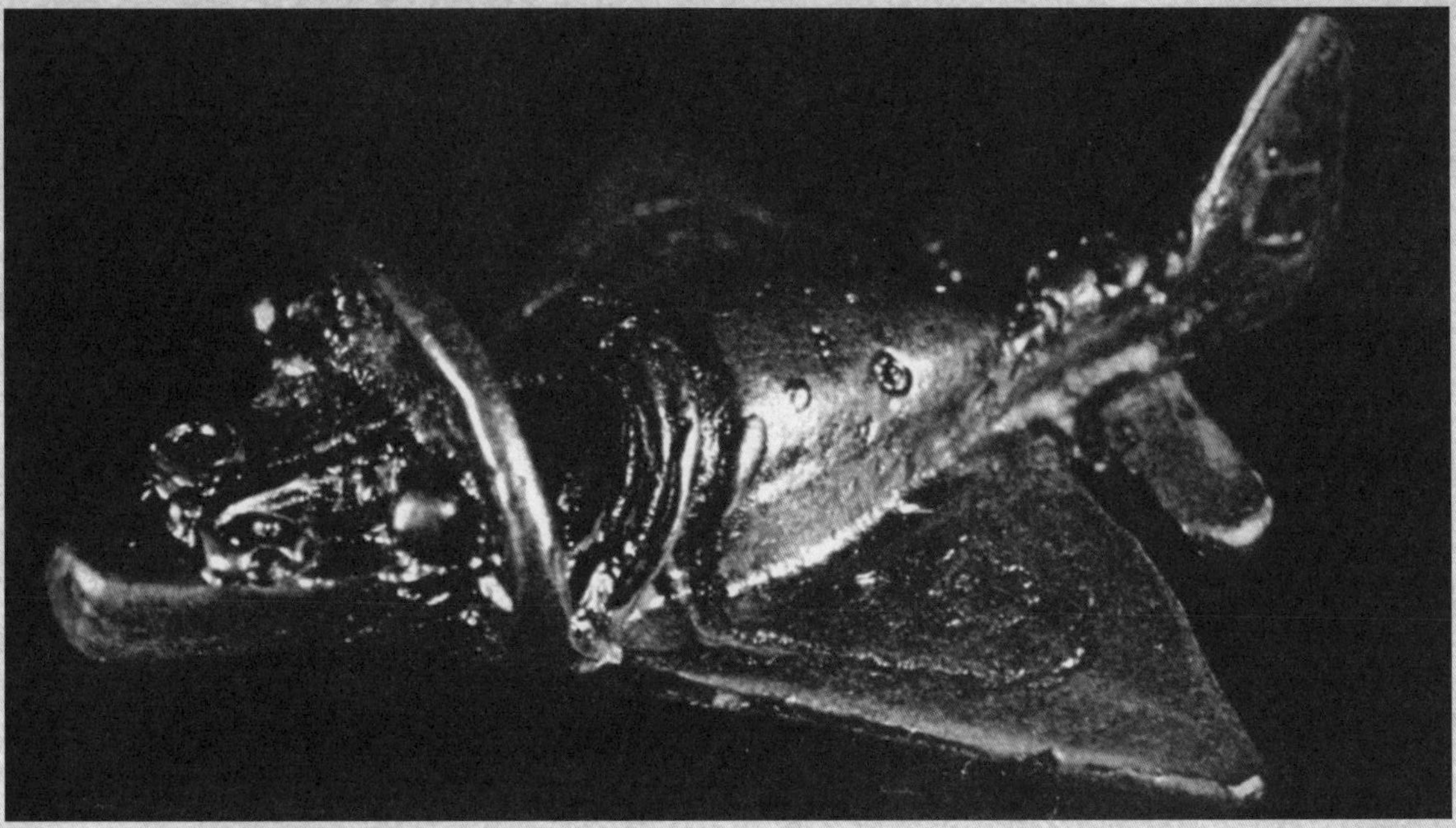

▲コロンビアの遺跡から発見された黄金ジェット。

No.000007

黄金ジェット

「古代南米には、飛行機をもつ文明が存在していたかもしれない！」

1969年、アメリカの動物学者で奇現象研究家としても知られていたアイヴァン・サンダーソンは、「Argosy」誌（同年11月号）で、センセーショナルな仮説を発表した。彼がその証拠として提示したのは、長さ約5センチ足らずの小さな黄金製のペンダントだった。

――南米コロンビアの古代遺跡から発掘されたというその黄金細工は、現代の三角翼ジェット機の特徴をもっているとサンダーソンは主張したのだ。

話は1954年にさかのぼる。

当時、アメリカを訪問していた南米コロンビア政府の高官の協力で、同国の黄金製の重要文化財コレクション展がニューヨークで開催されていた。そのとき、サンダーソンの友人で、宝石商を兼業している工芸専門家のマニー・ストーブが、そのコレクションの中から6点のレプリカを作る許可を得たのである。その中に、問題のペンダントが含まれていたのだ。

1969年の夏、事情で店をたたむことになったストーブは、倉庫を整理中、膨大なコレクションの影に隠れて埃にまみれていたレプリカの鋳型を見つけた。彼は、何かの役に立つのではないかと思い、この鋳型から黄金製の模型を作り、その入手過程などを記したノートを添えて、知己であるサンダーソンに送ったのである。

サンダーソンは、当初、この模型は昆虫か鳥、あるいは魚をモデルに古代の職人が作ったのではないかと考えた。

ところがである。動物学者としての知識を駆使しても、この模型に該当する動物がいくら調べても見つからないのである。途方に暮れていきついたのが、生物ではなくなんらかの機械であるという仮説だった。

＊

一度、閃くとその思いは急速に深くなった。

長年、航空雑誌の編集をしていた友人に何もいわずこれを見せたところ、彼はしばらく模型を眺めまわしてから、「新型の垂直離着機のようだが、だれが、こんなペンダントを作ったんだい？」と、いうではないか。少なくとも1000年以上前に、南米で作られたものが、新型機に似ているとは？

なるほど確かに、動物というよりは、むしろ整然とした機械的な特徴がうかがえる。サンダーソンは、そのフォルムをはじめ、あらゆる角度から詳細な分析にとりかかった。

輪郭は角ばっていて、ロールスロイスの旧タイプのような外観をしている。左右の三角翼はほとんど水平に出て、幾分下方にカーブしていた。昇降舵補助翼としか思えない構造や飛行機の尾翼と思われる部分は、いずれの生物にもない特徴だ。しかも尾翼には何かシンボルマークのようなものさえついていたのだ。航空機として見ると、V字の深い溝はコックピットで、両側の突起はヘッドライトだとわかる。

サンダーソンは、この模型から三角ジェット機を連想した。

▲真横から見ると、水平に伸びた三角翼やコックピットのようなくぼみがよくわかる。

▼ボゴダの国立銀行黄金博物館に展示されている黄金細工。鳥や虫に似たものの中で、明らかに三角翼のジェット機を模したものがある。

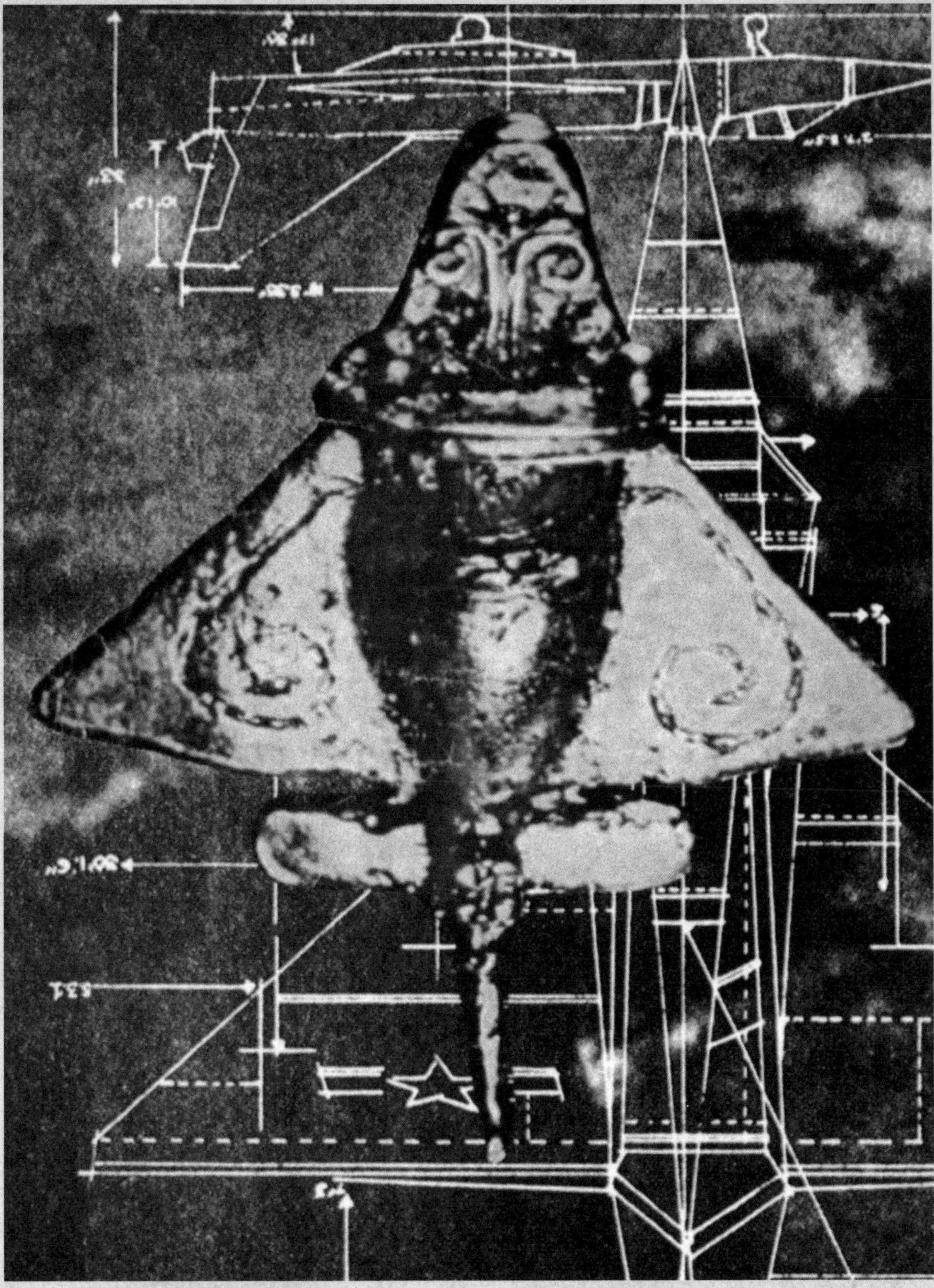

▲三角翼と垂直の尾翼は、いずれの生物にも似ていない。

◀左上：アルグント・エーンホーム（左）と、ペーター・ベルティリング空軍士官（右）。ふたりは黄金ジェットの再現模型を飛行させる実験に成功した（写真＝Peter Belting）。左下：飛行実験の様子。推進機構を装着したところ、滑走路から飛び立った（写真＝Peter Belting）。右上：アドルフ・ホイアーは黄金ジェットのフォルムをコンコルドに似ていると評した。右下：ジャック・A・ウーリッッチが黄金ジェットとの相似を指摘した戦闘機F-102。

さらに彼は自説を確証すべく、模型を持参して航空力学の専門家たちの意見を聞いてまわったのである。

そのひとりが、ベル・ヘリコプターをはじめ、飛行機の設計者として高名なアーサー・ヤングで、彼は次のような興味深いコメントをしたのだ。

「垂直尾翼の外観を見る限り、ある種の航空機を暗示している。しかし翼が悪い位置にある。翼弦が重心と一致するためには、もっと前にあるべきだ。ただし機尾にジェットエンジンを備えていたとすれば話は違ってくる。いずれにしても、先端部は不可解としかいいようがなく、この模型はとても魅力的だ」

ふたり目は、ドイツ人で世界初のロケット・パイロットである、ジャック・A・ウーリッチのコメントだ。

「三角形の両翼と先細りの胴体は、モデルになった飛行機が、ジェット推進、もしくはロケット・エンジンを搭載した超音速機を連想させる。それもF－102戦闘機を……」

ついで航空機械技師、アドルフ・ホイアーは、別の発見をしている。

「下方に向いたデルタ翼は、コンコルド機に似ている。急加速、急上昇の超音速飛行が可能だったのではないだろうか。また、下がり気味の翼端は、これが〝水陸両用機〟だった可能性も秘めている。理論上、先端の下がった翼が合理的だとされているからだ」

さらに彼は、4つのくぼみをもつ機尾の小さな構造は、現代のジェット機にも認められるものだ、とつけ加えた。

このように、分析を依頼された専門家たちは、この小さな模型が超音速ジェット機の形態を備えていることを次々と認めたのである。

遥か昔に、地球上を飛行機が飛んでいた――。

専門家の意見に自信をもったサンダーソンは新たな説を打ちだした。

巨大な地上絵があるナスカ平原を「古代の飛行場だった」と考え、世界各地から飛来した飛行機は、ナスカ平原＝飛行場を一大拠点として、中南米各地を訪問していたのではないか、というものだ。

はたして、この黄金のペンダントは飛行機だったのだろうか。残念ながら、調査研究していたサンダーソンはこの世を去り、問題のペンダントも行方不明だが、ほかにも黄金ジェットは数多く存在する。これらを基にしたさらなる研究に期待したい。

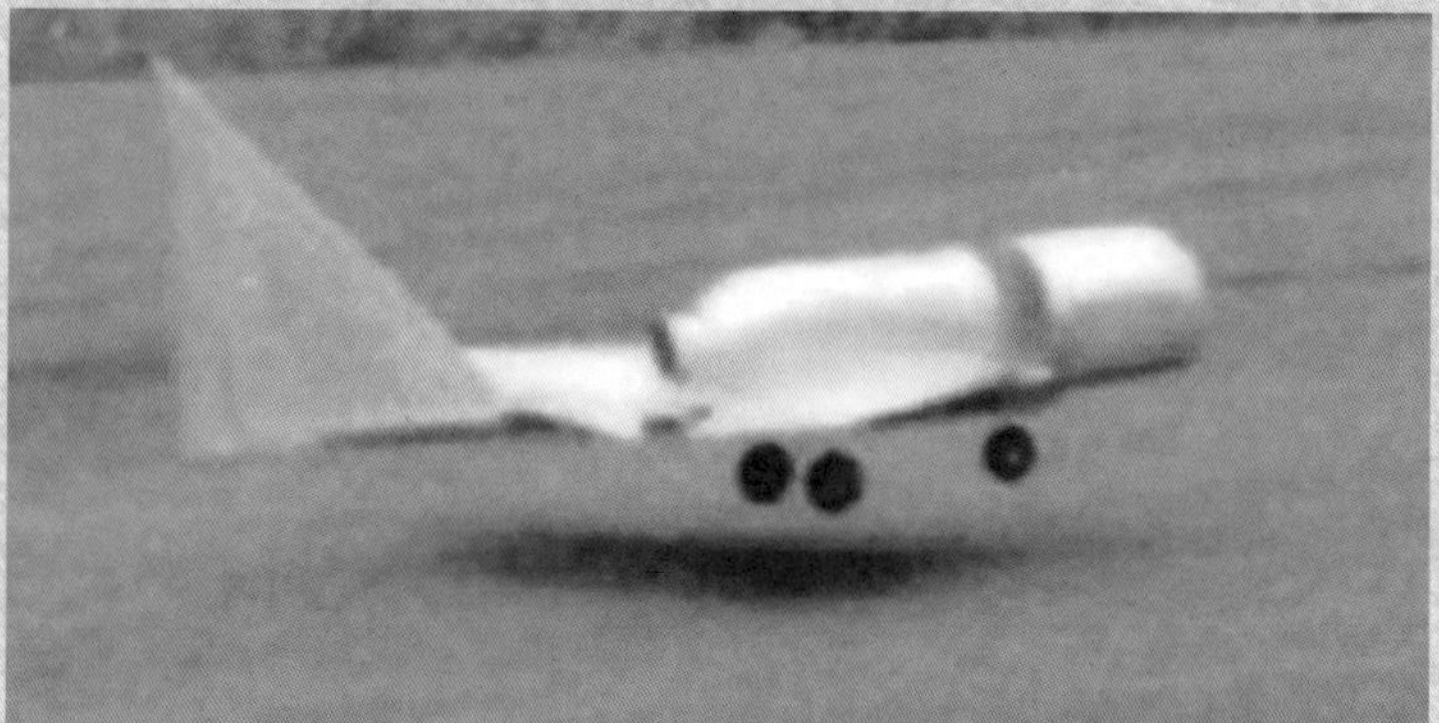

No.000008

黄金ブルドーザー

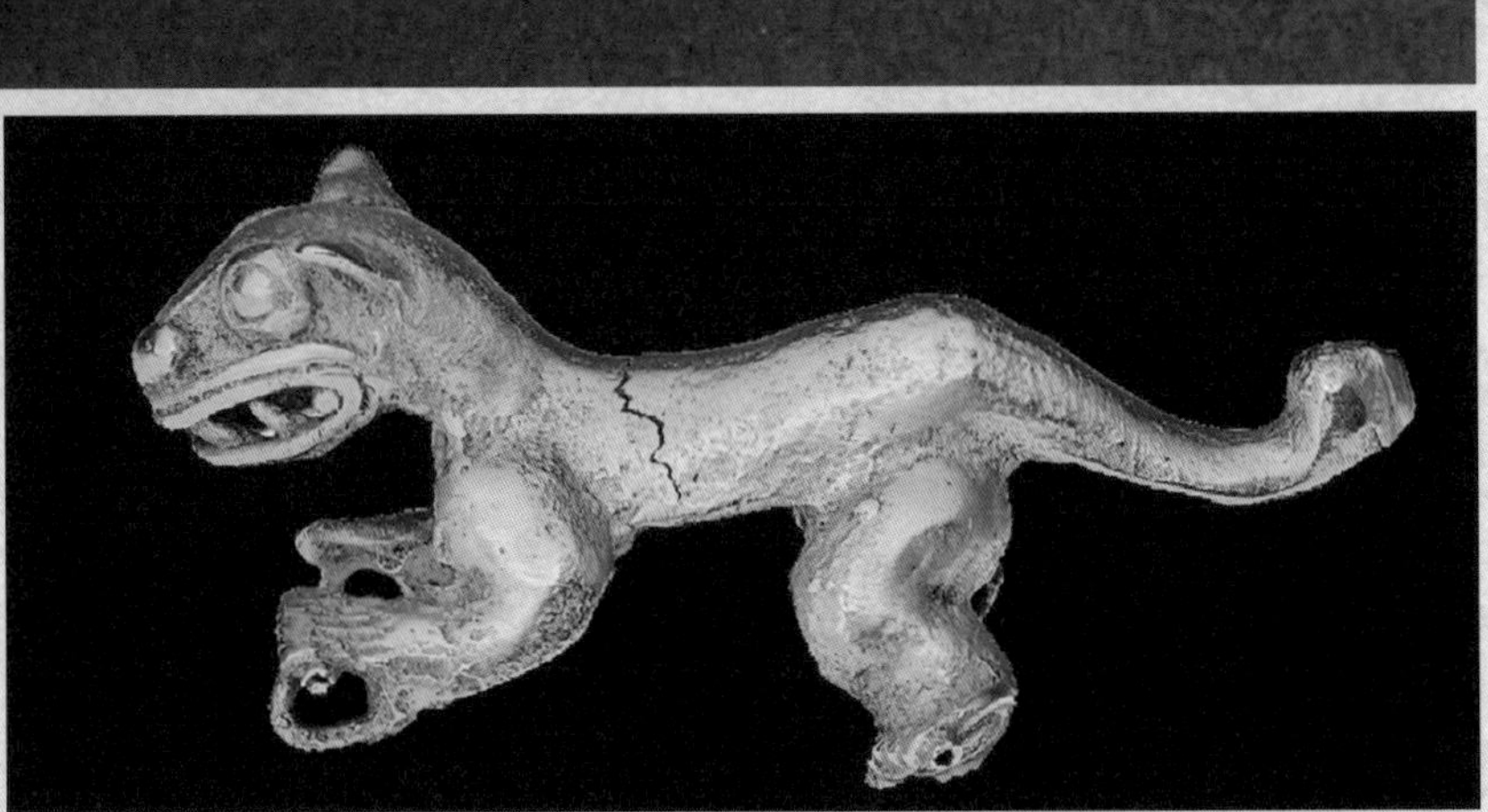

▶ジャガーを模した黄金細工。上の遺物とは似ても似つかない。

▲後部にアームがついた現代のブルドーザー。黄金ブルドーザーも前後に異なるアームを備えた多用途重機だったのだろうか。

▶コクレ文化遺跡の墓所から発見された「黄金ブルドーザー」（写真＝ペンシルベニア大学博物館）。

1920年、中米パナマ南部に栄えていた「コクレ文化」の遺跡の墓所から、大量の陶器にまじって奇妙な黄金細工が発見された。

コクレ文化は、6世紀から11世紀ごろに繁栄し、黄金細工の工芸が盛んだった。打ち出し細工、溶接、合金、鍛造、ロウ型法、酸を使った一種のメッキ技法などの技術を用いて、さまざまな形の黄金細工を残している。しかし、コクレ文化の人々は文字をもたず、生活習慣や文明そのものの多くは謎に包まれている。一方で、高度な文明を誇ったとされるマヤ文明の都市とも交流があったそうだ。

問題の黄金細工は長さ約12センチで、当初は動物をデフォルメしたものだと考えられた。周辺地域で大規模な調査をしたアメリカ、フィラデルフィア市のペンシルベニア大学博物館が謎の異物を所蔵する際にも、「大きなエメラルドがはめ込まれたジャガーで、口はヘビをかたどっている」と記している。

だが、細部を観察すると、尾の先端には明らかに2個の歯車がついており、動物というより機械的なイメージが強い。その後、遺物の説明文に異論を唱える人物が現れた。動物学者のアイヴァン・サンダーソンである。

ジャガーにはこれほどまっすぐで長い尾はなく、そもそも体長が短い。頭部の巨大な目も、形からして動物の目ではない。中でも問題なのは、尾の付け根の両側と先端に突き出た手足、付属した小片、尾の先端にあるふたつの歯車だ。これらは、黄金製のジャガーが「ある種の機械」であることを暗示する証拠ではないのか――。

そう主張するサンダーソンは、これは古代の土木工事で使われた「ブルドーザーのミニチュア」ではないか、と推測した。

サンダーソンは、頭部は現在のブルドーザーに見られる歯状のバケットだと考えた。

ブルドーザーの前方には、「ブレード（排土板）」と呼ばれるものが装着されており、土砂を排除したり岩を砕いたり、用途によっていくつかの種類が使い分けられる。たとえば、レーキドーザーと呼ばれるタイプは、前面が柵状になっており、土や石

◀左・右：黄金細工が盛んだったコクレ文化の遺物。精緻な模様が特徴である。左ページ下2枚：コパン遺跡からは歯車を模した遺物がいくつか発見されている。

などを押したり地面をならしたりする際に使用される。また、石を砕いたり、木々の根や地面を掘り起こす際には、強靭なかぎ爪のついた「リッパー」と呼ばれるバケットが使用される。

黄金製ジャガーの歯は、まさにリッパーのついたバケットをデフォルメしたもののように見えるのだ。

また、サンダーソンは、胴体の脚の関節部分が動物のものとは反対になっていることに注目し、これが脚ではなく重量のあるものを支える際の緩衝装置ではないか、と指摘した。そうでなくても、本体を地面に固定するための油圧シリンダーだった可能性が高い。

頭部にある巨大なふたつの目にも注目してほしい。サンダーソンが指摘するように、ジャガーの目は、突出してもいないし上向きでもない。しかし、現在のブルドーザーのライトと比べると、形や位置が一致するとは思えないだろうか。さらに左右の目に、それぞれ歯と連結された4本のケーブル状の線がある。これはリッパーを機動させる際に必要な電動ケーブルだった可能性がある。

胴体部分はどうだろうか。背中の全面にエメラルドがはめ込まれているだけで、現在のブルドーザーの操縦席のような構造やその痕跡はない。

実は、操縦席に関する興味深い情報がある。サンダーソンの知友から漏れたという情報では、

▼マヤ文明のコパン遺跡の建造物。

本来、エメラルドがはめ込まれた部分には、ガラス張りの部屋らしき装飾がすっぽりとはまっており、その中に人が座っていたというのだ。

そして、黄金製ジャガーにおいて、最も機械的な印象を受けるのが、尾と先端のふたつの歯車だ。サンダーソンも、これは「歯車がついたクレーン」で、動物をかたどったものではない決定的な証拠だ、と指摘している。

現在のブルドーザーには、後方に歯車式のクレーンがついたタイプはないが、ショベルアームがついたものは存在する。黄金ブルドーザーもまた、前後で違う用途を備えた重機である可能性は高い。

コクレ文化に近い地域に存在していたマヤ文明は、密林を切り開き、小高い山を克服して多数のピラミッドを造営した。しかし、人々の手作業では、広大な密林の開拓や、巨大な遺跡を建築するには、気が遠くなるほどの年月を要するはずだ。

やはり、マヤ文明一帯の人々は、密林の開拓と巨大建築にブルドーザーを用いていたのではないだろうか。

No.000009
電球レリーフ

◀神殿地下の壁に描かれている電球レリーフ。

エジプトの古代都市ルクソール近郊のデンデラにあるハトホル神殿内には、世界的に有名なオーパーツがある。壁いっぱいに描かれた奇妙なレリーフがそれである。

オーパーツの名づけ親であるアイヴァン・サンダーソンは、同神殿の地下室の壁に残るこのレリーフについて、その中心に描かれているのは「照明電球」であり、それを支えているのは「高電圧絶縁器」だ、と指摘したのである。

この電球レリーフは、神殿の最深部から地下に下りた突き当たりにあり、幅50センチ、高さ1メートルの空間の左右の両壁いっぱいに浮き彫りにされている。

ナスのような形をした物体内部に長く伸びたヘビ、物体を支えるジェド柱、その後ろには長いロープが伸びている。この内部のヘビはフィラメント、ジェド柱は高電圧の絶縁体、後ろのロープは電線ケーブルを表現している――さながら長く伸ばした巨大な〝裸電球〟を描いた代物なのだ。

ム認定
AUTHORIZATION

▶神殿の地下入り口の天井付近に描かれている電球レリーフ。かすかに色彩が残っている。

▼ハトホル神殿最奥部に描かれている、向き合った一対の電球レリーフ。

ここに刻まれた電球レリーフは全部で3つ。片側に向き合った電球がふたつあり、その正面にもうひとつの電球レリーフがある。いずれも根元あたりに人物が描かれており、彼らは電球を操作、管理しているようにも見てとれる。

もうひとつの電球レリーフには、2本のナイフをかざした一頭のヒヒが彫られている。電球内部のフィラメントが、ヒヒの持つナイフを避けるように曲がっているのも実に興味深い。

このほかに、色彩の残った電球レリーフも発見されている。神殿の地下への入り口の手前、左手の部屋の天井部付近に3つ描かれているものだ。ここの電球部分は白く、中のフィラメントは黄色い。つまり、これは、いかにも電球が発光している様子を描いているとしか思えないものなのである。

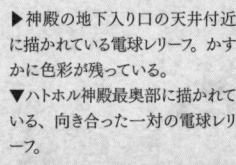

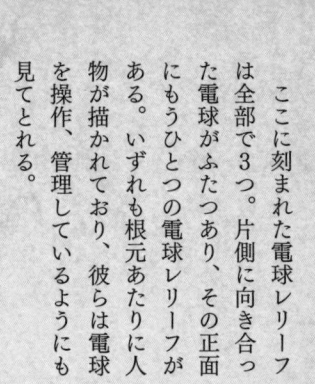

そして、さらなる発見があった。ハトホル神殿の裏に位置するイシス小神殿の内部の高い位置にも、同様の電球レリーフが彫られていたのだ。

ハトホル神殿の門をくぐり、すぐ右手に位置する誕生殿の壁

▲19世紀のデンデラ遺跡。

◀上：誕生殿の壁に描かれた電球レリーフ。裸電球、豆電球のように見える。下：ハトホル神殿地下の別のレリーフ。天に伸びるヘビ＝フィメントは電気の象徴といわれている。

にも、文字通り〝裸電球レリーフ〟がある。スカラベとおぼしきものの隣に、ふたつの電球が並列されている。

これはほかの電球と形が異なり、短く、しかも根元部分が縞模様となっている。いかにもソケットをはめ込むネジを想起させずにはおかない。もしかしたら、これは〝豆電球〟なのかもしれない。

✿

電球レリーフに関して、これは太陽の霊魂であるヘビを乗せた船を象徴したもので、周囲のヒエログリフの内容も霊魂を乗せて天空を翔ける「太陽の船」であることを裏づけているという意見が一般論として唱えられている。

が、その一方で、ヒエログリフは寸法や材料についての添え書きであるという解釈もある。ハンブルグの考古学者ヴォルフガング・ヴァイトクス博士は「何らかの道具を描写したもの」と指摘しているし、同じく考古学者のディータ・クルト教授も「根元の部分の材料は金、もしくは金の合金で、電球とおぼしき部分は約40センチである」という見解を述べている。

ヒエログリフと合わせて考えてみても、太陽の霊魂とは太陽の炎、すなわちプラズマであり、蛍光灯の光を意味しているとも考えられるだろう。ジェド柱が高周波発生装置の絶縁体だとすれば、電球は交流電流を使用していたことになる。ヘビ＝フィラメントはプラズマ光の象徴で、電球は蛍光灯だった可能性があるのだ。

一般的には電気の存在は、1752年にアメリカのベンジャミン・フランクリンが行った雷と凧の実験によって初めて知られたとされる。

ところが、古代エジプト人が

▶上：ハトホル神殿の天井にも多様なレリーフが残されている。
下：デンデラにあるハトホル神殿。

電気を知っていたことを示唆する証拠がいくつか出てきた。たとえば、１８９４年発行の「アメリカン・アンティキリアン」という考古学雑誌に、古代エジプト人が避雷針をもっていたというレポートが載っている。

それによると、避雷針は神殿の前に建てられた銅柱で、高さは約30メートルあったという。さらに紀元前３２３年に建てられたある神殿では、２本の避雷針を命を守る柱として、正門の前に建てていたという。つけ加えるなら、パピルス文書には、20世紀初めに発明された静電気発電装置に酷似した絵まで描かれている。

また、イギリスの科学誌「ネイチャー」（１９８２年2月29日号）で、J・ノーマンが、興味深い説を述べている。

「新しく発掘されたエジプトの古い神殿には、奇妙なことに、どこにも火を燃やした跡がない。最奥部の光がまったく差し込まない部屋にさえないのだ。

これまで固定式の鏡と可動鏡を使って、太陽光を内部にとり入れていたため、松明が不要だったと考えられていたが、それらしい鏡などの装置を描いた絵も遺物も、何ひとつ出土していない。独創的ではあるが、古代エジプトの神殿内部が電気を使った照明によって照らされていたという説も検討すべきではないだろうか」

確かに、巨大オーパーツとして知られるギザの大ピラミッドの内部も、火で燃やした跡や松明の煤さえ残っていない。なぜ光も届かない複雑な回廊を建造できたのか、という謎も、電気による照明があれば氷解する。

古代エジプトに電気の光が存在した――。その根拠こそ、このハトホル神殿の電球レリーフなのである。

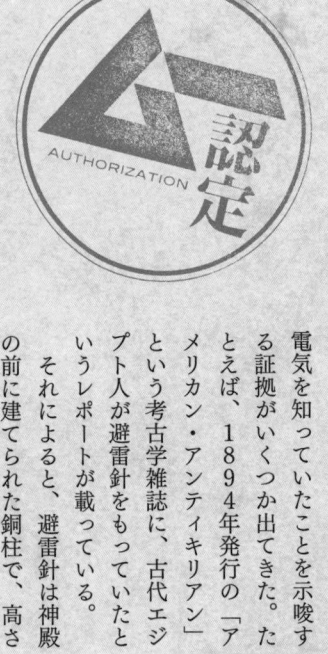

No.000010

遮光器土偶

紀元前2000年ごろから始まる縄文時代後期・晩年の東北地方において、特異な姿の土偶が作られた。

それが、亀ヶ岡を中心とした文化圏で盛んに作られた遮光器土偶である。横筋の入った大きな目、丸みを帯びた凹凸の装飾豊かな服装など、実に印象的である。

旧ソ連の科学評論家アレクサンダー・カザンツェフがこの遮光器土偶に注目し、現物をいくつも母国に持ち帰って研究した。1962年、科学誌「アガニョーク」に、「これこそ地球に訪問した宇宙服姿の異星人をモデルにした土偶だ」と、大胆な仮説を発表し、注目を集めた。

これがきっかけで、遮光器土偶はその表面の精緻な造形から、現代の宇宙飛行士が着用する宇宙服との関連が指摘されるようになる。事実、遮光器土偶と宇宙服には、多くの類似点が見受けられるのだ。

頭頂部の異様に盛り上がった形状は「この時代特有の髪形」だと考えられてきたが、後頭部に広がっていないことから見て、

▶青森県の亀ヶ岡遺跡から出土した遮光器土偶。重要文化財に指定されている（写真＝東京国立博物館）。

これは髪ではなく帽子やヘルメットのようにかぶるものだと思われる。遮光器土偶の中には後頭部に横長のスリットがデザインされているものがある。これは後方を振り返って見るための覗き窓と考えるほうが自然だ。

横線の入った眼の部分は、強い太陽光を遮るゴーグルと見るのが妥当だ。こうした構造のゴーグルは、現在でも高空飛行する戦闘機のパイロットが使用することがある。その遮光器とヘルメットの接続部分にはゴーグルの開閉機構や通信機器を備えていたことを示している。

遮光器土偶には、鼻孔とは違う、口もしくはあごの部分に、フィルター状構造をもつものがある。さらには、顔面中央部に円筒状の物体が存在し、その底部に丸い小さな穴が円形状に並列しているものもある。これは母星とは異なる環境での呼吸を補助する装置と考えるのが理にかなっている。

ほぼすべての種類の遮光器土偶は、ヘルメット状の頭部と気密服のような胴体を備え、中には首の部分に衣服的なゆるみが表現されているものもある。岩

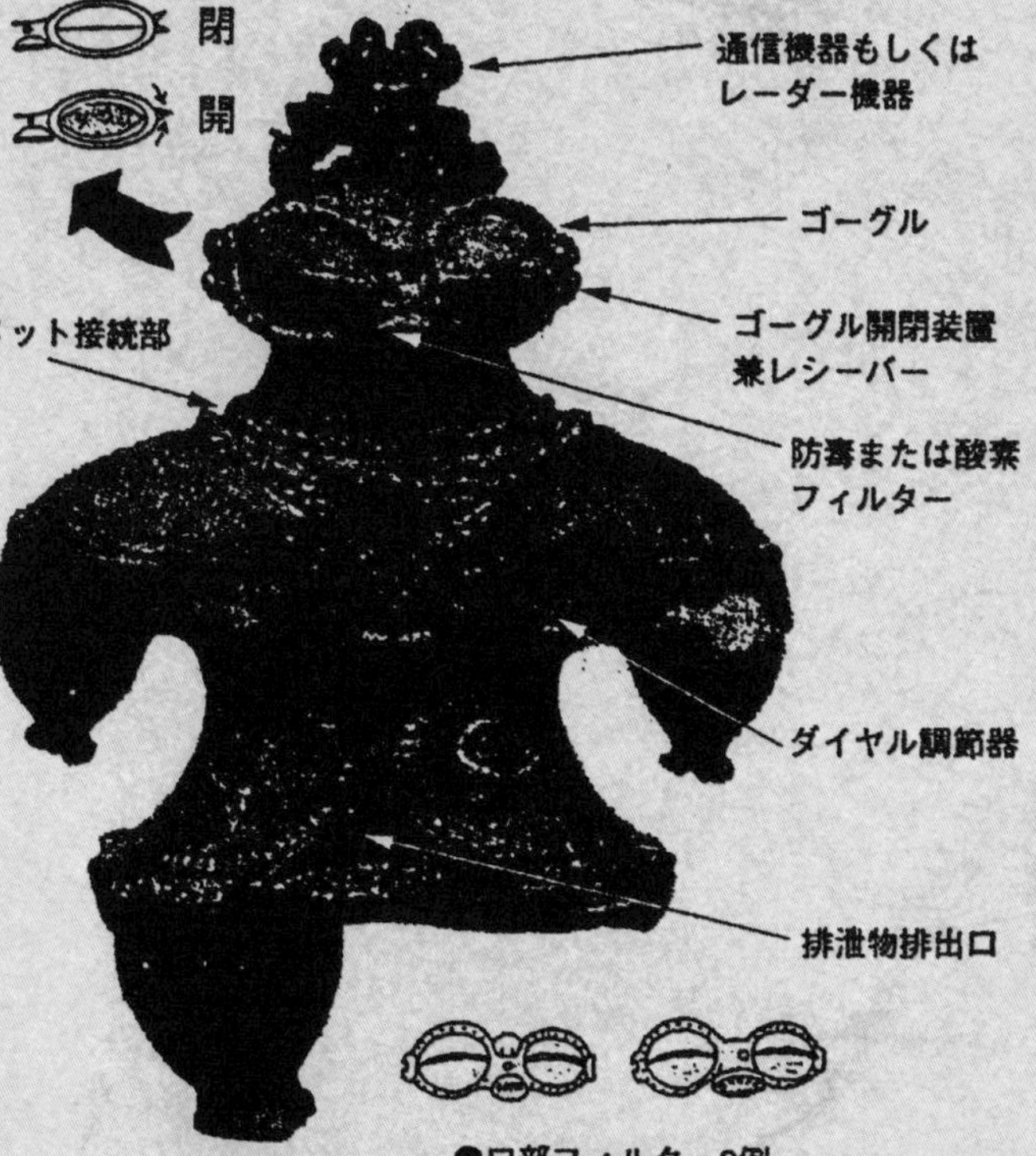

●口部フィルター2例

◀▶：青森県の亀ヶ岡遺跡から出土した遮光器土偶。

手県盛岡市の手代森遺跡から出土した遮光器土偶には、その特徴が顕著である。

しかも、首あての最下部にあたる部分には、まるでヘルメットをリベットで堅固につなげたかのような接続部が見られる。岩手県盛岡市玉山区で出土した遮光器土偶は、ここから頭部を取り外すことができたという。

たいていの遮光器土偶は、その内部が中空となっていることから、一般的に「中空土偶」と総称することもある。

もちろん、中空土偶は遮光器土偶に限った特徴ではないが、年代的には遮光器土偶へと続く、縄文時代後期後半からの完成度の高い、一連の土偶に見られる特徴である。

当然、内部を中空にしたほうが、製作工程上の手間がかかる。ではなぜ、このような高度な技法を使用しなければならなかったのだろうか。

それは、外殻を作るといった技法によって、遮光器土偶がスーツであることを表現したかったからではないだろうか。

さらに、胸部に見られる乳房状の突起——これは、遮光器土

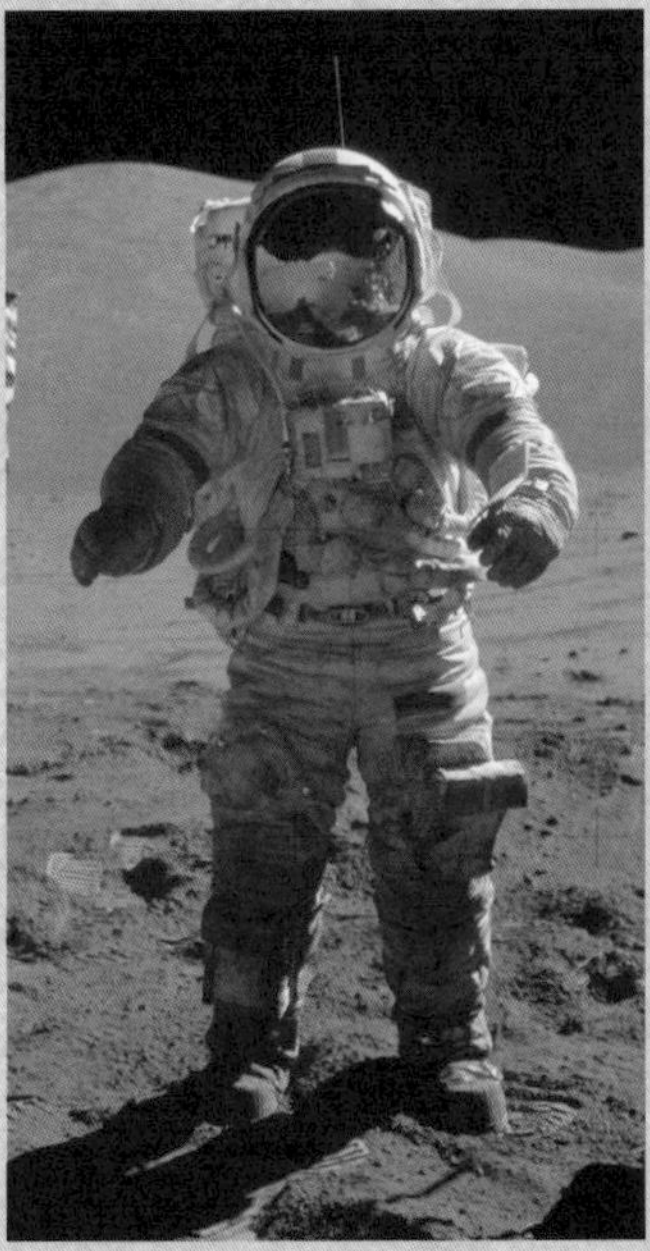

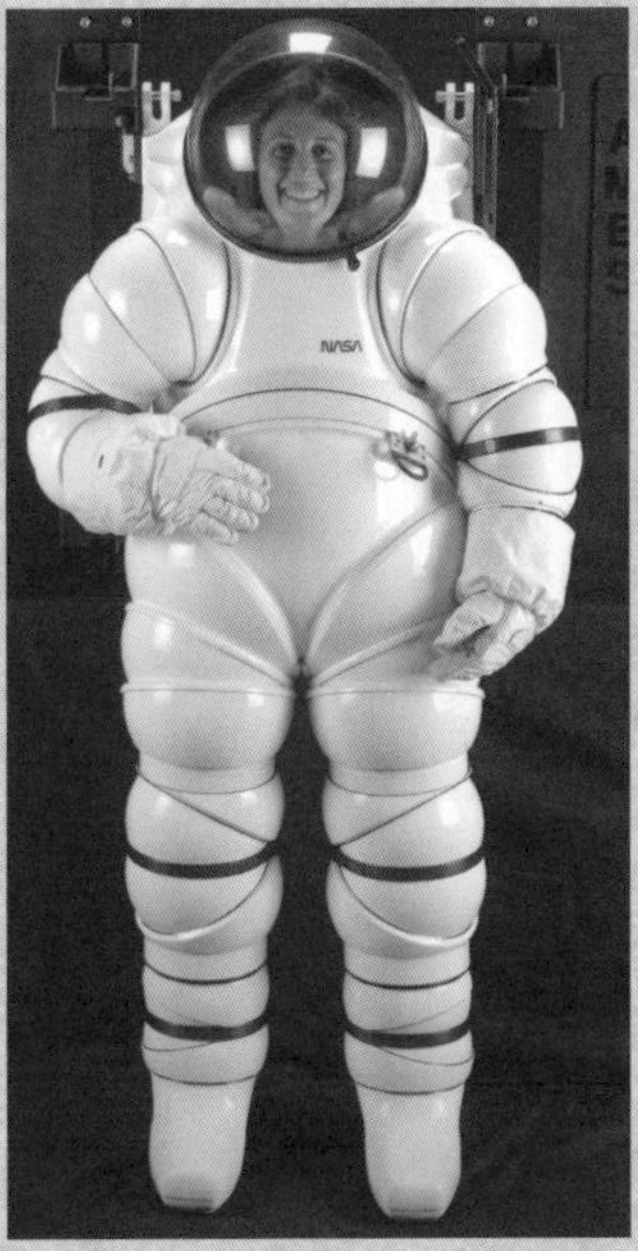

▲右：1988年にNASAが火星探査用に計画していた宇宙服のコンセプトモデル。圧縮空気で膨らんだ状態は、遮光器土偶のフォルムそっくりだ。左：アポロ計画で使用された月面探査用の宇宙服（写真＝NASA）。

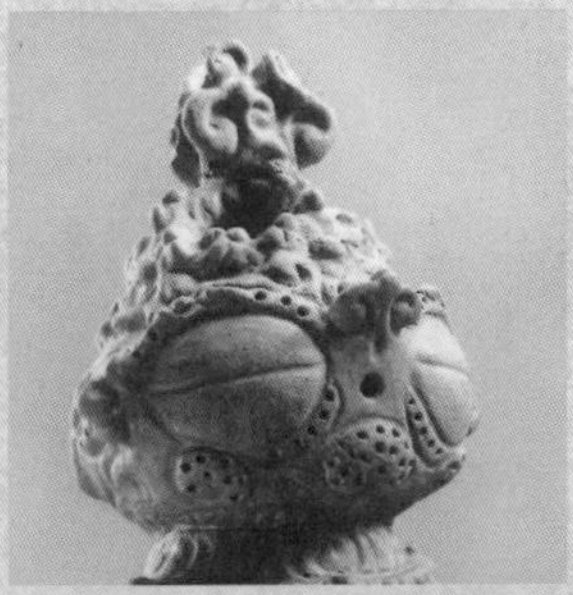

▲左：1982年にアメリカで出版された遮光器土偶＝宇宙服説についての研究書。右上：独特の模様や突起で装飾された頭部は、宇宙服のヘルメットを思わせる。右下：旧ソ連の科学評論家アレクサンダー・カザンツェフ。遮光器土偶が宇宙服を模したものだという仮説を提唱した。

偶が多産信仰を反映した女神像だ、とするアカデミズムでの根拠になっているが、そうとは断言できない。

なぜなら、遮光器土偶からさかのぼる縄文晩期初頭に製作された「異形みみずく土偶」には、胸部のふたつの乳房状突起のほかに、背中にも4つの同様の構造が存在するからだ。これは生命維持装置などを連結するバルブ口、ないしはダイヤル調節器と考えたほうがわかりやすい。アポロ宇宙飛行士の着ていた宇宙服にも、これと似たような機構が存在していた。

では、遮光器土偶の下腹部の穴は何を意味するのだろうか？　実は、これも排泄物をスーツ外へ排出するための穴と見ることができる。気密服としての〝縄文スーツ〟は、まことに理にかなったものなのである。

情報では、カザンツェフが持ち帰った土偶の中に、頭部を取り外すと、中から顔が出てきたものがあったという。今もって現物は確認されていないが、これが公表できれば、遮光器土偶が宇宙服を表したものだという仮説の有力な証拠となるだろう。

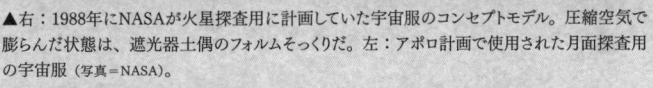

No.000011

アンティキティラの歯車

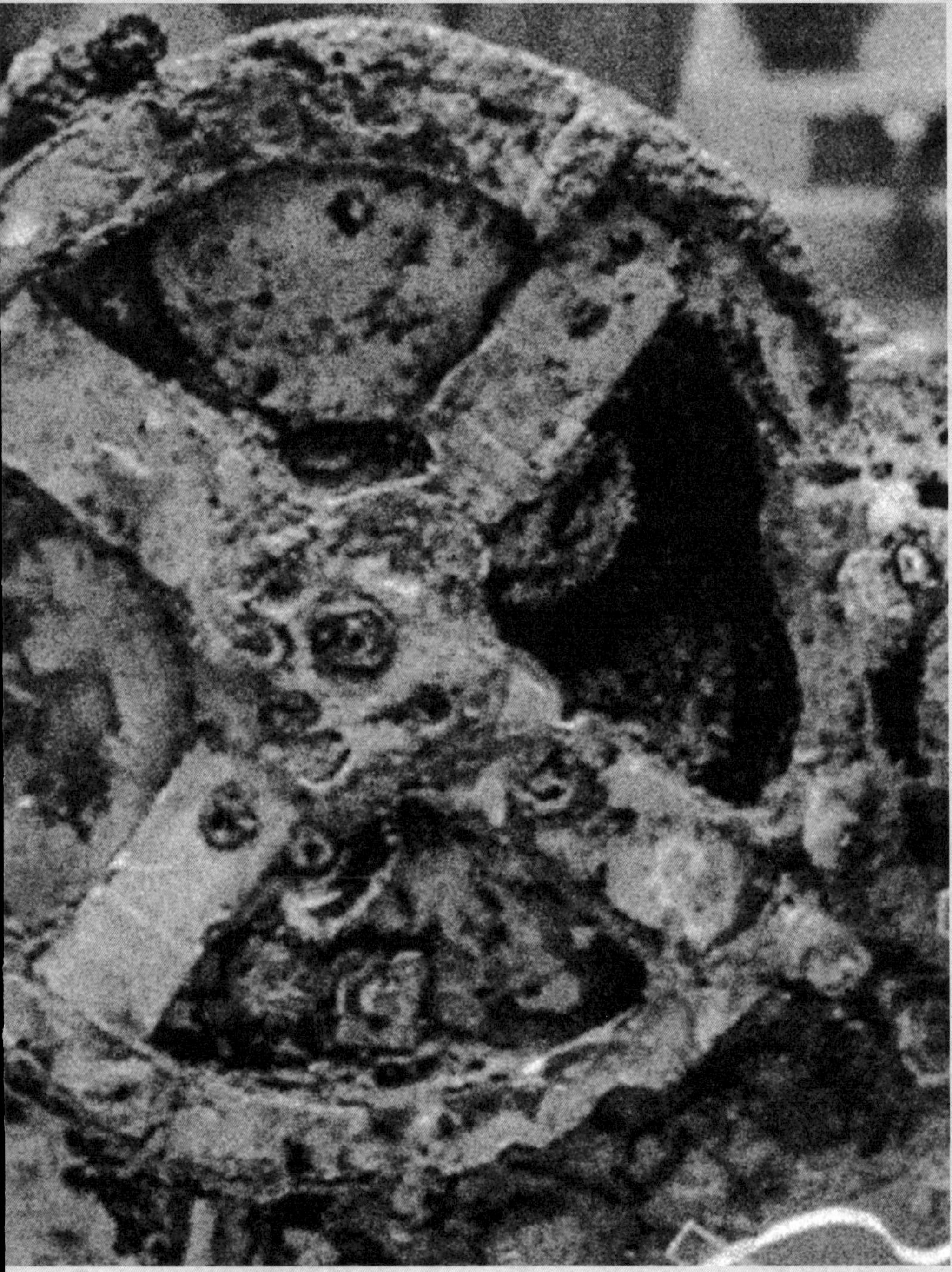

1900年9月、地中海のクレタ島の北西に位置するアンティキティラ島沖合で海綿を採取していたギリシア人ダイバー6人が沈没船を発見した。ギリシア政府の指示で1年がかりで引き揚げられた積み荷には、木製のケースに収められた4つの青銅製の塊があった。

一番大きな塊は縦約17センチ、横約15センチ。そしてその一部には古代ギリシア文字で暦に関する記述や星座名が記されており、200を超える小さな歯車も見てとれた。刻まれた文字から推察される年代は、紀元前80年ごろ。「古代ギリシア時代にこんなものがあったのか?」と、世界の注目を集めた。

これが世界最古のコンピューターとして知られる、「アンティキティラの歯車」である。

X線で撮影をしたところ、塊は多くのパーツでできていることが判明した。研究は慎重に進められ、1973年、イギリス、ケンブリッジ大学のダレク・プライス博士の手によって完全に復元が成功している。できあがったものは目盛りスケールを移

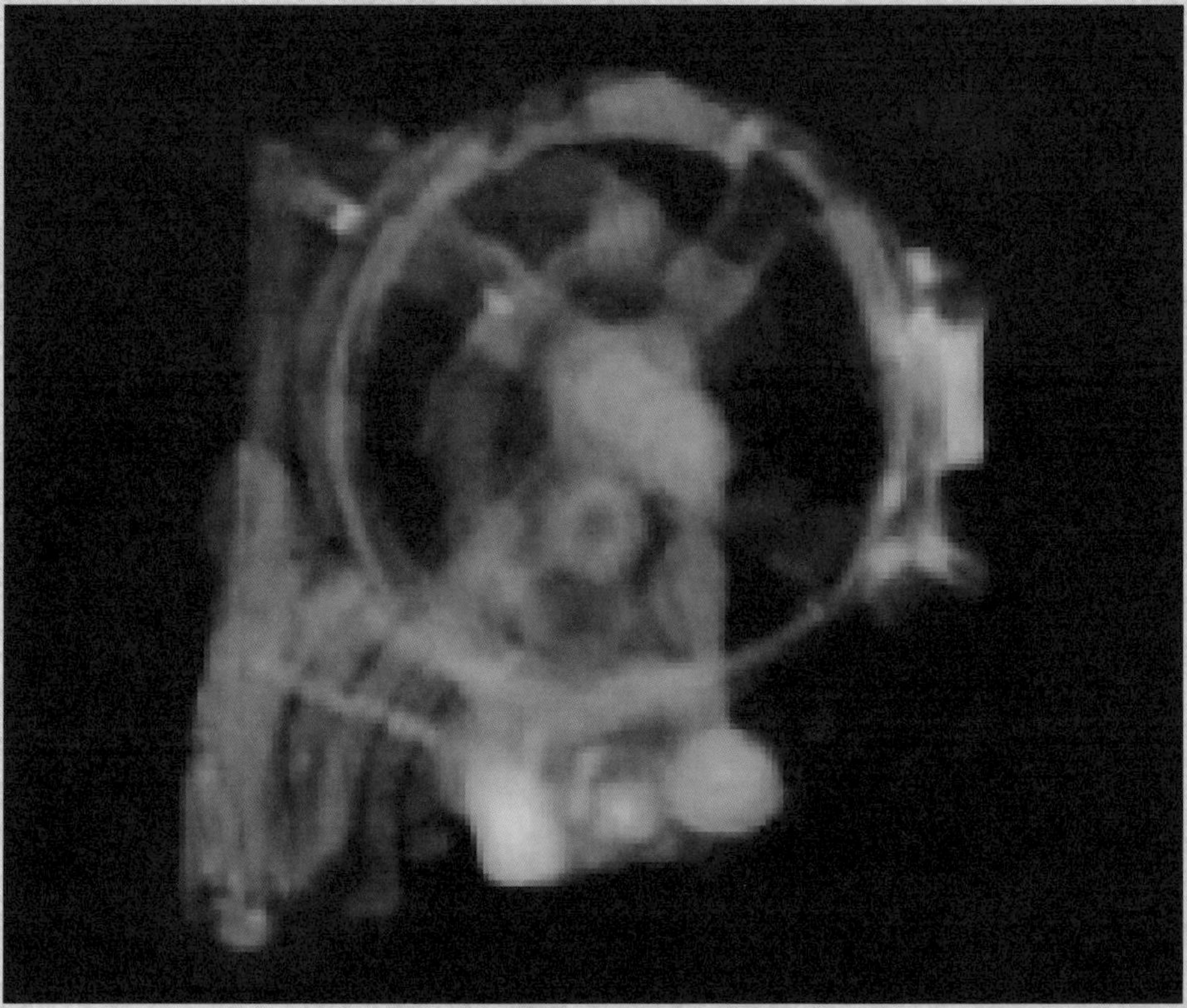

▲アンティキティラの歯車をX線で透視したところ、歯車が組み合わされてできたものだと判明。

▼アンティキティラの歯車のメカニズムを復元した模型。内部には大小40あまりの歯車が、複雑に組み合わされている。数あるオーパーツの中でも、ここまで研究が進んでいるものは珍しい。

▲拡大すると目盛りが刻まれていることがわかる。

▶沈没船から発見された、謎の遺物アンティキティラの歯車。研究によって、現代のコンピューターにも匹敵する精度を誇る、2000年前の天体観測儀の一部であることがわかった。

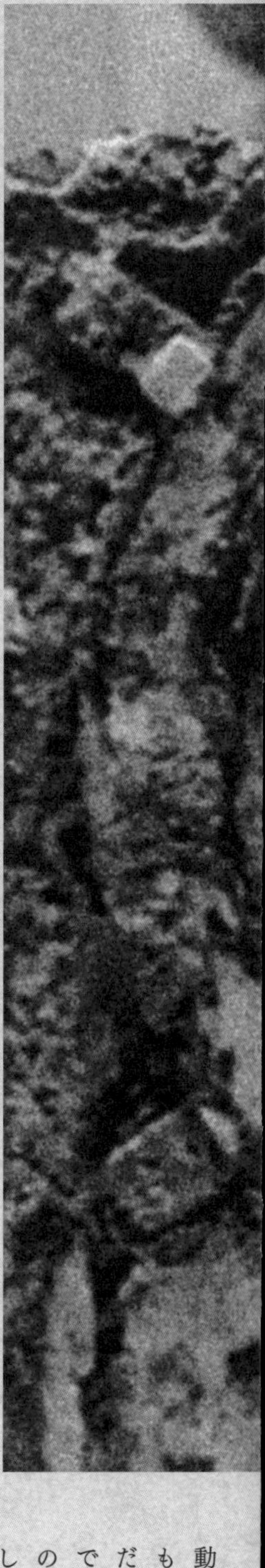

動させて太陽、月、惑星の運行も算出する自動回転式の天球儀だった。しかもその動きは正確で、実際に使用したところ、月の軌道の誤差が100分の1度しかなかったという。

しかも、この天球儀には歯車の組み合わせによって回転数や回転スピードが変わる「作動歯車機構」が採用されている。実は、このシステムは1575年にドイツで作られた天文時計で初めて実用化された技術である。となると、実に1500年も前にこの高度な技術が確立されていたことになる。

このメカニカルオーパーツは、アテネ市中心部にある「アテネ国立考古学博物館」で見ることができる。博物館には、ギリシア中の古代遺跡から集められた多くの貴重な遺物が展示されているが、「アンティキティラの歯車」は特に丁重に扱われており、館内中央の、幅2メートルほどのガラスケースの中に3片がうやうやしく収められている。

認定 AUTHORIZATION

No. 000012

誤解された宇宙服レリーフ

◀スペインのサラマンカ大聖堂の入り口付近に刻まれた人物のレリーフ。実は1990年代のものである。

スペイン西部の古都、サラマンカに「宇宙飛行士レリーフ」と呼ばれるオーパーツがある。

まず、サラマンカは中世の趣をそのままに残した町並みの美しさが高く評価され、1988年に世界遺産に登録された歴史ある町だ。この地を知るうえで、外せないふたつのスポットがある。新旧カテドラル（大聖堂）、そしてスペイン最古の大学、サラマンカ大学だ。

サラマンカ大学の創立は1218年と古い。ヨーロッパでも5本の指に入る歴史があり、『ドン・キホーテ』の作者セルバンテスや、アメリカ大陸に到達したコロンブス、メキシコの征服者エルナン・コルテスら多くの著名人を輩出したことでも知られる。

「知識を欲するものはサラマンカへ行け」とまでいわれ、早くからコペルニクスの天文学が講じられたことでも有名だ。

大聖堂も負けてはいない。新旧ふたつのカテドラルが隣り合って建つのだが、旧カテドラルは12世紀に造られたロマネスク様式、新カテドラルはゴシック様式で、正面玄関はプラテレスコ様式の傑作としても名高い。

1512年に着工された新カテドラル正面玄関「降誕の門」の脇に、なんと〝宇宙飛行士レリーフ〟を確認することができる。写真がそれだ。見ると、頭部は通信用のヘッドセットのようなものが付随したヘルメットがすっぽりと覆い、体は内部の空気が漏れないようグローブやブーツまで一体化したつなぎの服で包まれているのがわかる。背中には生命維持装置を背負い、手には命綱のようなものが握られている。見れば見るほど、船外活動用の宇宙服そのものである。

……と、オーパーツ研究者の間で話題になったのだが、実はこのレリーフ、20世紀末の補修工事の際に加えられたもの。ほかのレリーフの様式に準じたデザインのために誤解されてしまったのだ。オーパーツ研究では、このような誤解、または勘違いを狙ったフェイクも対象となる。一例として紹介しておこう。

No.000013

アビュドスのヘリコプター・レリーフ

ルクソールから車で2時間。ナイル川沿いを約160キロ北上した場所にアビュドスの古代遺跡がある。古代エジプトの冥府の神・オシリス信仰のある聖地で、多くの王墓や神殿、記念碑が点在する観光スポットだ。

治安の問題で、ルクソールからは観光警備を伴ったバスや車を利用すること、観光客のみの自由行動の禁止、宿泊施設がないため見学はすべて日帰りなど、危険や不自由さがつきまとうが、それでも世界中の人々の関心をつかんで離さない建造物がある。セティ1世が建造した「葬祭殿」がそれだ。

大きさは幅約250メートル、奥行き約150メートル。保存状態のよさから、エジプト神殿の中でももっとも美しいもののひとつと讃えられ、第1王朝からセティ1世までの歴代の王名が書かれた「アビュドスの王名表」があることでも知られる。

そして、考古学ファン、およびミステリーファンを虜にしてやまないのが、神殿内部に〝ヘリコプターや航空機とおぼしきモチーフが刻まれている〟という事実だ。

発見したのは、宗教学者のブルース・ローレンス。1996年、彼は葬祭神殿の壁画を見学していたところ、神殿の梁《はり》に奇妙なモチーフを見つけ、釘づけになった。潜水艦や戦車、飛行機のような物体、ミサイルの速射砲らしきものが描かれていたのだ。

中でもヘリコプターらしきレリーフは、垂直尾翼や操舵翼らしき構造が認められるうえ、真横からと真上から見た図柄が描かれており、設計図さながらである。いうまでもなく、これらは20世紀以降に発明されたものばかり。葬祭殿が建造されたのは紀元前1300年。今から約3300年も昔である。

もちろん、「石の表面が風化して偶然そんな形に見えるだけだ」「下に描かれていた絵と重なってそう見えるのだ」と、異を唱える研究家は少なくない。それでも多くの人々を惹きつけ、専門家らが検証を続けているのは事実である。

◀件のレリーフが刻まれた、葬祭殿内部の梁。古代エジプトの象形文字は実際の動植物の特徴を図像化させたものであり、ヘリコプターや航空機もまた実物の形を忠実に再現した可能性が高い。

▼葬祭殿内部の梁に描かれた象形文字。そのモチーフは、ヘリコプターや航空機を思わせる。この象形文字をそのまま読むと「九弓（＝数の多い敵）を退けたる王」という意味になるという。

No.000014

恐竜と人間の足跡

アメリカ、テキサス州のグレンローズから車を1時間ほど走らせた場所に「聖書博物館（Creation Museum）」と呼ばれる施設がある。

〝グレンローズ〟と聞いて、ピンときたオーパーツ・ファンは多いだろう。

そう、この博物館はグレンローズで発掘されたオーパーツを根拠に、あのダーウィンの進化論を真っ向から否定する創造論者たちによって建てられたのだ。プロデュースするのはカール・ボー博士。この地を世界に知らしめた第一人者だ。

グレンローズで世紀の発見がなされたのは1982年。カール・ボー博士のチームが同地を流れるパラクシー川で、人間の足跡と小型の恐竜の足跡が並んで歩く前代未聞のオーパーツを発掘したのだ！

白亜紀（1億4500万〜6600万年前）の石灰岩が川底に露出するこの川は、恐竜の足跡が多く見つかるスポットとして古くから有名だった。それでも恐竜と人間の足跡が同じ地層で見つかったのはもちろん初めてのことで、驚きをもって迎えられた。

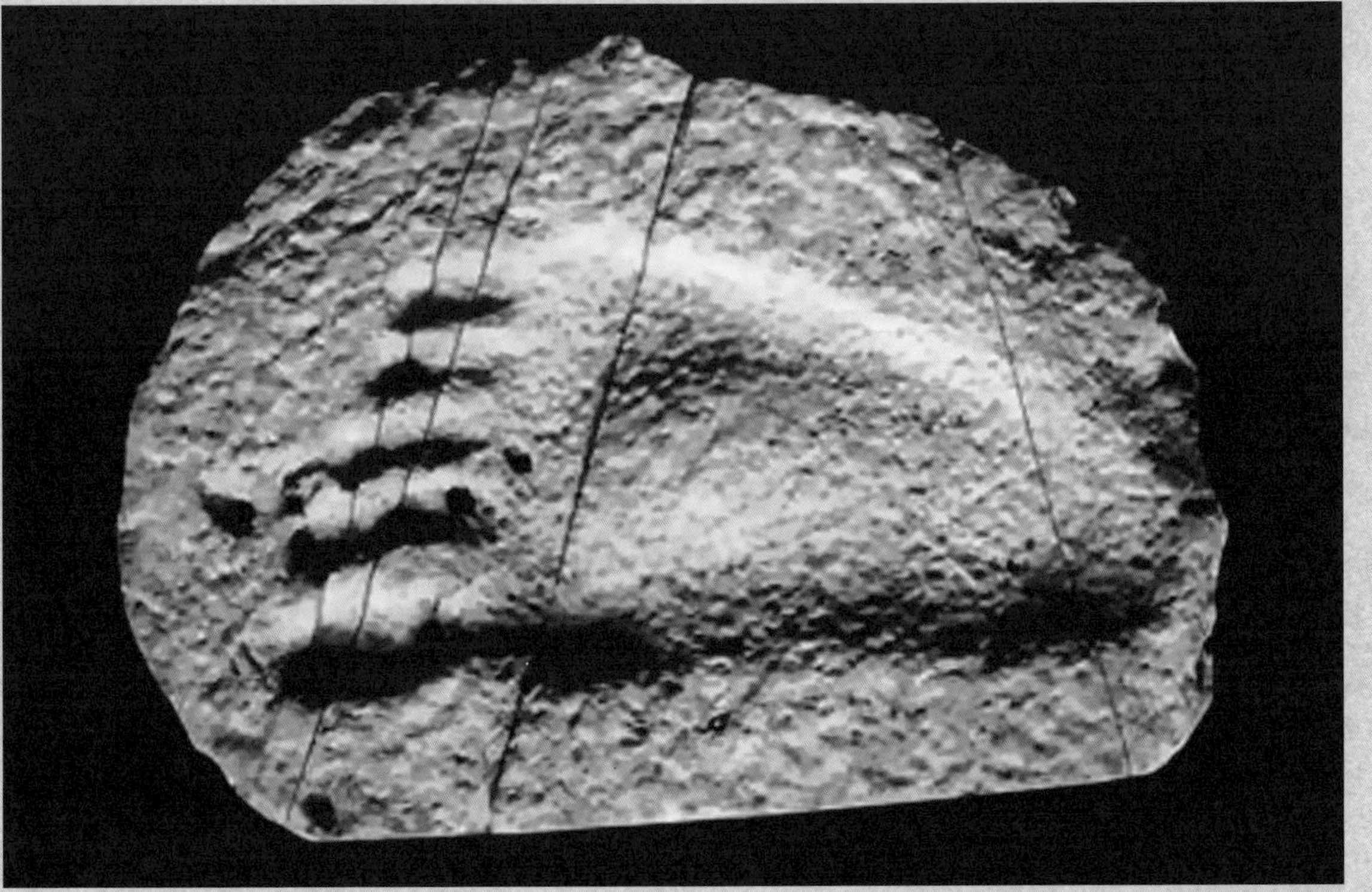

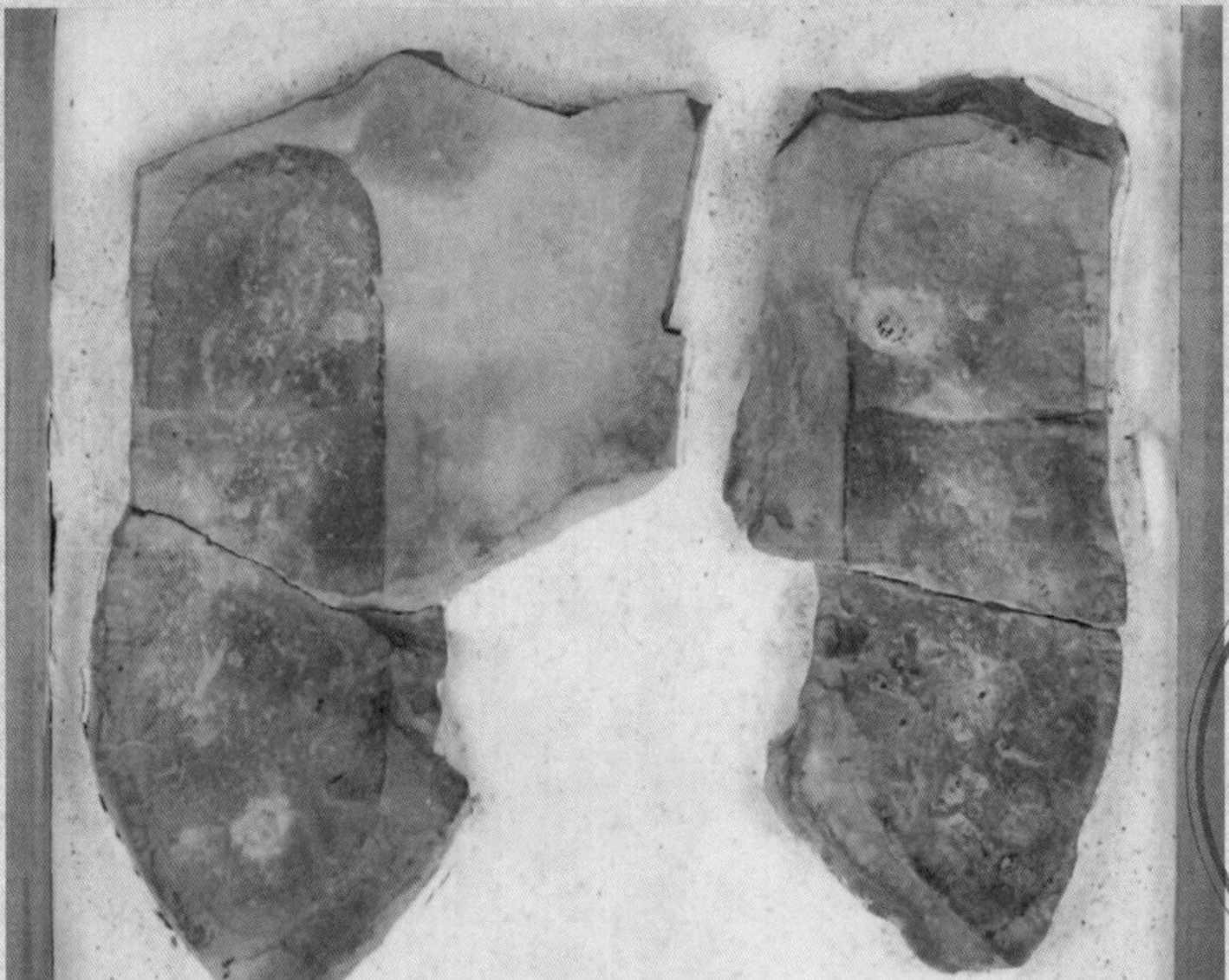

▲恐竜時代の地層から発見された巨大人類の足跡化石、バーディック・トラック。人為的に作ったものではない。
◀聖書博物館に展示されている、ユタ州で発見された、三葉虫を踏みつぶしたサンダルのような靴跡化石。
▶恐竜が生きていた白亜紀の石灰岩に刻まれた、無数の恐竜の足跡と、人間のものとおぼしき足跡。興味深いことに、人間のものは通常でも35〜40センチ、最大で60センチのものまであった。

博士の呼びかけにより、本格的な調査チームが組まれ、その後400本以上の恐竜の化石と、80以上もの人間の足跡が発見された。

興味深いのは1950年、この付近で「バーディック・トラック」と呼ばれる「巨大なヒトの足跡の化石」が見つかっている点だ。所有者であるクリフォード・バーディックの名に由来するこの足跡の推定年代は、6500万から1億4000年前。大きさは長さが約35・5センチ、幅が約16・5センチで、そこからこの人間の身長は2・5メートル近くあったと推測されているのだ。

この地にはいったい、いつ、いかなる人種が存在したのだろうか。研究が進めば「進化論」を覆す、驚愕の結果がもたらされるのは必至だ。

といっても、これらの発見はアカデミズムからは黙殺されたままだ。そんな現状にあらがうように聖書博物館ではこのほかに、「化石化した人間の指」や「三葉虫を踏みつぶした靴跡の化石」など、多数のオーパーツを展示している。

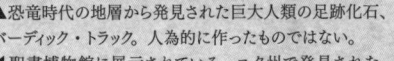

No.000015

アカンバロの恐竜土偶

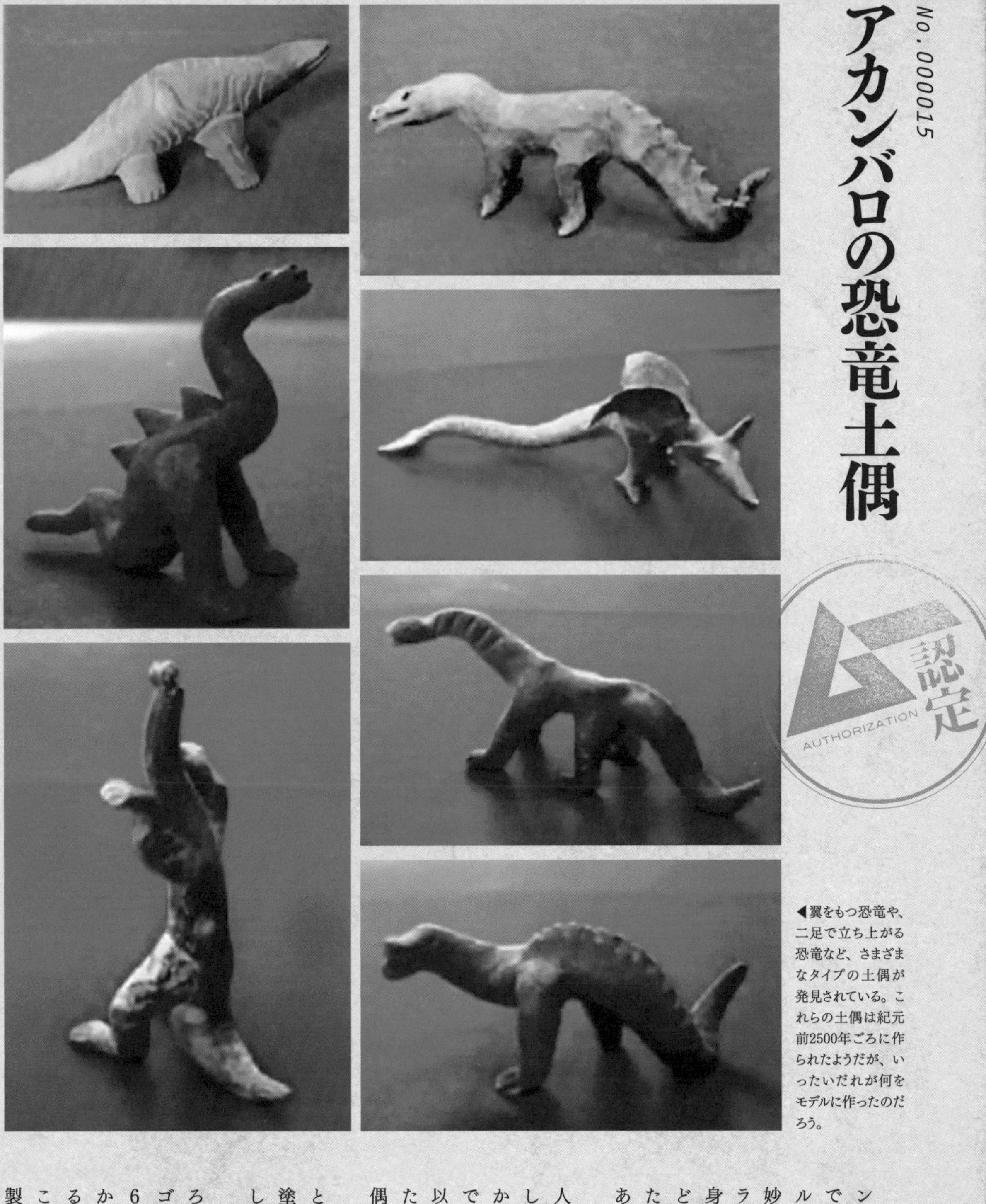

◀翼をもつ恐竜や、二足で立ち上がる恐竜など、さまざまなタイプの土偶が発見されている。これらの土偶は紀元前2500年ごろに作られたようだが、いったいだれが何をモデルに作ったのだろう。

1945年、メキシコ、アカンバロ郊外のブル・マウンテンで、アマチュア考古学者のヴァルデマール・ユルスルートは奇妙な土偶を発見した。ヒトコブラクダ、サイ、イヌ、トリなど、身近な存在の動物にまじって、どう見ても恐竜をモチーフにしたとしか思えない造形のものがあったのだ。

驚いたユルスルートは周囲の人に声をかけ、さらに発掘を促した。すると、手のひらサイズから1メートルを超えるものまで、最終的には3万7000点以上のさまざまな土偶が出土した。もちろん中には〝恐竜の土偶〟もあった。

後に「アカンバロの恐竜土偶」と呼ばれるこれらは、地球史を塗り替えるようなオーパーツとして注目されている。

というのも土偶のモデルであろう、ティラノサウルス、ステゴサウルス、プテラノドンらは6500万年前に絶滅しているからだ。人類が誕生したとされるのは700万年前。とすればこの土偶はいつ、何をモデルに製作されたものなのか。

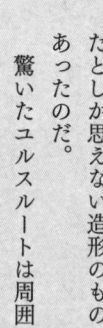

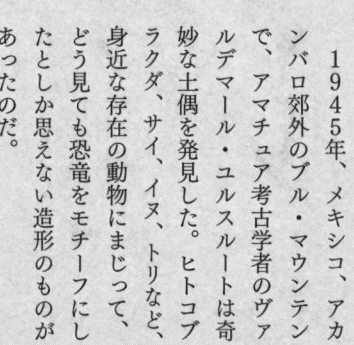

▲▶メキシコのアカンバロ市郊外にあるブル・マウンテンの麓周辺から続々と発掘された、恐竜土偶。現地では化石化していない恐竜の骨が見つかることもあり、常識を覆す"恐竜と人類の共存"の可能性を示唆する。アカンバロで発掘された土偶の総数は3万7000点以上。なかには、恐竜土偶だけではなく、恐竜にまたがる人類をかたどったかのようなものまで出土している。

そこで1968年、恐竜土偶に興味をもったキーン大学のチャールズ・ハプグッド教授は、3種の土偶の破片の鑑定を年代測定専門会社アイソトープ社に依頼した。すると紀元前1110年、紀元前1640年、紀元前4530年のものという結果が出た。

博士はさらに翌年、ペンシルベニア大学の研究所でも同様の測定を試みた。すると、またしても紀元前2500年という値が出たのだ。

現代ならまだしも、この時代の人間が前時代の恐竜の姿形を知る方法はないはずだが……。

となると、かつて人間は恐竜と共存していた、とでもいうのだろうか。

アカンバロ近郊では化石になっていない恐竜の骨が人骨と一緒に発掘されることがあるという。そのため現地ではこれらを「恐竜の遺骸」と呼んでいるそうだ。この現象はいったい、何を意味するのか？

問題の恐竜土偶だが、その現物数点がアカンバロ市役所近くにある博物館で大切に展示されているという。

No.000016

恐竜壁画

ネイティブ・アメリカンによって描かれた「恐竜壁画」が各地に残されているのをご存じだろうか？

代表的なのが、1879年に発見されたアリゾナ州のハヴァイスパイ渓谷の断崖にある恐竜壁画だ。

縦約29センチ、幅は一番広いところで約18センチ、首と尾はそれぞれ約13センチ、岩を掘りこむ〝岩石線画〟の手法で描かれたこの恐竜は、ほかに描かれたものがヒトやウマ、鳥など身近なものだけに、異彩を放つ。

1924年、この壁画を現地調査した考古学者で、オークランド自然史博物館の館長のサミュエル・ハバードは、描かれた恐竜はディプロドクスだと推測した。そして、化石ではありえない不自然な体勢に注目し、「尻尾で体を支えながら身を起こしている瞬間を捉えた構図こそ重要」としている。すなわち、目の前に生きた恐竜が存在し、それを見ながら人間が描いたものだと指摘したのだ。

ディプロドクスの体長は20～35メートル。長い首を持つ草食恐竜で、ジュラ紀後期（約2億～1億4500万前）の北米に生息していた。しかし鑑定結果によると、壁画が描かれた年代は1万2000～1万5000年前。

先住民がモデルにしたのは1億年以上の時を超えた生き残りとしか考えられないのだ。ちなみに、同州のウパタキ公園では、火を吐く恐竜壁画まで発見されている。

また、ユタ州には、1000年以上前にアナサジ人（古代エジプト人）によって岩石線画で描かれた、雷竜の恐竜壁画がある。これは公的機関でも重要性を認められ、国有記念物にも指定されている。

国境を超えたカナダのスーペリア・プロヴィンシャル湖畔では、絵の具を使う手法で描かれたステゴサウルスを連想させる壁画も残されている。

これらの壁画が意味することは、1000～1万5000年前に生きた同地の先住民が6500万～1億5000万年前の恐竜の存在を知っていたということ。はたして、彼らは、いかにして恐竜の存在を知りえたのだろうか……？

AUTHORIZATION ム認定

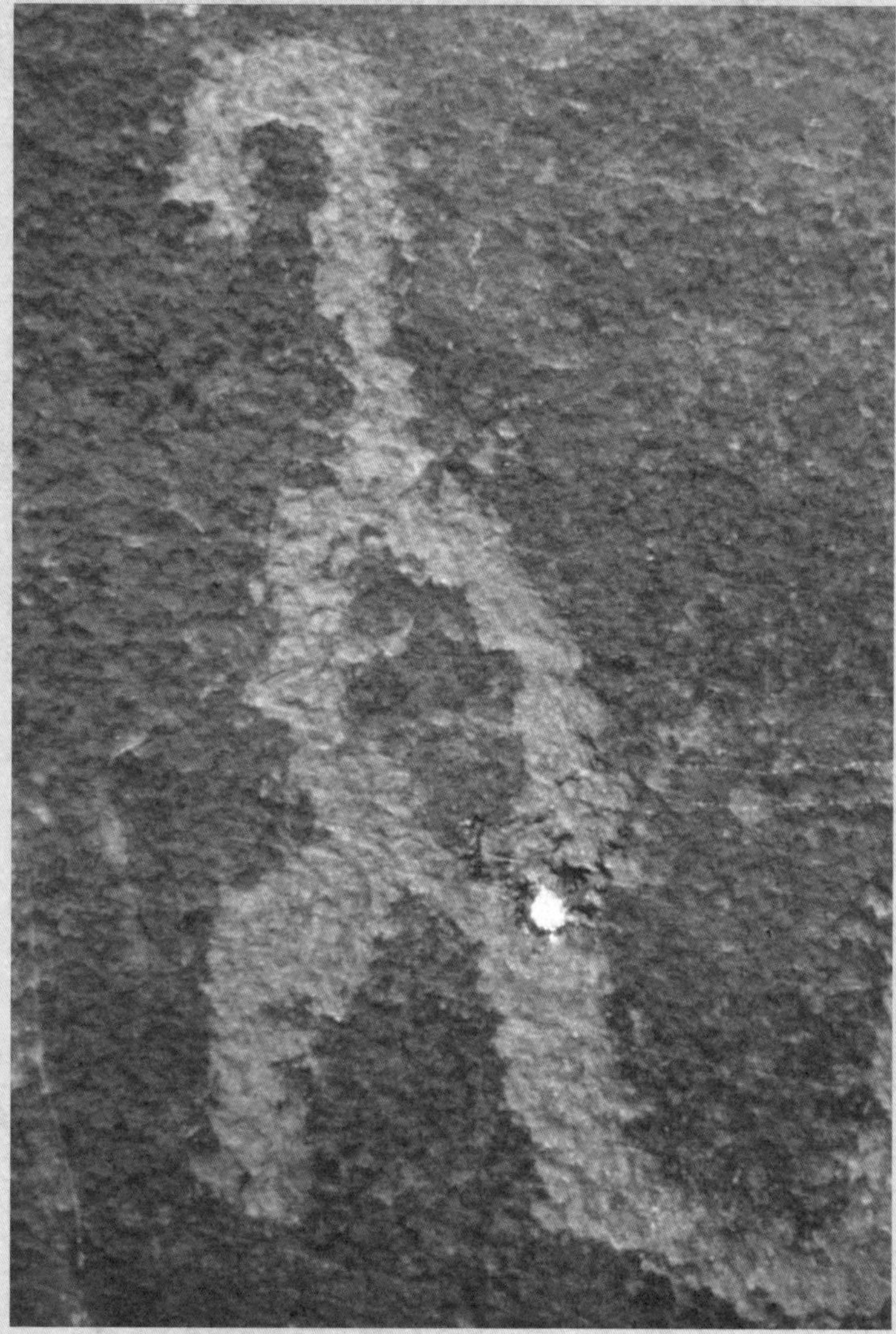

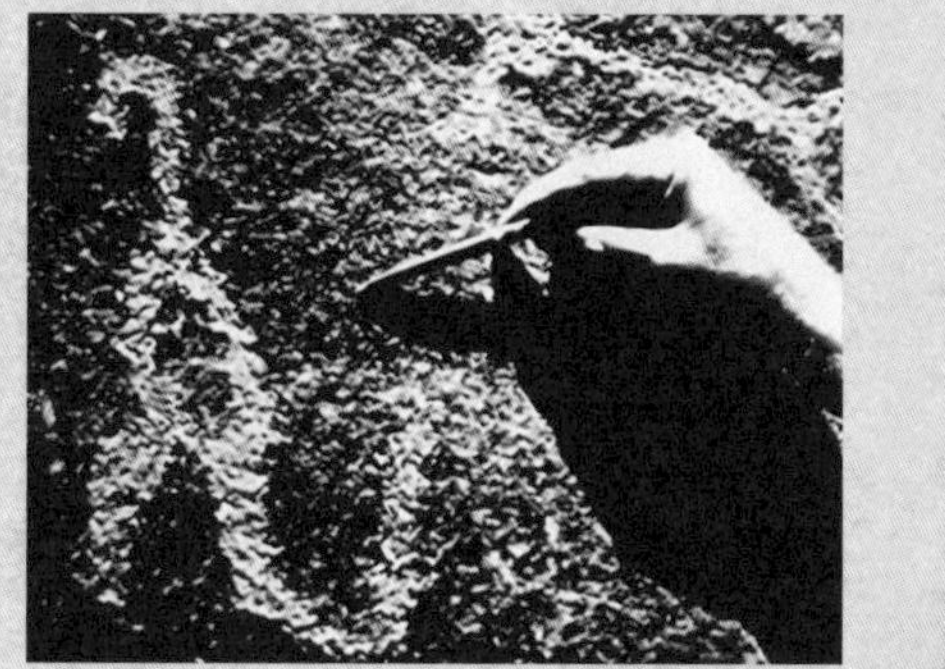

◀▼アメリカ、アリゾナ州のハヴァイスパイ渓谷の断崖に残されていた、後ろ足で立ち上がる恐竜の姿を描いた壁画。1万年以上前の人類が、生きた恐竜を見ながら描いたのだろうか。

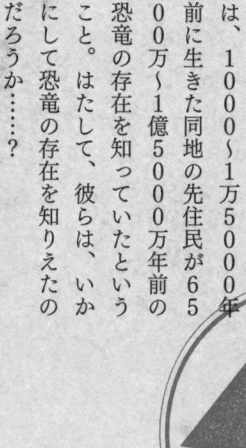

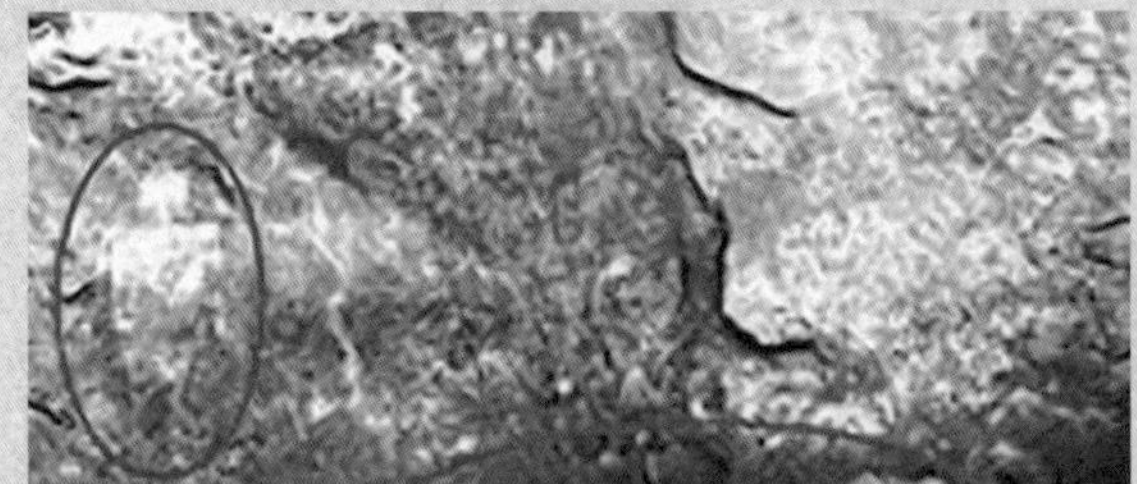

▲上：カナダのスーペリア・プロヴィンシャル湖畔の、ステゴサウルスを思わせる壁画。同地の先住民は、当時、とっくに絶滅していたはずの恐竜の姿をどのようにして描いたのか？　右下：アメリカ、アリゾナ州フラッグスタッフ、ウパタキ公園に残された、火を吐く恐竜の壁画。左下：公的機関も重要性を認めている、アメリカ、ユタ州の恐竜壁画。アパトサウルスに代表される雷竜が描かれている。

No.000017

デリーの錆びない鉄柱

◀インドのデリー郊外クワットゥル・イスラーム・モスク寺院で、1700年もの長きにわたって風雨にさらされながらも錆びつかない鉄柱として知られる記念碑だ。

インド、デリー郊外にそびえる、クトゥブ・ミナール。1993年、世界遺産に登録されたこの建造物は13世紀、奴隷王朝の王・アイバクにより建立されたと伝えられている。

その傍らにたたずむのはインド最古のイスラム寺院、クワットゥル・イスラーム・モスク寺院。さらに古い、12世紀のものだとされる。

どちらもインドを代表する史跡だが、だれもが〝一目見たい〟と訪れるのが、クワットゥル・イスラーム・モスク寺院の境内中央にそびえる錆びない鉄柱、「デリーの鉄柱」だ。

新世界七不思議のひとつに挙げられるこの柱の高さは約7メートル、直径約44センチ、推定重量は約6トンで、柱表面に刻まれたサンスクリット語の碑文によると、建立されたのは西暦415年だ。実に1700年もの間、風雨にさらされつづけながらも錆びついていないということになる。

それなぜか？

大きな要因は、99・72パーセントという高純度の鉄でできて

▲鉄柱の表面はわずかに赤錆が生じている。だが、1700年にわたって些細な錆のみというのは常識では考えられない。
◀表面に刻まれたサンスクリット語の銘文も消えていない。

いることのようだ。それでも〝錆びない鉄〟にはならない。日本刀を思い浮かべていただければわりやすいだろう。どんなに熱と圧力で鍛《きた》えあげ純度を高めても、手入れを怠《おこた》ると錆ができてしまう。

２００６年、科学雑誌「ネイチャー」に興味深い論文が掲載された。鉄柱はダマスカス鋼製ではないか、というものだ。

ダマスカス鋼自体が謎に包まれた金属だ。シリアを起源に10世紀から18世紀まで製造された美しい木目のような模様をもつ鋼で、錆びにくく強靭《きょうじん》だとして主に武器の材料として珍重されていた。

しかしその製造は19世紀以降、パタリと途絶えてしまう。近年、多くの研究者が再現を試みているのだが「製造の過程はおろか、再現すら不可能」だと、さじを投げられている状態だ。そのダマスカス鋼すら錆びにくいものの、まったく錆びないわけではない。

鉄柱に用いられたこの高度な鋳造《ちゅうぞう》技術を古代インド人がいかにして手に入れたのか、その理由はいまだ、謎のままだ。

No.000018

ネブラ・ディスク

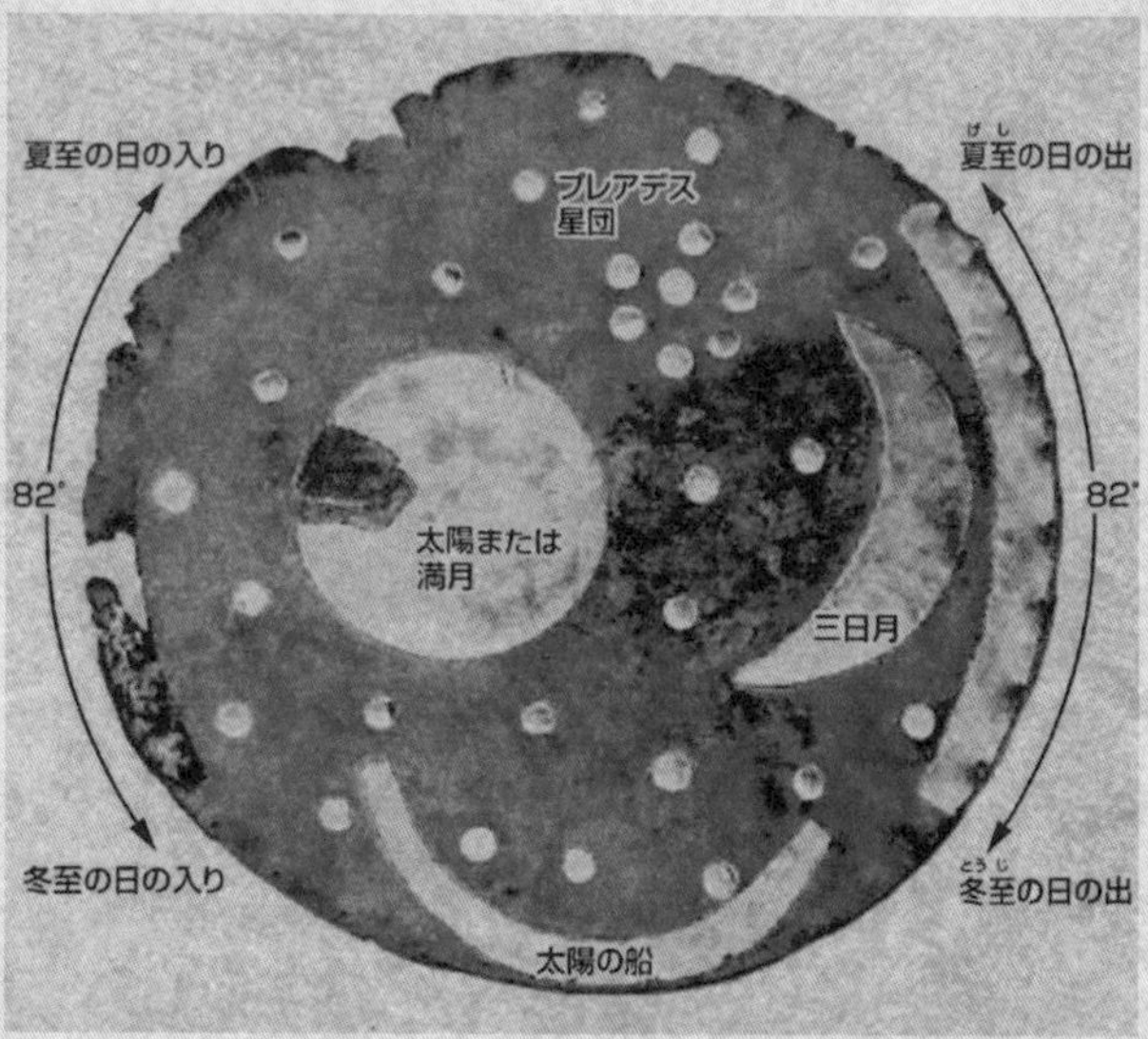

▲プレアデス星団。ネブラ・ディスクの製作者はこの星団の位置を重視していた。
▶表面の模様はただの絵ではなく、天体観測用のものだ。

▼ネブラ・ディスク。2013年にユネスコ記憶遺産に登録された。盤面に太陽（満月）や三日月が描かれている。写真右側の縁取りは夏至と冬至の日の出の方角を指しており、左側の縁取りは日の入りの方角を示しているという。

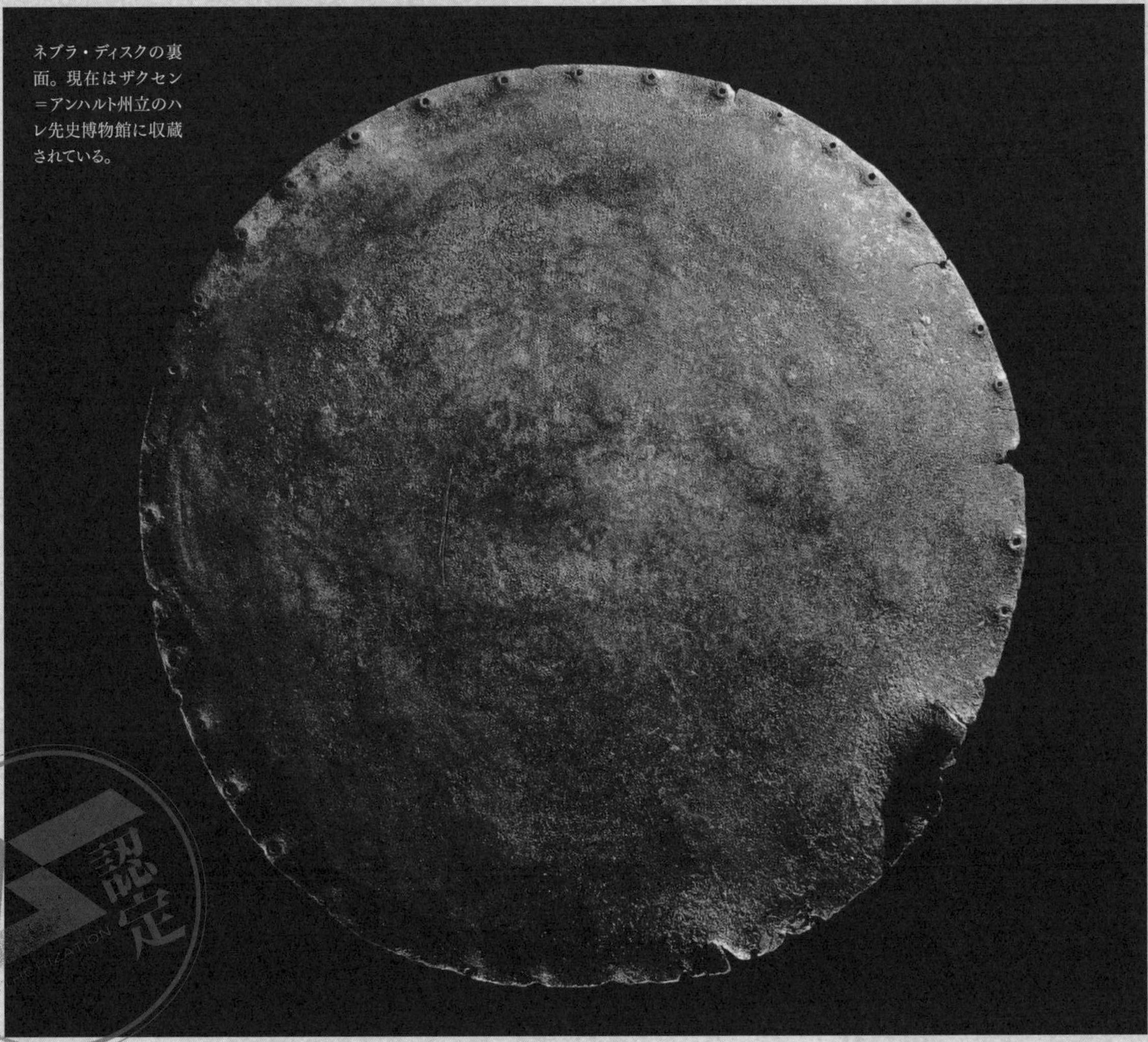

ネブラ・ディスクの裏面。現在はザクセン＝アンハルト州立のハレ先史博物館に収蔵されている。

1999年、ドイツのアンハルト州ネブラ近郊の山中で不思議なデザインの円盤が発掘された。直径約32センチの青銅盤で、表面に金の装飾で太陽（もしくは満月）、三日月、そしてプレアデス星団が描かれていた。このディスクは発見場所にちなんで「ネブラ・ディスク」あるいは「天空盤」と呼ばれた。

この遺物は、実は盗掘品だったため、2002年、考古学者でアンハルト州立博物館館長のハラルド・メラーが、これを取り戻し、考古学者たちによって本格的な調査が行われたのは2005年になってからのことだった。しかし、その研究結果は驚くべきものだった。なんと、ディスクは約3600年前の青銅器時代のもので、太陰暦と太陽暦を組み合わせた複雑な「天文盤」だったことが判明したのである。

それまでの学説では、当時のヨーロッパにそれほどまでに高度な天文の知識があったとは考えられていなかったことから、地球外起源の叡智が関与した遺物＝オーパーツとみなされている。

3600年前の人々が、自分たちが経験した何かについて、後世の人々に何らかのメッセージを残そうとして、このディスクを作ったという可能性が示唆されている。そのポイントとなるのがプレアデス星団だ。地球上の生命体の死滅に深く絡んでいるとされる電磁波エネルギーの帯＝フォトンベルト、そして地球に災厄をもたらすと考えられている超電磁惑星ニビルは、このプレアデス星団の位置と深く関連しているといわれているからだ。

このディスクが示しているのは、3600年前の現在のイラク付近で時間は正午。このとき、プレアデス、北斗七星、オリオン、月などがこのディスクに描かれているような位置関係に並び、「災厄」が起きたとされる。その時代の人々は、未来に向かって、この事実を正確に描写したのではないか、と考えられるというのだ。

はたして、再びこれらの天体が、このディスクに描かれたような位置関係に並ぶとき、人類にとって、何かよくない出来事が起きるのだろうか……？

No.000019

ムー認定 AUTHORIZATION

コスタリカの石球

▲1930年にコスタリカで発見された、謎の巨大な石球。真球に近い精度で作られているが、いつ、だれが何の目的で作ったのかはいっさい不明だ。

▼上：3つ並べられた石球。現在は、石球の売買は禁止されているが、それ以前に購入した人も多いという。下：半分に割られた石球。内部に宝石が隠されているという噂もあった。

太平洋とカリブ海に面することから、中米の楽園と称されるコスタリカ。光あふれるこの国の首都サンホセにある国立博物館の中庭では、巨大な丸い石球を目にすることができる。新世界七不思議のひとつに挙げられる、「コスタリカの石球」だ。

発見されたのは1930年。アメリカの果物会社が南部の太平洋沿岸へ流れるディキス川のデルタ地帯に広がるジャングルを伐採していたところ、草木の陰から次々と巨大な石球を見つけた。その数200超。大きさはまちまちで、テニスボール大のものから、直径約2・4メートル、重さ20トンという巨大なものまであったという。

特筆すべきはどの石球も真球に近い精度で作り上げられていたという点だ。

真球とは、中心から表面までの距離がどこをとっても等しい完全な球体のことで、作り上げるには相当高度な技術が必要とされる。

石球の素材である花崗岩が、石球の置かれた地点から実に48キロも離れたディキス河口にしかないという点も謎だとされた。石球の中にはクレーンを用いても運搬できない巨大なものもあったからだ。

さらに1940年、アメリカのハーバード大学ピーボディ博物館の調査によって、これらの石球が意図をもって幾何学的に配置されていることも判明した。

製作者たちはどうやって、石球をディキス河口から運んだのか。そして、いつ、だれが何の目的でこの石球を作ったのだろうか。現代のテクノロジーにも匹敵する高度な加工技術はいったいどこからやってきたのか。いずれも解明されていない。

ところでこの石球だが、多くはもの珍しさからアメリカへ運搬されたり、内部に宝石が隠されているとして現地の人に割られたりしたようだ。前述の国立博物館をはじめ、サンホセ市内の公園や公邸、私邸などに持ち運ばれバラバラになってしまったが、それでも、ジャングルにはいくつかがまだ、深い眠りについている。

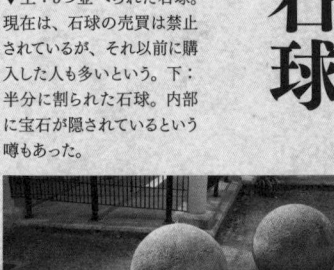

No.000020

オクロの古代原子炉

▲核分裂の痕跡があるオクロのウラン鉱山。自然現象か、それとも古代の原子炉だったのか?

1972年、アフリカのガボン共和国オクロ地区で、ウラン鉱山が見つかった。ウランは核燃料として、原子力発電に利用される物質であることはよく知られているが、そこで発掘されたウランには通常とは異なる特徴があった。ウラン235が、極端に少ないのである。

天然ウランには決まった割合の同位体がある。ウラン234、ウラン235、ウラン238だ。この中のウラン235だけが、極端に減っていたのである。

つまり、このデータは、かつてこの場所で〝核分裂反応が連鎖的に起こっていた〟ことを物語るのだ!

ここを調査したフランス原子力庁は、オクロ鉱山では約17億年以上前に、自然現象として核分裂反応が起き、それが約60万年間も続いていたと発表した。

軽水炉の現象が理論的に自然界でも起こりえることは1950年代に立証されているが、偶然がいくつも重ならないと実現しないことも指摘されている。

だが、疑問が残る。現在の原子炉の運転は非常にデリケートな管理が必要である。17億年以上前に、60万年間も安定的に核融合を続けることができたのだろうか? 当時の地球はまだ大陸が生まれたばかりで地殻変動も大きく、大気も不安定だったはずだ。

折しも20億年前には、現在の南アフリカに地球史上最大の小惑星衝突が起きている。その痕跡は現在、フレデフォート・ドームと呼ばれ、世界遺産となっている。その3億年後のアフリカ中部に原子炉が誕生し、2500万年前にアフリカのケニアで人類が誕生した……。

地球の歴史をたどるたびに、筆者は動物から人間への劇的な進化の過程に戸惑いを覚える。そして放射能を浴びた生物が、巨大化し、驚くべきスピードで成長するという事実を思いだす。宇宙から飛来した〝何者か〟が、アフリカで核実験をしていたのではないか? われわれは、超古代のアフリカで行われた核実験の影響で生みだされたのかもしれない。

ムー認定 AUTHORIZATION

No.000021

アステカ・カレンダー

◀カレンダーの再現図。中央で舌を出しているのが「第5の太陽」。

▼アステカ文明のカレンダー・ストーン。2012年12月の滅亡＝大変革を予言する暦として注目された。

1970年、メキシコシティの中央広場で、直径3・6メートル、重さ24トンの巨大な石の円盤が発見された。アステカ文明の暦が図式化されたその石板は、「太陽の石」と名づけられた。別名「カレンダー・ストーン」とも呼ばれる、アステカの貴重な遺物である。

アステカはマヤの影響を色濃く受け継いでおり、その暦である「太陽の石」にも、ツォルキン暦やハアブ暦で使われていた単位を記号化したものが随所に散りばめられている。

ここで注目すべきなのは、中央でだらりと舌を伸ばす太陽と、その周囲に描かれた4つの絵柄である。なんと、それはこれまでの人類の滅亡の歴史を描いたものだというのだ。

第1の時代、人類はジャガーに食われて滅ぼされた。このとき人間は洞窟に住む巨人だったという。次の第2の時代には、人類は嵐によって滅ぼされる。しかし、神は人間たちを風に吹き飛ばされないようサルに変化させて救ったという。第3の時代には、火山の溶岩によってすべてのものが滅ぼされた。そこで神は人を鳥に変えた。第4の時代には、大洪水によって世界は終焉を迎えた。

そして中央に描かれた太陽が、第5の太陽の時代、すなわちわれわれが生きる時代にあてはまるというのだ。しかし、この時代がいつ始まっていつ終わるのか、それは定かではない。

さらに、マヤとほぼ同時代に興ったトルテカ文明の記録「クワウティトラン年代記」にも、これまで世界は4度の滅亡を経てきたという「5つの太陽の伝説」がある。

見逃せないのは、どちらも5番目の時代が終わった後の「第6の時代」について明示していない点だ。次に来るべき新たな時代が言及されていないのは、世界は5番目の時代で終わるからだろうか？ いや、それとも5128年に及ぶ壮大なマヤのカレンダーが一巡し、新たな時代が始まったのだろうか。

振り返ってみれば、マヤの予言が示していた「2012年12月22日＝運命の日」は、ひとつの時代の終わりと、新たな時代の始まりを表していた。だが、もしかするとそれは「人類の文明が無事に続く時代」の〝終わり〟と、「人類の文明が崩壊に向かう時代」の〝始まり〟なのかもしれない。

▶マヤ文明の天文台とされる遺跡。彼らがなぜ長期の暦を必要とし、後世に残したのかは謎のままだ。

No.000022

ストーンヘンジ

認定
AUTHORIZATION

イギリス、エヒルトシャーのソールズベリー平原に、先史時代の巨石遺構がある。紀元前2750～前1100年ごろ、3つの年代を経て1000年かけて造営されたと考えられているストーンヘンジだ。高さ4～5メートル、重いもので50トンを下らないとされる巨大な石柱が、外径約30メートルの円形に並べられている。

これが謎の遺構といわれる理由のひとつに、巨石の運搬方法がある。たとえば、サークルの内側の同心円状に並べられた82個あったと見られるブルーストーンと呼ばれる玄武岩は、250キロも離れた、海の向こうのサウスウェールズのプレセリの丘からはるばる運ばれたと考えられている。先史時代の人々が、いったいどのようにして巨石に海を越えさせたのだろう？

運搬法だけではない。石積みにも巧みな技法がこらされている。立石と横石はホゾ穴に突起をかませる方法で固定され、横

◀▼円形に配置された巨石遺構ストーンヘンジ。

▲左：柱の石と横石はホゾ穴によって組み合わされている。右：ヒールストーン。

石同士は溝でつなぎ合わされているのだ。クレーンもない時代に、いかにして巨石を持ち上げて、ホゾ穴に突起をピタリとはめこみ、さらには溝を連結させたのだろうか？　どうにも想像すらできない建造テクノロジーが駆使されているのだ。

また、最大の謎とされているのが、その建造目的と用途である。ドルイド教の祭祀場説に始まって、王の墳墓説、はてはUFOの発着場説まで諸説あるが、有力視されている仮説のひとつが「古代の天文台」説だ。

夏至の日になると、ストーンヘンジの中心と、少し離れたところにある「ヒールストーン」と呼ばれる石を直線状に太陽が昇ることが確認されていることからだが、一方では太陽崇拝に関係するという説、あるいは埋葬場所という説も有力だ。

近年の調査により、この場所にストーンヘンジが築かれる以前は、死者の埋葬地だったことが明らかになった。また、古代に大規模な祝典の会場として使われていたとの新説も発表され、徐々にだが、ストーンヘンジの正体が明らかにされつつある。

No.000023

カルナック列石

▼カルナック列石は、大きくメネック群、ケルマリオ群、ケルレスカン群の3列で構成される。

フランス北西部、ブルターニュ地方のカルナックに、カルナック列石と呼ばれる、ヨーロッパ最大の巨石遺構がある。

高さ1メートルから6メートルの巨石が3キロにわたって並べられており、その数はなんと3000個にもおよぶ。建造された推定年代は紀元前2000年ごろ。倒壊した石の下から人骨が見つかったことから、墓石ではないかという説が有力だ。

さて、地名のカルナックという言葉は、ケルト語で丘や高台を意味する。ブルターニュにはグレートブリテン島から大勢のケルト人が移住してきており、ケルトの伝統や文化が色濃く残る。今でもケルト語の一派であるブルトン語を用いる人も少なくない。

多くのケルト人は5世紀ごろから移り住んできたといわれているが、それ以前にも流れ着いてきていた可能性は高く、カルナック列石もケルト民族の遺構ではないかといわれてきた。しかし、この地にはすでに定着して農耕牧畜を行う人々の共同体が存在していたともいわれてお

▲西側からメネック列石、ケルマリオ列石、ケルレスカン列石に分けられ、総延長は4キロにもなる。

▼単独で立てられた列石や、横組みの石を載せた列石もある。

り、「カルナック列石＝ケルトの遺構」は、決して定説ではないようだ。

そこで浮かび上がるのは、列石＝レイライン説だ。

レイラインとは、古代の遺跡群が描く直線上には大地のエネルギー流を活性化させる効果があるといわれているものだ。

確かにカルナック列石は、長距離にわたって見事なくらい直線に並んでいる。また、考古学研究家のガイ・アンダーウッドのダウジングによる調査で、磁場が発生しやすい水脈が、列石群を中心に八方に走っていることが判明している。

ちなみに、列石は3つの群で構成され、いずれもカルナックから見て北東の方向に向かって並んでいる。

この北東が何を指すのかはわかっていないが、地下を調査することで、装置としての列石の機能が解明されるだろう。

認定 AUTHORIZATION

▲世界最大の切り出し岩「バールベックの巨石」。現代の最新鋭の技術を投入しても、この超巨石を動かすことはできない。また、この超巨石は南方1キロ地点から運んできたとされるが、いったい、どのようにして運んだというのか？

No.000024

バールベックの巨石

中東レバノンの東部、ベカー高原にある古代遺跡バールベックは、世界遺産に登録されている、世界でも有数のローマ神殿跡だ。紀元前1世紀ごろから建立され、カエサルをはじめとする歴代のローマ皇帝たちによって完成されたが、現在は高さ10メートルの基盤の上にジュピター神殿、バッカス神殿、ヴィーナス神殿の3つが現存するのみだ。

一方、高さ22メートル、直径2・2メートルの6本の大列柱が圧倒するジュピター神殿の傍らに「世界最大の切り出し岩がある。「バールベックの巨石」と長さ約21・5メートル、高さ4・2メートル、幅4・8メートル、推定重量2000トン。推定なのは計測不能だからだ。

というのも、2012年4月の段階で世界最大級のクレーン車をもってしても持ち上げられるのは1200トンまで。クレーン船となるとまだまだ耐えられるが、これほどの巨大なもの

◀上：巨石は巨大神殿の柱のために切りだされたものと思われるが、加工技術はともかく運搬技術が謎のままだ。下：1900〜1940年代とされる写真。

を動かすとなるとほぼ不可能だ。人力では4万人いれば何とかなるというが、もちろんこれだけの人間を長さ20メートルの物体に配置する術はない。

「もともとこの場所に石があったのではないか」という指摘もあるだろう。しかし、神殿から南西へ1キロの場所に石切り場らしき跡がある。この地には「南方の石」と呼ばれる1100トンの切り石が放置されており、この様子からバールベックの巨石がいかにして切りだされたかがうかがい知れる。運搬方法だけが不明なのだ。ジュピター神殿を見渡すと、土台に使用されている組石からして約18メートル、重さ1トンを誇るし、神殿内部の石組みにしても高さ約3メートル、幅約4メートル、長さ約20メートル、その重さは650トン以上になるという。どこをとっても巨大である。

ところで、遺跡をつくったという古代セム人には「魔術師の集団だった」「巨人を使役した」などの、荒唐無稽な伝説が残っている。この巨石の謎が解けない限り、この伝説を一笑に付すわけにはいかない。

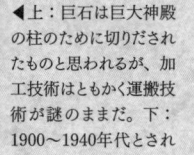

No.000025

シベリアのスーパーメガリス

2014年2月、ロシアのシベリア南部で人類の歴史が根底から覆されかねない謎の超巨石遺構が発見され、その映像が公開された。

場所はシベリアの南方のショリア山中で、地質学調査員たちが巨大な都市遺跡の一部と見られる巨大な壁を発見したのである。その高さは最大で40メートル、長さは約200メートルにもおよぶ。使用されている花崗岩は重さが2000～3000トンもあり、最大で4000トンに達するものもある。付近には運搬途中と見られる超巨大な石のブロックも横たわっていた。

これらの壁を構成する巨石の多くが「平らな面と垂直な線、直角をなす角度」で切り取られていることから、これらの巨石壁が奇跡的に生まれた自然の構造物ではなく、人工的に建造された構造物である可能性が高い、と調査団は指摘している。

そしてさらに、不可解な現象が報告された。方位磁石を近づけると、方位を表す針が、巨石と正反対のほうを向いたというのである。地磁気に反発する現

▲▶山中にそびえる石組みの巨壁。古代の巨人族が建てた、または巨人族の襲撃に備えて築かれたという説もある。

象、つまりこの地で磁場異常が起こっていたのだ。

かつて、これほどまでに巨大で、そして怪異に満ちた巨石群が発見されたことはなかった。同様に、今回発見された超巨大な花崗岩も、多くの謎を残している。つまり、驚くべき正確さをもって切りだし、それを山腹まで運び、整然と直立させる技術の根拠である。いったい、それは、いかにして獲得され、どこに消えたというのか？

超巨石の移動運搬および積み上げには、反重力技術が用いられていたという仮説がある。大胆な視点だが、もしかして、巨石に見られる磁場異常は、その名残りかもしれない。

調査初期の測定では、遺構の年代は約10万年前までさかのぼるのだという。だとすれば、有史以前に存在した未知の、人類以外の文明が、これら〝スーパーメガリス＝超重量巨大石〟を超技術によって積み上げていたのかもしれない。

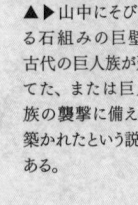

▲2番目に発見されたウッドサークル。周囲のオーク材の高さは3メートルあったと推定される。

ム認定 AUTHORIZATION

No.000026

シーヘンジ

イギリス、ノーフォーク郡のホルム・ネクスト・ザ・シーと呼ばれる地は、先史時代の遺物が出土することで知られている。1998年には、潮が引いた浅瀬で木を使った円形遺跡、ストーンサークルならぬウッドサークルが発見された。「ヘラルド」紙は、20世紀最大の発見だと報じ、その後、現場で掘りだされた丸太材は地元のリン博物館に展示されている。

有名なストーンヘンジの形状と同じく、オークの木の材木が円形に配置されていたことから、シーヘンジという通称が与えられた。

ここはイギリスで唯一先史時代のオークの木材が発見されたことがある場所だが、考古学的調査で、シーヘンジのオーク材は同時代に切りだされたものだということがわかった。そのオーク材の年代から算出して、今から約4000年前、つまり紀元前2049年ごろの青銅器時代につくられたと考えられる。

また、2013年にほぼ同じ大きさのシーヘンジが、約100メートル離れた地点で見つかったが、海水に浸かっていたせいで浸食の度合いが激しく、水面に出ている木材の上部のほとんどが腐食し崩壊してしまっていた。

ノーフォーク郡の歴史環境調査会による分析の結果、先に見つかったものと同年代に切りだされたオーク材が使用されていることが判明。さらに3Dレーザースキャニングによって、木材に金属製の道具が使用された痕跡が見つかった。これは当時、すでに斧らしきものが樹木の伐採や加工などに使用されていた証拠だとされている。

さて、このシーヘンジだが、いったい何のためのものなのか？　考古学者たちの間では、最初のものは個人の墳墓、2番目は塚の一部ではないか、という意見も出たが、確定されるには至っていない。したがって、その用途も目的も、いまだ謎のままである。

No.000027-000034

3 古代都市

No.000027

ギョベクリ・テペ

▲円形の神殿が点在するギョベクリ・テペ遺跡。狩猟採集の時代に神殿が建てられていたことに驚く。

1964年、トルコ南東部とシリアの国境付近の丘で、ある遺跡が発見された。ギョベクリ・テペだ。

ここは人類最古といわれるメソポタミア文明が栄えた地域に位置するため、こうした遺跡の発見自体は、実は珍しくない。しかし、1994年に地元の農夫が偶然発見した石柱が大きな注目を集めることとなった。発掘調査を行ったドイツ人考古学者クラウス・シュミットが「炭素年代測定などの厳密な科学的分析をした結果、遺跡が建てられたのは約1万1500年前だということが判明した」と発表したのだ。

メソポタミア文明が始まったのは紀元前3500年ごろとされているから、その8000年も前につくられた遺跡だということになる。

歴史を変える世紀の大発見であるはずなのに、あまり世間一般に周知されていないのは、この遺跡にあまりにも謎が多いからだ。

まず、遺跡は石を積み上げた円形の壁の内側に、5メートル

▲上：石柱にはヒトや動物などをモチーフとしたレリーフが施されている。狩猟採集集団が祀ったものだと思われる。下：円形の遺跡の中に、T字形に積まれた石柱が並ぶ。意図や法則性についての調査も進められているが、判然としない。
▶ハゲワシと何かを組み合わせたレリーフ。シンボルの解読も研究課題となっている。

も高さのT字形の石柱が円形に立ち並んでいる。この石柱の重さは5トンから20トンにもおよぶが、この運搬技術がわかっていない。

とはいえ、この程度なら、ほかの多くの古代巨石遺構も同様の謎を抱える。ギョベクリ・テペ最大の謎は、この巨大な石柱がわざわざ運搬して配置され、神殿らしきものを形成しているにもかかわらず、周囲に農耕栽培や家畜を飼育した跡、居住空間が見当たらないことだ。

これまで考古学において、神殿などの祭祀施設は、農耕による人々の定住から階級や職業が細分化し、都市が構成され、祈りの場（神殿）が造られる……という発展の経緯と考えられてきた。

しかし、ギョベクリ・テペに関していえば、どうも突然、神殿が生まれたようにしか見えないのだ。まるで「神」が自らの棲家をつくりだしたかのように、である。

この神殿群は紀元前8000年以前に突如としてその使命を終えている。その理由も謎のままだ。

No.000028 アンコール・ワット

▲上：カンボジアの寺院遺跡に残された正体不明のレリーフ。そこには、明らかにステゴサウルスの特徴を備える謎の生物が刻み込まれていた。下：ガジュマルと一体化しているタ・プローム遺跡。ここの壁に恐竜を描いたレリーフが発見された。

カンボジアの北西部に建つアンコール・ワットは、東南アジア最大の宗教遺跡だ。

東西1・5キロ、南北1・3キロという広大な敷地の中に、5つの中央高塔堂と参道、三重の長い回廊、そしてその周囲を約200メートルの環溝がめぐる。これほど大規模でありながら、内壁はもちろん、外壁にも繊細で豪奢な彫刻が彫られており、クメール建築の最高傑作と称される。

建てられたのは12世紀前半。アンコール王朝のスーリヤヴァルマン2世によって2万5000人の人員が投じられ、約30年の年月を費やして完成された。

そもそもアンコール・ワットを築いたとされるクメール人、スーリヤヴァルマン2世からして、出自が不明な謎の存在だが、遺跡の各所にはさらに多くの謎がある。

もっとも有名なものはタ・プロームの恐竜レリーフだろう。ガジュマルに覆われた遺跡の柱の中に、ステゴサウルスとしか思えない生き物の姿が刻まれているのだ。ステゴサウルスが生

▲アンコール・ワット遺跡。都市遺跡であり、精緻な彫刻が施された美術遺跡でもある（写真：Hu Xiao Fang/Shutterstock.com）。

息していたのは1億5000万年前。タ・プロームの建設当時、作者は化石すら発見されていない恐竜の姿を知っていたことになるのだ。

そして古代エジプト文明との関連性にも注目したい。

アンコール・ワットは俯瞰すると四角錐をしており、天空から見るとピラミッドと相似形を成している。また、ギザの三大ピラミッドがオリオン座を、スフィンクスが獅子座を表しているのと同様に、アンコール・ワットは竜座を模しているという説もある。

さらにギザから東経72度移動すると、アンコール・ワットにたどり着く。これは地球1周、360度の5分の1の距離だが、これは地球の歳差運動と関係があるといわれている。

人口100万人を誇った大都市だが、のちにシャム軍が攻め込んだとき、そこには建物だけが遺されていた。生活の痕跡を残したまま、住んでいたはずの人々は、宙に消えたようだったという。

——これがアンコール・ワット最大の謎である。

No.000029

テオティワカン

▲上：テオティワカン遺跡を象徴する太陽のピラミッド。下：月のピラミッドから臨むテオティワカン遺跡の全景。中央が「死者の大通り」。

メキシコ最大の都市遺跡テオティワカンは、多くの謎をはらんだ都市オーパーツだ。

南北を走る幅40メートルの死者の大通りを中心に、東に高さ60メートルの太陽のピラミッド、北に月のピラミッド、南に太陽暦の日数を示す365体の神像が装飾されたケツァルコアトルの神殿といった巨大建造物が碁盤状に配置されている。そればかりではない。紀元前後に築かれたにもかかわらず、運河、劇場、球技場といった娯楽施設まで完備した〝近代的〟な都市なのである。

都市建設が始まった時期は、紀元前後といわれている。5世紀ごろに最盛期を迎え、人口も20万人規模にまで発展した。にもかかわらず、それから間もない7世紀ごろになると、テオティワカンは急速に衰退、滅亡してしまったのだ。

以来、14世紀に当地にやってきたアステカ人（メシカ人）が発見し、「神々の家（＝テオティワカン）」と名づけるまで、この巨大都市は歴史から完全に忘れ去られてしまったのである。

▲丘陵に囲まれた盆地にある巨大都市テオティワカン。写真左が太陽のピラミッド。

遺跡を築いた集団はいったい何者で、どこへ消えたのか？

実のところ、彼らがどんな言語を使っていたのかさえ、判明していない。

さかのぼれば、そもそもこのテオティワカンが築かれるほんの100年前まで、当地では簡素な土器や石器が使われていたのだ。いかなる進化を遂げれば、わずか1世紀の間に広大かつ計画的な都市遺跡を築くことができるようになるのだろうか？

その謎を解く鍵を握ると考えられるのが、計画的に配置された神殿やピラミッドである。これらは太陽系の天体の位置を縮小して配置してあり、なんとそこには18世紀に発見された天王星以遠の惑星まであるというのだ――。それはつまり、テオティワカンの民たちが高度な宇宙科学に通じていたことの証明である。まさか、彼ら自身が天王星以遠の惑星からやってきた異星人だったのだろうか――。

No.000030

マチュ・ピチュ

▲急勾配の斜面に石を積み上げ、精緻な都市を構築したのはどんな文明だったのか？

インカ帝国の首都クスコから1000メートルほど下がって、それでも標高2500メートルの高地。アマゾンの密林に接するそこに都市遺跡マチュ・ピチュがある。

マチュ・ピチュが繁栄したのは15世紀ごろ。スペイン人の侵略によって滅びたとされているが、発見されたのは1911年。建物はすでに廃墟となり、生い茂る草木に埋もれていた。

マチュ・ピチュはしばしば空中都市と称される。周囲から隔絶された山頂を切りひらき、下界にかぶさるように展開されているからだ。

城壁に取り囲まれた40万平方メートルの敷地には、40段もの段々畑がつくられ、約3000段の階段で結ばれていた。建物は約200戸あり、そこには1000人以上の住人が生活していたと考えられている。

こうした形態の都市は、外敵から逃れた避難所としてつくられるケースが多いのだが、マチュ・ピチュの人々は驚くほど豊かな生活を送っていたようだ。町の中心部には王宮や神殿が

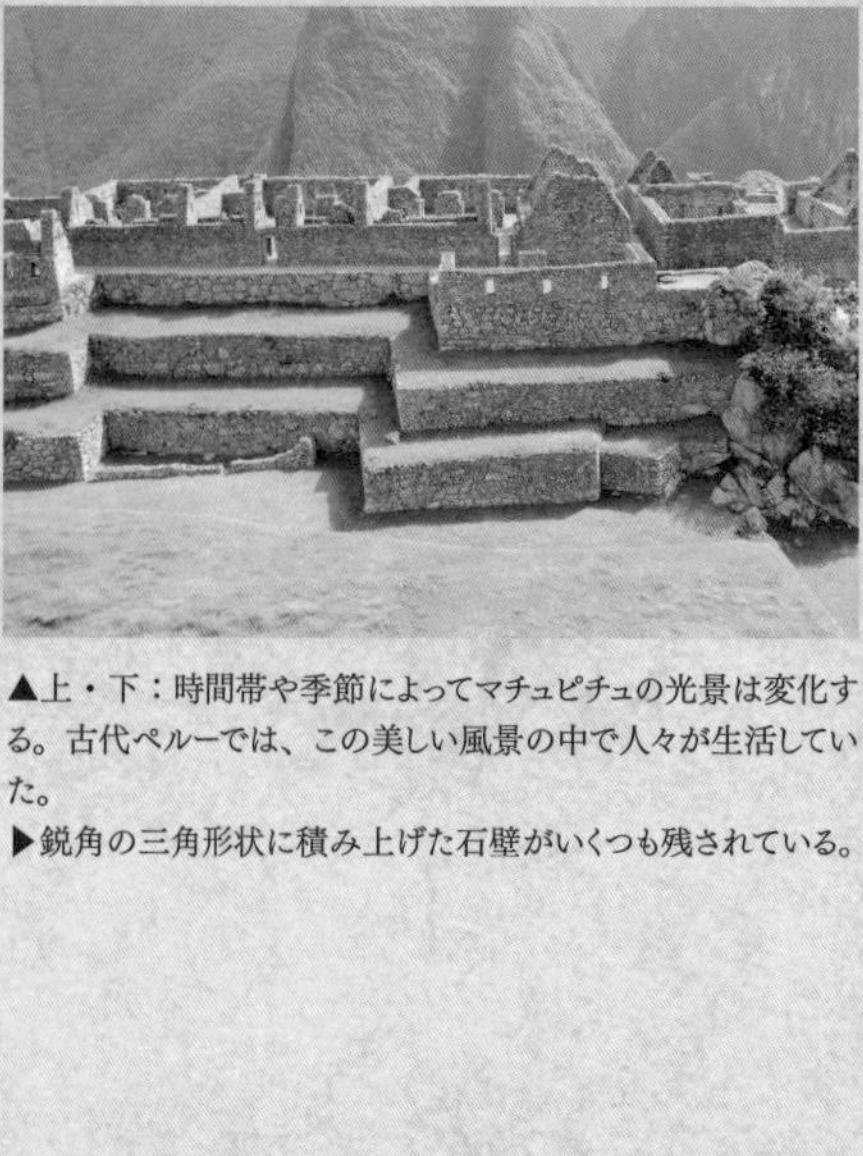

▲上・下：時間帯や季節によってマチュピチュの光景は変化する。古代ペルーでは、この美しい風景の中で人々が生活していた。

▶鋭角の三角形状に積み上げた石壁がいくつも残されている。

あり、その周辺には一般の人々の住居や倉庫などが密集するように立ち並び、至るところに自然石を加工した祭壇がつくられていた。遺跡からも人骨や日用品だけでなく、美しい金属細工の道具や装飾品が次々と発掘されている。

そしてまた、自給自足で、食生活も充実していたようだ。土中に含まれる花粉を分析した結果、なんと畑ではトウモロコシやジャガイモをはじめ、果物、豆類、コカの葉、唐辛子など、約20種もの作物が栽培されていたことも判明している。

ただ根本的な疑問が残る。このような不便な場所に、なぜ都市を展開したのか、ということだ。

遺跡周辺の洞窟から発見された173体の人骨を調査したところ、そのうちの約90パーセントが女性のもので、残りは子供の骨だったという。

そのことから、男子禁制の宗教都市だったのではないか、とも見られている。

No.000031

グレート・ジンバブエ

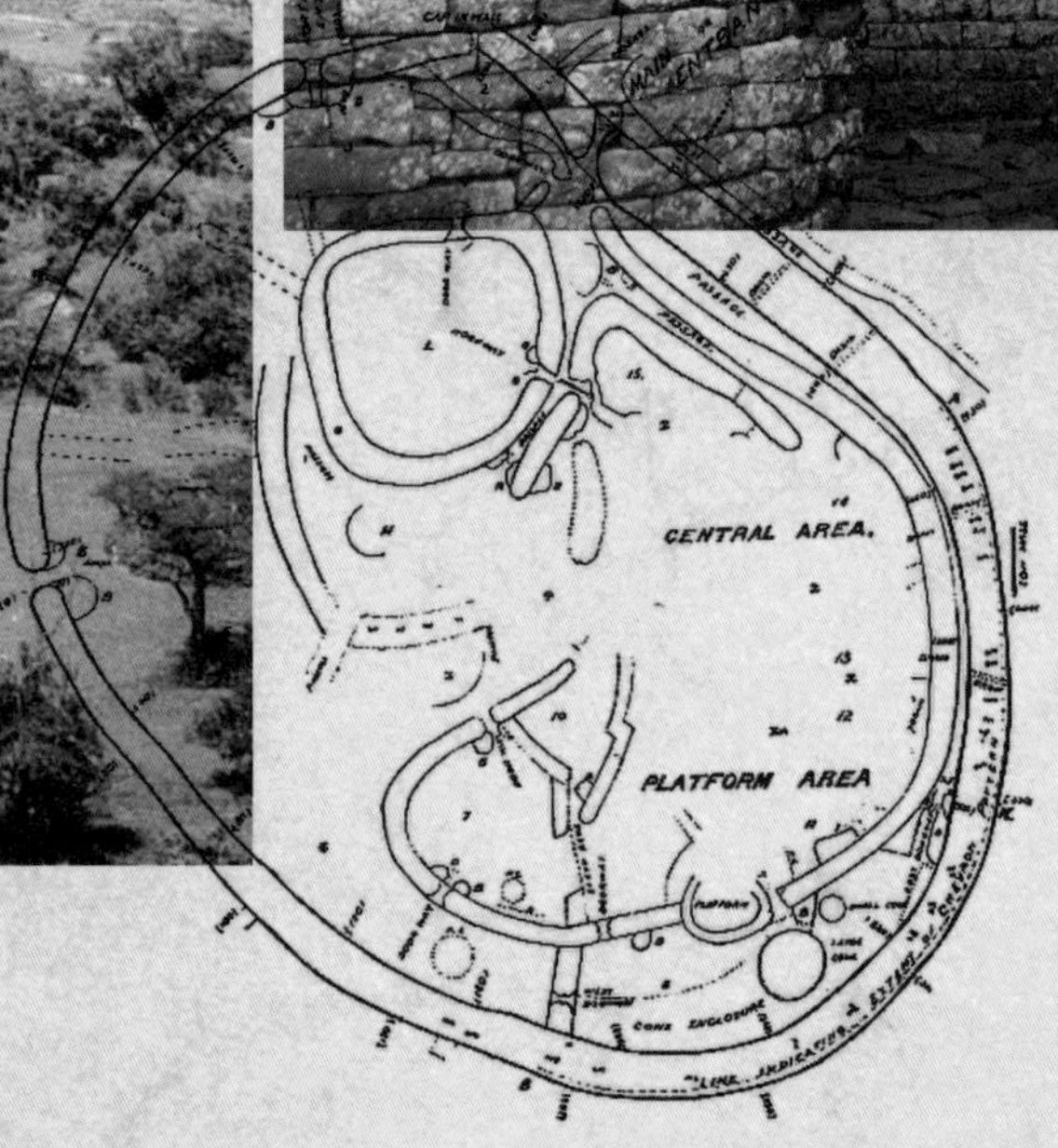

▲グレート・エンクロージャーの中にある円錐の塔。見張り台か天文台か、それとも祭祀場だったのか?

◀グレート・エンクロージャーの内部図。王都や公共施設だったと考えられるが、やはり用途不明の建築だ。

アフリカ大陸で栄えた文明というと、ナイル川流域のエジプト文明が有名だが、実は大陸のあちこちに文明の跡が存在する。南部アフリカ最大といわれる、グレート・ジンバブエもそのひとつだ。

現在も残る遺跡は、11～15世紀にかけて栄えたショナ人のモノモタパ王国のもので、実はこの地には多くの王朝が生まれては滅びてきたといわれている。

現存する遺跡最古のものは紀元前8世紀だという研究もあり、『旧約聖書』で古代イスラエルのソロモン王との交流もあったという説もある。というのも、「シバの女王の国」がこの地にあったという説もある。というのも、グレート・ジンバブエに存在するものは、すべてが周辺地域のものと一線を画しているからだ。

ジンバブエとは、現地の言葉で「石の家」という意味をもつ。その名のとおり、建造物に用いられているものは積み上げられた花崗岩のみ。南アフリカの建物の多くが土や木を材料としていることを考えると、きわめて異色だといえる。

▲広大な大地に石組みの巨大都市が築かれていた。左手にグレート・エンクロージャーが見える。

しかし19世紀に入り、「シバの女王の国」説が発表されると、一攫千金を狙う多くの探検家が訪れるようになり、遺跡はほぼ破壊されてしまった。今残るのは3つの地区のみである。

もっとも大きいのは、王宮や祭祀場跡が残るアクロポリス。小高い丘の上に広がっており、周囲を取り巻く外壁も含めるとなんと、約18万2000個の花崗岩ブロックが用いられている。

神殿、もしくはグレート・エンクロージャーと呼ばれる遺跡も見逃せない。長径約100メートル、高さ約11メートルの外壁の中に、高さ10メートル、直径6メートルの巨大な円錐形の塔がそびえる。アフリカ南部で最大級の石造建築とされているが、用途は不明だ。

そして、一般の人々の住居跡だとされる谷の遺跡もあるが、やはり全容は知れない。

19世紀に発見、破壊される前、ここにはどんな都市が広がっていたのだろうか。

No.000032

モヘンジョ・ダロ遺跡

モヘンジョ・ダロ遺跡の景観。現在までに発掘されている遺跡は、紀元前2500年ごろの地層にある。

ハラッパーからインダス川に沿って下流へ600キロの場所に、インダス文明最大の遺跡「モヘンジョ・ダロ」がある。

ハラッパーの本格調査から1年後の1922年、インド人歴史学者により発見され、より完璧に残る高度な都市文化の形跡が世間を驚かせた。

日干しレンガと泥でできた高さ10メートル、1キロ四方の街は城壁で囲まれ、中は幅9メートルの道が東西南北を碁盤の目のように走っていた。西側の一段高い土地には公的な建築物が、低い場所には住居跡が広がり、井戸はもちろん、水洗トイレの跡など、高度に発達した下水施設もあった。

さらに街の中央には長さ13メートル、幅8メートル、深さ2・5メートルの大沐浴場が備えられていた。

おもしろいのはこの遺跡が最上層にすぎないという点だ。

というのも同遺跡は7層から成り、古い時代から街が順に積み上げられていたのだ。つまり、上の層の遺跡は下の層の遺跡のコピーのようなものと考えられ

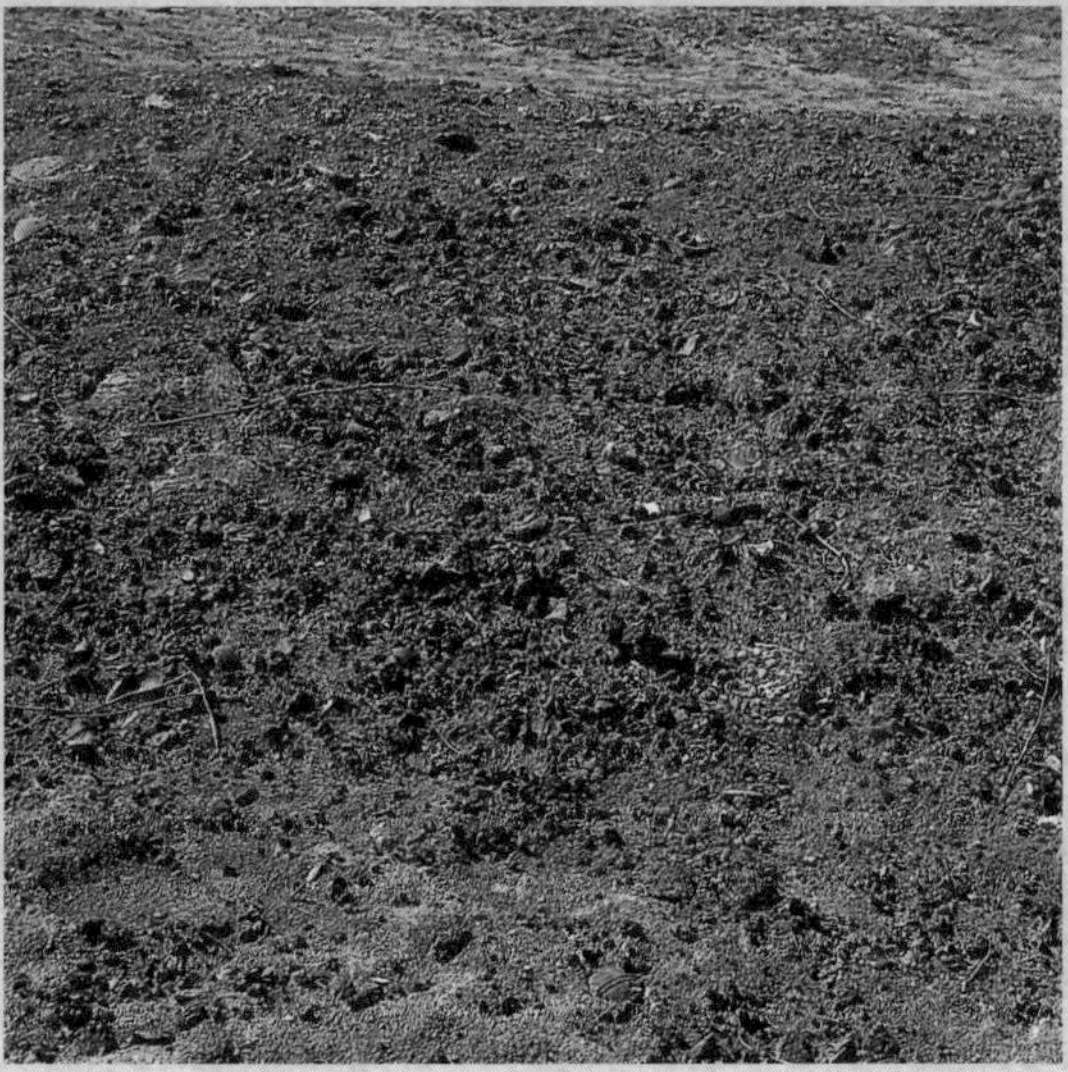

▲上：大沐浴場跡。現代の建築技術にも匹敵するという、高度な都市計画によって築かれている。下：古代核戦争によるのか、一瞬の高熱にさらされガラス化した、石や土器が遺跡周辺で見つかった。
▶モヘンジョ・ダロ近くにある「ガラスになった街」。

るのである。

この遺跡もまた、滅亡の原因がわかっていない。有力なのはやはり、「古代核戦争説」である。遺跡から5キロ離れたところに、現地の人々が「ガラスになった街」と呼び、〝禁断の地〟として決して近づかない場所がある。その地は一瞬にしてガラス化した石が800メートル四方をびっしりと覆い、その中からは溶けてくっついたレンガや高熱で焼けた土器なども発見されている。

さらにその付近で見つかった人骨から、なんと通常の50倍もの高濃度放射能が検出されたという。周囲からは火山活動の痕跡は確認されていない。

この事実こそ〝核〟という恐ろしい仮説を裏づけているのかもしれない。

ちなみに、モヘンジョ・ダロは、現地語で「死の丘」という意味をもつ。遺跡の発掘調査が待たれるが、塩分を含んだ地下水が噴きだしたため、1960年半ばに停止され、いまだに再開されていない。そのため、実は全体の2割程度しか調査は進んでいないのだ。

No.000033

カッパドキア

▲奇岩内部の地下都市は地下8階構造で、1万5000人を収容できるほどだという。
◀キノコのような帽子状の岩も特徴である。

キノコや煙突のような形をした10～20メートルの奇岩が100キロ平方メートルにわたって無数にそびえ立つ「カッパドキア」は、1985年に世界遺産にも登録された、トルコを代表する景勝地だ。

トルコのちょうど中心に位置するアナトリア高原の標高約1000メートルの場所にあり、ギョレメ、ユルギュップ、ネヴエシェヒルといった周辺の街からアクセスすることができる。

この奇観は、およそ6000万年前に起きたエルジェス山の噴火によりできたものだという。噴火は100万年にわたって続き、その間蓄積された溶岩や火山灰がさらに気の遠くなるような年月にわたる風雨によって浸食され、形成されていった。

人類がこの地に住みついた痕跡は紀元前2500年ごろから見られるが、それは驚愕の様相を呈していた。

1900年初頭、奇岩群の地下に複数の巨大都市が発見された。その数36。中でも有名なカイマクルの地下都市は地下8階構造で、物資の搬出入と井戸を

▲多様な奇岩が林立するカッパドキアの風景。火山活動によってできた堆積物や、長年の風雨による浸食で形成された地形だ。しかし、その岩肌や地下には、無数の洞窟や地下都市が築かれている。

▶カッパドキアには、高さ10〜20メートルの奇怪な岩が無数にそびえ立つ。この地に人類は紀元前2500年ごろから住みついた痕跡が残されている。

兼ねた深さ1500メートルの通気口をはじめ、居室、教会、墓所のほか、炊事場や貯蔵室など、人が生活するのに十分な施設が整い、各部屋はトンネルで結ばれていた。

さらに有事の際、入り口を完全に塞ぐことができるよう約1トンの巨大な石も用意されていたのだ。

優に1万5000人を収容するスペースをもつが、不思議なことに人が住んだ形跡がない。地下8階の建物である。要した労力や年月は相当なものだっただろう。

人々が生活するための施設ではなかったとしたら、いったい、何のためにつくられたのだろうか？

古代に起きたという伝説が残る「核戦争」から逃れるためのシェルターだったのか……？

カイマクルは地下8階ではなくさらに深い、20階まであるとされているし、いまだ発見されていない都市は450に上るという。真相はいかに……。

住む人をもたなかった都市は、今も奇岩の下に横たわりつづけている。

No.000034

ハラッパー遺跡

▲紀元前1800年ごろに突如、歴史から姿を消してしまったインダス文明の痕跡、ハラッパー遺跡。発見から1世紀経つ今でも、詳しい実態はほとんどわかっていない。やはり古代核戦争と文明消失には何かつながりがあるのだろうか。

認定

世界四大文明の中で、もっとも謎に満ちているのがインダス文明だ。インダス川流域の東西1600キロ、南北1400キロの広大なエリアにいくつもの遺跡が点在するが、だれがいつ、どのようにしてつくったのか、いかに滅びたのか、まったくわかっていない。紀元前2500年ごろに栄えたこの文明は、紀元前1800年ごろを境に突如、歴史から姿を消してしまうからである。

インダス川中流にインダス文明の遺跡、「ハラッパー」がある。1853年、イギリスの考古学者でインド考古学の権威、アレクサンダー・カニンガムにより発見されたが、当時はあまり注目されなかったようだ。ところが1921年、都市の一部が地面からのぞいているのが見つかり、本格的な調査が始まる。

結果、城門、住居などの建物跡や墓地が発見された。遺跡から出土する遺物も彩色土器、銅器、青銅器と多岐にわたった。研究者が目をつけたのはインダス文字が刻まれた印章だ。だが、まったく解読ができない。当時から1世紀近く経った今でもこの文字は読まれていないのだ。

カッパドキアと同様にハラッパーもまた「古代核戦争」の伝説がつきまとう遺跡だ。それは隣国、インドの叙事詩『マハーバーラタ』に起因する。というのも、『マハーバーラタ』には「太陽が1万個集まったほどの明るい煙と火がからみあった光り輝く柱がそそり立った。それは未知の武器……都市の住民は灰になった」と、まるで核兵器使用を物語る驚愕の描写があるからだ。

突如として止まったハラッパーの時間、それはいったい、何を意味するのだろうか。

ところで、インダス文字には興味深い研究結果がある。モアイで知られるイースター島にあるロンゴロンゴ文字に形状がよく似ているというのだ。

今後研究が進み、このふたつの文字に共通性が見出されるようなことがあれば……古代のあらゆる謎は解き明かされるかもしれない。

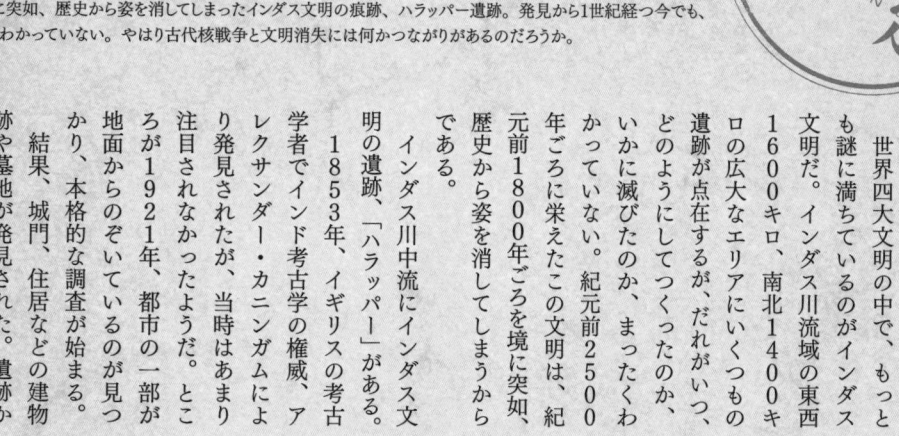

4 ピラミッド

No.000035-000047

No.000035

ギザの大ピラミッド

▲三大ピラミッド。手前の小さな3基は、第3ピラミッドの衛星ピラミッドと呼ばれている。

古代ギリシアの数学者・旅行家のフィロンが提唱した「世界の七不思議」。いずれも驚異の建造物を指すのだが、その中で唯一現存するのがエジプト、ギザの台地にそびえる大ピラミッドだ。

約4500年前に当時の支配者クフ王が王墓として建造したといわれる。紀元前5世紀のギリシアの歴史家ヘロドトスによると、建造時の高さは約146メートル、底辺の長さは縦横とも約230メートル。現在の外観こそ石灰岩の巨石を積み上げた階段状になっているが、建造当時の表面は白亜の大理石で化粧仕あげがされていたらしい。

だが、この巨大建造物は多くの謎を秘めている。たとえば、建造時にはあったはずの冠石が消失しており、ギザのほかのピラミッドと比べても、内部構造が極端に複雑だ。

さらに、建造者がクフ王とする説も覆されつつある。その根拠は、内部の壁に「クフ」という神聖文字が描かれていただけにすぎないからだ。

王墓説も疑問視されている。

▲現在は第2ピラミッドの頂上部分にしか残っていないが、かつては全体が大理石の化粧石で覆われ、白く輝く美しい姿だったと思われる。

内部から王の遺体は発見されておらず、「王の間」にあった石棺も蓋のない粗末なもので、中は空だった。イスラム帝国のカリフアルマムーンが820年に内部に入るまで、盗掘された形跡がないのに副葬品も発見されていない。

それ以外にも奇妙な点は多い。基本設計に円周率や黄金分割比の概念が使用されるなど、神秘的な数字が数多く含められているのだ。

では、王墓でなければその建造目的は何なのか？　これには日時計説、天文台説、記念碑説など多くの説がある。秘儀のための神殿説も提唱されているが、いずれの説も決定的ではない。

建造者についても同様だ。実は建造技術が現代のそれをも凌駕するほど高度なことから、約1万2000年前に滅びたとされるアトランティス文明の子孫によって建造されたと唱える研究者も少なくない。また、超古代に地球を訪れた異星人たちが建造したとする説もある。

いずれにしろ、これらの奇説が飛びだすほど、大ピラミッドは神秘的な謎に満ちているのだ。

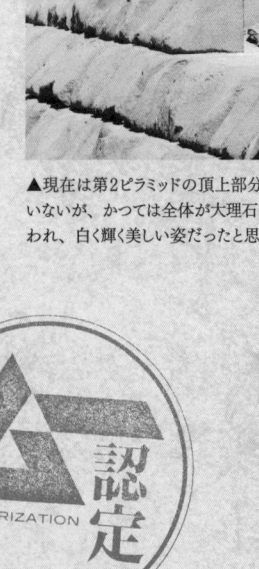

No.000036

オリオン・ミステリー

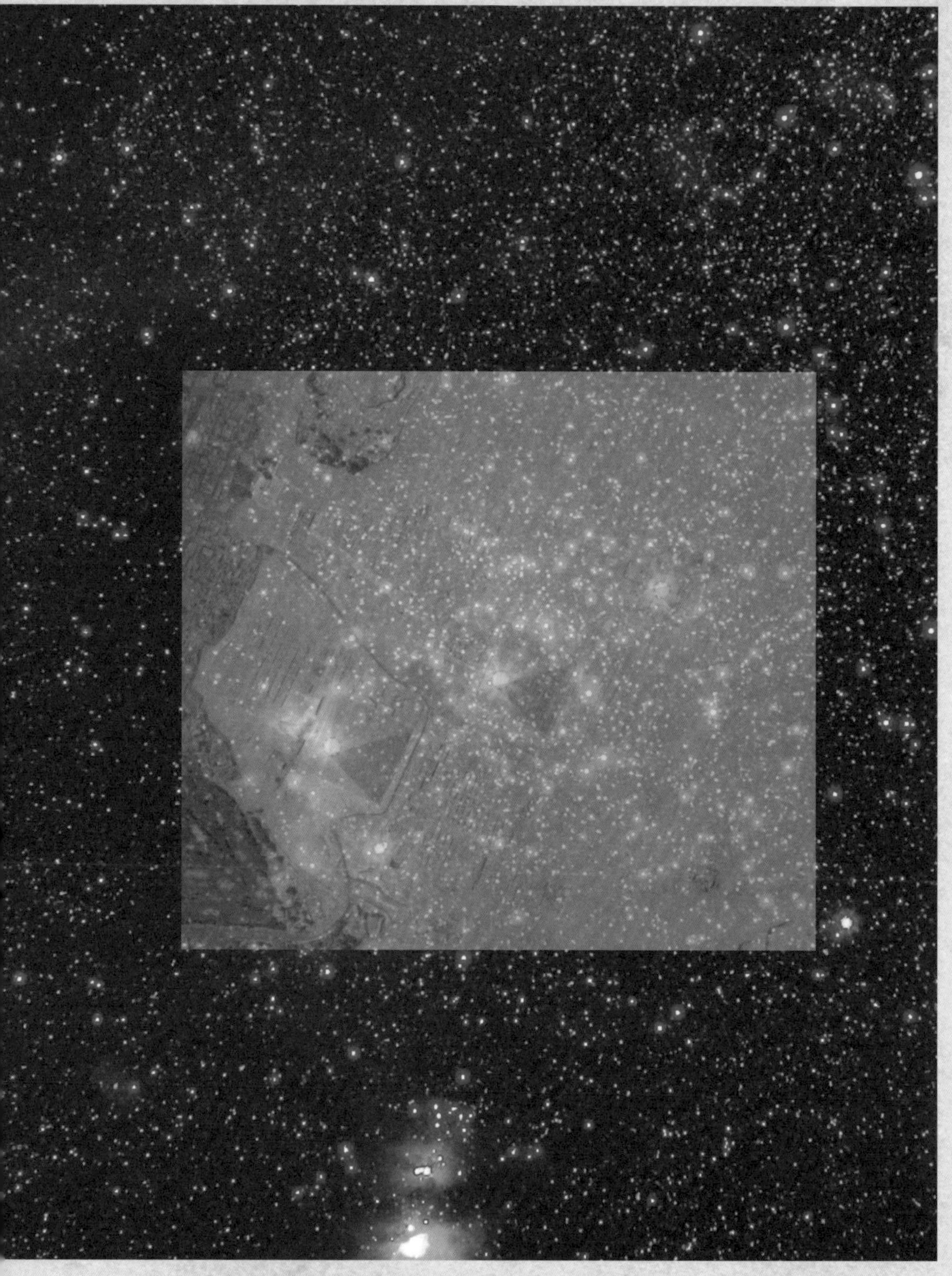

エジプト、ギザの台地に建つ3基のピラミッド。その建造目的の謎を解く仮説のひとつに、オリオン信仰説がある。

1994年、エジプト出身の建設技師ロバート・ボーヴァルと作家のエイドリアン・ギルバートは著書『オリオン・ミステリー』において「三大ピラミッドはオリオン座の三つ星の配置に相似している」との新説を唱えて注目を集めた。

周知のとおり、オリオン座は7つの輝星から成る星座だ。ふたりは、大ピラミッドがアルニタク、第2ピラミッドがアルニラム、第3ピラミッドがミンタカの位置と一致することから、三大ピラミッドはオリオン座の三つ星を地上に再現したものだ、と主張したのだ。

事実、このオリオン座の三つ星の写真と三大ピラミッドの空撮写真を比較すると驚くべきことがわかる。双方のレイアウトがピタリと一致するのだ。さらにボーヴァルらは、ナイル川と天の川の相対位置が合致することも見つけた。

厳密に計算すると、実は微妙

▲上・下：現在、ピラミッド内部の入室は厳しく制限されている。宇宙線を用いたスキャンで内部構造を調査しようという計画もあり、建造方法、未確認の部屋や通路の発見が期待されている。
▶三大ピラミッドの空撮写真とオリオン座。3基の配置が、オリオン座の三つ星と一致する。

なズレが生じるのだが、その原因は春・秋分点と歳差運動にあると考えられる。

地球は楕円形であり、自転軸は2万5920年周期で回転運動をする。そのため歳月の経過とともに星座の見え方に変化が生じるのだ。そこで彼らは星空の時代変化のコンピューター・シミュレーションを行った。すると、ナイル川と三大ピラミッド、天の川とオリオン座三つ星の相対位置が正確に合致したのは、なんと紀元前1万450年ごろとはじきだされたのである。

ということは、三大ピラミッドは約1万2500年も前に建造されたことになり、エジプトの正史が紀元前4500年ごろとされていることから、通説より8000年も過去にさかのぼってしまう。

エジプト文明がピラミッドを建造したのではなく、先行文明から継承したということになるこの説は、当然、エジプト学会には受け入れられていない。

No.000037

キャップストーンとベンベン石

▲上：カイロにあるエジプト考古学博物館に収蔵されているキャップストーンのレプリカ。左下：太陽神は不死の霊鳥ベンヌの姿で原初の丘ベンベンに降り立った、と伝わる。ピラミッドの頂点は天から神が生まれ落ちる地なのだ。右下：大ピラミッドの化粧石と同じ素材で復元したキャップストーン。実際のキャップストーンは一枚岩を削りだして作られたともいわれている。

　エジプト、ギザの台地で圧倒的な存在感を放つ大ピラミッドは幾多の謎をわれわれに投げかけている。そのひとつが、頂上に冠されていたはずのキャップストーンの行方だ。キャップストーンがないため、大ピラミッドはほかの第2、第3ピラミッドと異なり、正四角錐ではないのだ。

　正四角錐のピラミッドは真正ピラミッドとも称されるが、その由来は、太陽信仰の聖地ヘリオポリス神殿に祀られていた正四角錐状のベンベン石だといわれている。古代エジプトにおいて石は高貴なものだったが、中でもベンベン石は聖なる石とされ、格別の信仰対象だったのである。

　ベンベン石は四角錐の黒い花崗岩で作られたもので、ちょうどピラミッドと同じ形をしている。ベンベン石、つまりキャップストーンは古代の記録から推測すると4~8メートルはあったとされるが、実物は見つかっていない。また、どうやって10トン以上はあろうかというこの石を頂上に置いたのかもわからない。

　さらに、エジプトの先史時代の記録〝ピラミッド・テキスト〟によれば、太陽神ラーが、人類にその姿を初めて現したとき、ベンベン石と呼ばれる〝不思議な四角錐の物体〟に乗っていたという資料もある。

　そう、ベンベン石とは神々の乗り物だったのだ。そしてその形状はNASAの宇宙用ロケットに似ているとも指摘されている。

　古代エジプトの神話・伝説で、〝太陽の船〟に乗って降臨してきた神々は「ネテル＝宇宙から来た者」と呼ばれている。であれば、地球を訪れた彼ら異星人の〝乗り物＝宇宙船〟は、エジプトの太陽神であり、ピラミッドの頂上を飾るものとして崇められるようになったのではないだろうか。

　いつの日か、神々が地上へ再臨したとき、大ピラミッドの頂上にキャップストーンが再び冠され、燦然と輝くことになるのだろう。

太陽の船

No.000038

◀復元された太陽の船。大ピラミッドのそばで発掘されたため、クフ王第1の船とも呼ばれる。

▼上：大ピラミッドの脇にある「太陽の船博物館」。下：博物館に展示されている模型。船体に対して櫂の位置が非常に高く、実際に漕ぐことを想定していない設計だとわかる。

1954年、ギザの大ピラミッド付近で通称「太陽の船」が発見された。これは紀元前2500年ごろ、第4王朝のファラオ、クフのために造られたもので、「クフ王の船」とも呼ばれている。

古代世界最大のこの船は、台地に掘られた石坑内に649の断片に分解された状態で発見されたが、エジプト考古庁によって完全に復元され、全長42・32メートル、全幅5・66メートルという木造船が現代に甦った。現在はピラミッドの脇に建てられた「太陽の船博物館」に展示されている。

ついで1987年、第1の船が発見された石坑の西隣りに別の船体の存在が判明。これは「クフ王第2の船」と呼ばれ、発掘・保存・復元はエジプト考古庁と早稲田大学エジプト学研究所の共同作業になった。2012年2月、埋設現場から木製部材の採取が開始され、今後は発見されただけでも600以上の木片を回収し、木造船を復元する予定になっている。

太陽の船の本来の使用目的は、まだよくわかっていない。通説では、死後に復活するクフ王を冥界から運ぶための船で、クフ王が死んだ際に、その亡骸の運搬に使われたとか、生前のクフ王の交通手段や、娯楽用として使用されたのではないか、などと説かれている。

一方、技術的に同じものを造ることは叶わなかったが、彼らが崇拝していた神々の〝太陽の船〟にあやかったものだという説もある。

というのも、古代エジプトの都市エドフにある神殿の壁画には、天から降臨した神々が「太陽の船＝空飛ぶボート」を駆って、空中を自在に飛び回っていた、と記されているからである。

まことしやかな噂として、大ピラミッドの地下あるいはスフィンクスの足元にあるといわれる「隠し部屋＝記録の宝庫」には、その神々の〝空飛ぶボート＝太陽の船〟が、なんと宙に浮いた状態で秘匿されているという。

第3の船が地上に出ることはあるのだろうか？

No.000039

サッカラの階段ピラミッド

古代エジプト王国時代の首都メンフィスには、記録上で最古のピラミッドがある。それがジェゼル王のピラミッドだ。その形状から階段ピラミッドと呼ばれている。

紀元前2650年ごろ、ナイル川の恩恵を受け繁栄した古代エジプトの首都メンフィスでは、第3王朝のファラオ、ジェゼル王の墓が建設された。これが記録のある中で世界史上初のピラミッドである。

高さ62メートル、東西125メートル、南北109メートルと巨大な長方形型をしており、地下28メートルの地下室も設けられている。王の遺体を納めた玄室などいくつもの部屋や回廊がつくられていて、その建築技術の高さには驚きを隠せない。この階段ピラミッドが、エジプトのピラミッド技術の礎となったとされる。

階段ピラミッドには、切りだした石材が使われている。当時、建造物には日干しレンガを使うのが常識だったため、かなり画期的な手法であった。石材を使うことで、頑丈で高さのある建

▶ジェゼル王の墳墓である階段ピラミッド。建造に至る着想から工法まで、ピラミッドの謎はここから始まっている。
▼階段ピラミッドの建設を指揮したイムホテプ像（ルーブル美術館蔵）。

築が可能となったのだ。これはイムホテプという謎の人物による指揮である。

イムホテプは建築、設計、土木、医術などの分野で天才的な力を発揮したといわれるジェゼル王の宰相である。

王族出身ではなかったイムホテプが、なぜファラオの側近になれたのかはわかっていない。彼は当時の文明を遙かに超えた知識と知恵をもっていたようだ。そしてまた、ときには〝魔術師〟と呼ばれ、超常的な能力を発揮したともいう。

イムホテプの出身はメソポタミアであり、古代シュメール文明の〝知恵＝叡智〟に通じていたとも考えられるのだ。

エジプトの地に100基以上も建設されたピラミッドだが、これらのピラミッド群がなぜ建設されたのか。ピラミッド自体も、いかなる目的でつくられたのか、など解明されていない部分が多数ある。

天才であり、超人でもあったというイムホテプ。その正体も含め、エジプトのピラミッド群にはいまだ多くの謎が残されているのだ。

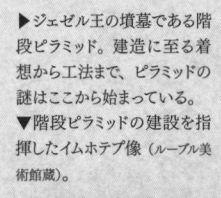

No.000040

クシュ王国のピラミッド

▲上：クシュの首都メロエに遺されたピラミッド群。独自の形状のピラミッド文化を育んでいた。
下：破壊されたピラミッドも多いが、表面の化粧石が残っているものもある。

ナイル川流域で発展した文明は、エジプト文明だけではない。そのひとつが、ヌビア地域に興ったクシュ王国である。紀元前3000年ごろにはすでに存在したとされ、紀元前2600年ごろ、最初の国のケルマ王国がヌビアの全地域とエジプトの一部を支配したとされる。

スーダン北部のナパタ地方で、今でもその遺跡を多く見ることができるが、中でもきわめて特徴的なのがピラミッドだ。高さは6メートルから30メートルと大きさもさまざまで、すべて傾斜角が約70度と鋭角なのだ。

その形もさることながら、エジプトのピラミッドと大きく異なる点は、ヌビアのピラミッドは王族たちの墓としてのみ使用されていることだ。

複雑につくられたエジプトのピラミッドと違い、シンプルに墓としてピラミッドが用いられているのである。また、ヌビアのピラミッドは、そのすべてが盗掘にあっている。

本来ならば全身を宝石で覆われた王のミイラが眠っていたはずだが、その埋葬の様子が描か

▲メロエのピラミッド群。高さは6メートルのものから30メートルにおよぶものまであり、およそ220基が密集している。

れたレリーフが残されているのみで、多くの財宝は盗掘者たちの手から手へと渡って、残念ながら消えてしまったのである。

約3000年間も栄えたクシュ王国だが、歴史もそのルーツもほとんど謎に包まれている。いまだ解読されていないメロエ文字を使用していたため、エジプト史の文献でしか、この国の歴史を知ることができないためである。

謎のひとつに、クシュの神殿遺跡のレリーフがある。ふたりの人間が見上げるのは、尾翼のようなものがついた細長い三角形状の物体。彼らの3倍はあろうかというそれがロケットに見えるのだ。

2003年に世界遺産に登録され、現在、遺跡の発掘・調査が進められている。ルーツも含め、多くの謎が解明されたとき、われわれは驚愕の事実を目の当たりにすることになるかもしれない。

No.000041

大スフィンクス

▶上：19世紀に撮影されたスフィンクスの写真。ナポレオンの遠征記録でも砂に埋もれていたとあり、長期間、砂に埋もれていたことは明らかだ。下：大きさは高さ20メートル、全長73・5メートル。石灰岩でつくられた人面獣身の守護聖獣である。

サハラ砂漠に鎮座する巨大な守護神スフィンクスは、定説では紀元前2550年ごろ、第2ピラミッドの守護神として建造されたといわれている。

ところが1992年、アメリカ、ボストン大学教授のロバート・ショック博士の地質学調査で、スフィンクスがピラミッドの建築よりも遥かに古い紀元前7000年から前5000年につくられた可能性がクローズアップされた。

その根拠は、スフィンクスの胴体や周囲の岩壁に見られる著しい浸食跡だ。エジプト学者たちは長年の風と砂による風化作用のせいだとしているが、15世紀に掘りだしたという記録があり、さらに18世紀のナポレオンの時代にも首まで砂に埋もれていた史実から、長期にわたり埋没していたことがわかる。

それに浸食が風砂によるものだとするならば、スフィンクスよりもずっと高い位置に露出している三大ピラミッドのほうが、より甚大なダメージを受けているはずだが、その痕跡はない。そこで、ショック博士らは浸食

▲大スフィンクスの胴を水平に刻む浸食痕。雨や洪水による跡だとすると、建造年代は紀元前5000年にさかのぼることになる。

が雨や洪水による流水の影響だと指摘する。事実、紀元前5000年以前のエジプトには降雨期があったとされており、建造年代の仮説と一致するのだ。

スフィンクスの大きな謎はもうひとつある。

地下の隠し部屋の存在だ。西暦4世紀、フェニキアのイアンブリクスは「スフィンクスの下腹には大ピラミッドの地下部分に通じる数本の地下道が掘り抜かれている」という記述を残している。さらにローマの歴史家アミアヌス・マルセリヌスも大ピラミッドの内部につながる地下保管庫の存在を指摘しているのだ。

1987年には、早稲田大学エジプト調査隊による電磁波レーダー調査により、数か所に空間があることが判明した。また左前脚の肘の下には約7メートルにわたって金属反応が検出されている。ただしエジプト政府の許可が下りず、それ以降の発掘調査は進んでいない。

ム 認定 ORIZATION

No.000042

エル・カスティーヨ

▲エル・カスティーヨの階段下にあるククルカンの頭部。春分の日と秋分の日、階段に現れた影がククルカンの胴体を成す。

1988年に世界遺産に登録された後古典期マヤの遺跡チチェン・イッツア（泉のほとりのイッツア人の意）。その繁栄を示す象徴がマヤの最高神ククルカン（ケツァルコアトル）を祀るピラミッド、エル・カスティーヨだ。

9段からなる階段式のピラミッドで、基底部は55・3メートル四方、高さは24メートル。四面それぞれの中央にある91段の階段が彼らの叡智を示す証しだ。四面の段数を足した364段、これに最上段の神殿1段を足すと、365段となり、太陽暦の一年を示している。さらに、階層9段は中央の階段で二分されるために18段。これはマヤ歴の一年（18か月5日）を表している。

さらにもうひとつ、このピラミッドには秘密がある。

春分の日と秋分の日の太陽が沈むときだけ、真西から照らされた階段の西側に一直線の影が差すのだが、その影は北面の階段の最下段に刻まれたククルカンの頭部の彫刻とつながり、ヘビの姿をしたククルカンの御姿を現出させる。カスティーヨが「暦のピラミッド」とも呼ばれる

▲チチェン・イッツァを象徴する階段ピラミッド、エル・カスティーヨ。

▲左・右：戦士の神殿の祭壇。生きた人間の心臓を神に捧げる儀式を行っていた。捧げられる戦士は神との融合に喜び、進んでその身を差しだしたという。

由縁である。

天文学と建築の技術は、カラコルと呼ばれるカタツムリ型の天文台にも見ることができる。全高約13メートルのドームには縦に細長い窓が刻まれ、子午線や月没の最北線など、天体観測の重要な照準線となる。天体望遠鏡すら有していなかった時代にもかかわらず、正確な暦が活用されていたのだ。

しかし、彼らは先進的な天文知識に対して、メソポタミアの古代文明よりも未発達な産業基盤しかもたなかった。そして「聖なる泉」に生きた人間を投げ込み、「戦士の神殿」では人の心臓を捧げるという凄惨な生け贄儀式を行っていた。

突出して高度な天文学、都市建設技術に比して、ほかの分野の未成熟が不自然だという指摘もある。特定の分野に限った叡智はどこから得られたのか？　その謎を解く鍵は、今のところ見つかっていないのだ。

No.000043

ロシアのピラミッド群

▲上：セストラ、プラトの双峰もかつて320メートルを超えるピラミッドだと、当地の考古学者マキシム・ヤコヴェンコによって報告された。下：北欧に近いコラ半島で発見されたピラミッド。9000年前の石組みだという。

２００７年、ロシアの極東部沿岸を流れるザンスカヤ川流域に連なる双子山――セストラ山、プラト山の四面が東西南北を指すピラミッドであることが報告された。実は、この双子のピラミッドは、古くから聖なる山として崇められていて、太古の文明が残したといわれてきたという。

続く２０１２年10月、南東部にあるバイカル湖の最西端部にも、ピラミッド状の人工構造物が存在していたことが判明。湖畔に連なる自然丘の中に際立って端正な地形構造があり、４辺が約１７０メートルの正四角錐であることが確認されたのだ。

そして２０１３年、今度は北方のコラ半島でピラミッド形の遺跡が発見された。約９０００年前に建造されたものと見られており、事実であれば、エジプトの大ピラミッドよりも古いものとなる。

謎めいた四角錐はほかにもある。ウクライナとロシアの間で揺れるクリミア半島にもピラミッドが眠っていたのだ。

２００１年、ウクライナ人の

▲バイカル湖畔で発見されたピラミッド。イルクーツク国立工科大のルボフ・マカゴン教授の調査の結果、正四角錐の人工構造物だとわかった。

科学者ヴィターリ・ゴーによって偶然発見されたもので、大きさは高さ45メートル、一辺の長さが75メートルにおよぶ。マヤのピラミッドと同じく、先端を切り取った形をしているが、外見はエジプトの大ピラミッドにより近い。

2014年3月、この巨大遺物から新たな発見がもたらされた。土台の下から、身長約1・3メートルの小柄なミイラが発見されたのだ。興味深いことに、頭を王冠で飾られたそのミイラは、得体の知れない生物だった。

広大な国土を誇るロシアは謎めいた建造物、巨石オーパーツがいくつも存在する、一級のオーパーツ保有国だ。

思えば、エジプトのエドフ神殿には、〝北国ドゥアトウンバ〟から啓蒙された人々が訪れ、ピラミッドを建造したとある。もしかすると、ロシアのピラミッド群こそ、世界のピラミッド・ミステリーを解明する鍵かもしれない。

ム認定
AUTHORIZATION

No.000044

ボスニアの巨大ピラミッド

▲きれいな傾斜の丘陵がピラミッドだと判明した。ピラミッドの権威「ザビ・ハウス」から推薦を受け、研究に拍車がかかる。

ボスニア・ヘルツェゴビナで、ピラミッドと目される巨大な丘陵が次々と発見され、2006年4月から発掘が始まっている。太陽のピラミッドと名づけられたこの丘陵は、なんと1万2000年前につくられた、世界最大のピラミッドかもしれないというのだ。

発見場所は、首都サラエボの北西約30キロのところにある小都市ヴィソコ。標高約650メートルに位置する、渓谷と高台に周囲を囲まれた静かな町だ。その高台のうちのひとつが、ピラミッドの形状——45度の傾斜をもつ四角錐であることが判明したのだ。

驚くのはまだ早い。同地の衛星写真から、同様の形状の構造物がさらにふたつも見つかったのだ。

世紀の発掘の陣頭に立ったのは、当地の民間考古学者セミール・オスマナジッチ。20年近くも南米のピラミッドを研究してきた彼は、この丘陵が「約1万2000年前、ボスニアの先住民によって築かれたもので、かつては南米の階段式のピラミッドと同様の形態であった」と主張している。

発掘によって長さ4メートル、さしわたし1・5メートル、推定10~30トンの立方体が見つかり、ピラミッドの外壁らしいとされた。さらに壁面がまっすぐに伸びた人工トンネルや、矢やアルファベットの「E」に似た羽根のような古代文字も発見されるなど、この丘をピラミッドたらしめる物証が数多く見つかったのだ。

そして、エジプトのピラミッドを研究してきた地質学者のアリ・アブド・バラカト博士が、「丘の基礎部分が性格に東西南北の方角を向いている」「発掘された石盤が人工的に研磨されている」「積み重ねられた石と石の間にセメントのような白い物質がある」などの点に着目し、オスマナジッチのピラミッド説を後押しした。

ヨーロッパに突如として現れた古代文明の遺産は、今やユネスコ世界遺産の候補にもなっている。

No.000045

ネムルト・ダー

▲頭だけの巨石神像がネムルト・ダーを守る。モチーフはギリシア神話のほか、ペルシア神話の神々も多い。

認定 AUTHORIZATION

トルコ東部に位置するアディアマン県に、奇妙な山が存在する。ネムルト・ダー（ネムルト山）という、標高2150メートルの山の山頂には、高さ50メートル、直径150メートルの小石のピラミッドが鎮座している。奇妙というのは、さらにその周りに8メートルほどの首のない石像が何体もそびえ立っているからだ。

これだけではない。地面に目をやると、その周辺に石像の頭部らしき巨大な顔の像が、地面から生えだしたかのように、何体も転がっているのだ。それぞれ、高さ約2メートル。

石像のモチーフは紀元前1世紀ごろにこの地を支配していたコンマゲネ王国のアンティオコス1世をはじめ、ギリシア神話の大神ゼウス、アポロン、ヘラクレス、テュケなど。つまりこれらは神像だ。

トルコといえば、現在はイスラム教徒が人口の大多数を占めるが、当時はギリシアやペルシアの神話の神々への信仰が厚かったことがうかがい知れる。しかしなぜ、人里離れたこの場所に建立されたかまでは、わかっていない。

アンティオコス1世の立像があることから、彼の墳墓だという説が圧倒的だが、いまだ埋葬施設が発見されていないため、「祭祀場ではないか」という説もある。だが太陽崇拝の祭壇ピラミッドの用途だとしても、不可解な点は多い。

山頂のピラミッド内部を調査すれば目的や用途がはっきりするのだろうが、小石を積み上げてつくられているため、発掘の過程で崩れ落ちる可能性が高い。古くからその存在が知られていながら、触れることさえできない状態なのだ。

立像から転がり落ちた頭部にしても、「地震で落ちた」という説や「イスラム教徒が偶像禁止を掲げ、破壊した」という説などさまざまだ。

これ以上の〝深入り〟を拒絶するかのように、古の姿を保つネムルト・ダー。多くの神像たちは今も、来る者を見つめ返している。

No.000046

ホワイト・ピラミッド

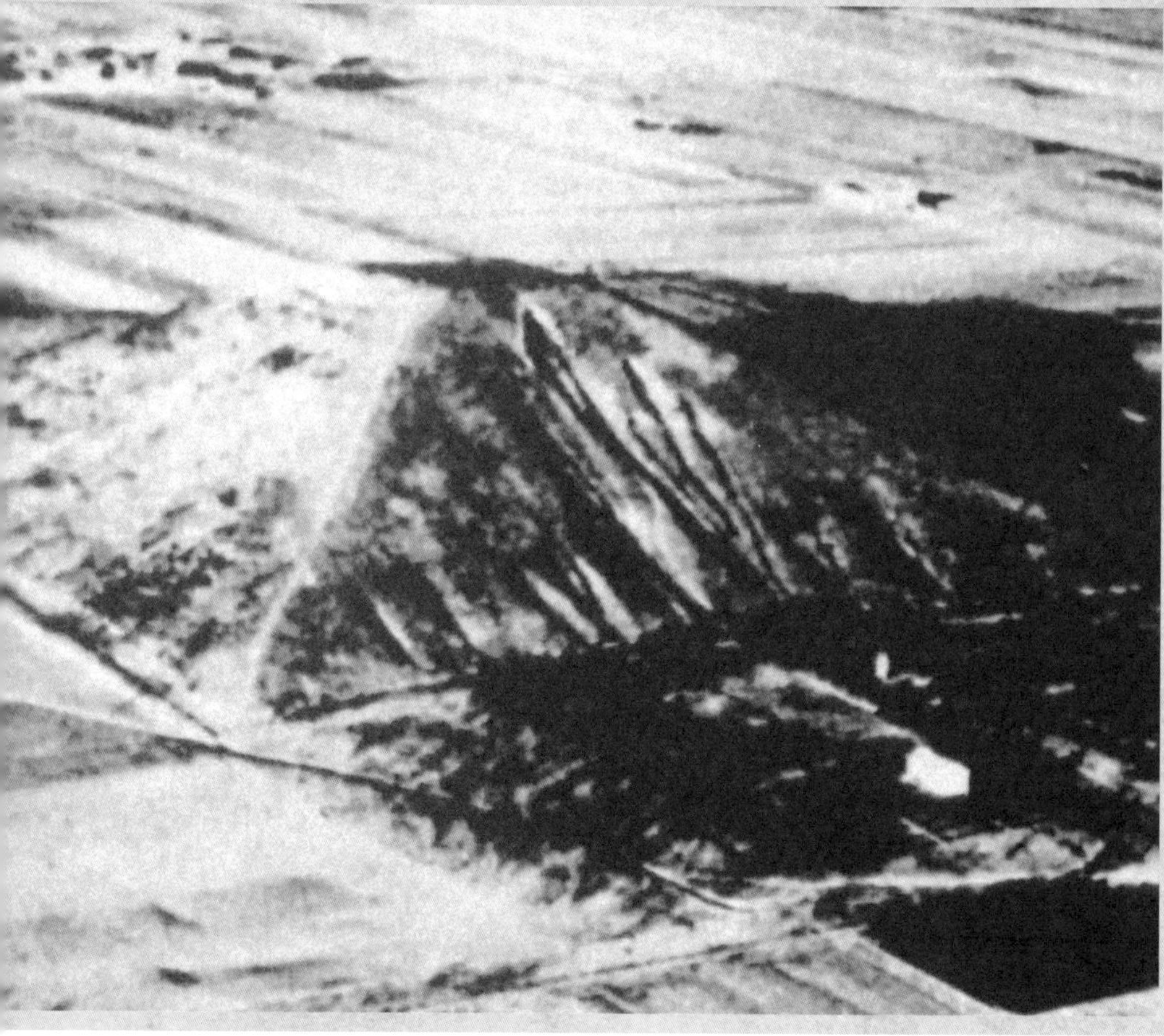

▲西安付近のピラミッド群。広大な平原に点在する巨大四角錐に圧倒される光景だが、地元住人はさほど気にしていないという。

4000年以上の歴史を誇る中国では、謎めいた古代遺跡も数多く発掘されているが、そのほとんどは公開されない。そうした遺物のひとつに、ホワイト・ピラミッドと呼ばれる建造物がある。

その存在が知られるようになったのは1912年のこと。ふたりの旅行者が、白色の巨大四角錐を同国内で目撃したと証言した。

さらに1945年には、アメリカ空軍パイロットが、西安南西部の山岳地帯で眼下にそびえる白亜の巨大ピラミッドを目撃。1947年3月28日付の「ニューヨーク・タイムズ」紙上で詳しい報告と、彼が撮影した写真が掲載された。

そして1994年、ついにそれは宇宙空間から確認される。NASAの宇宙飛行士が地球軌道上を周回中に9つの奇妙な点を確認、写真におさめたのだ。画像解析の結果、高さが100メートル以上ある中南米型のピラミッドが複数、等間隔で並んでいることが判明した。

さらに2005年10月、商業

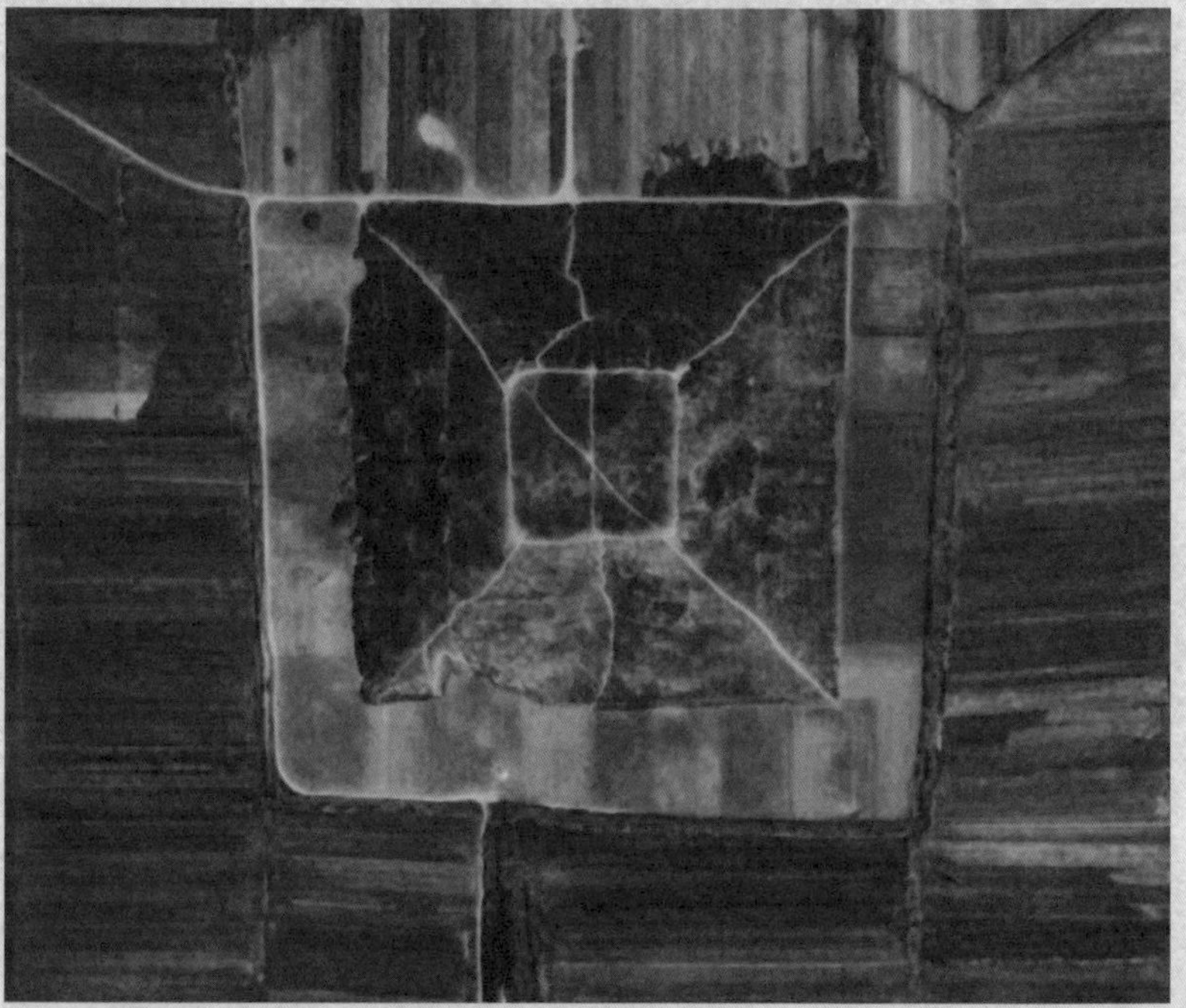

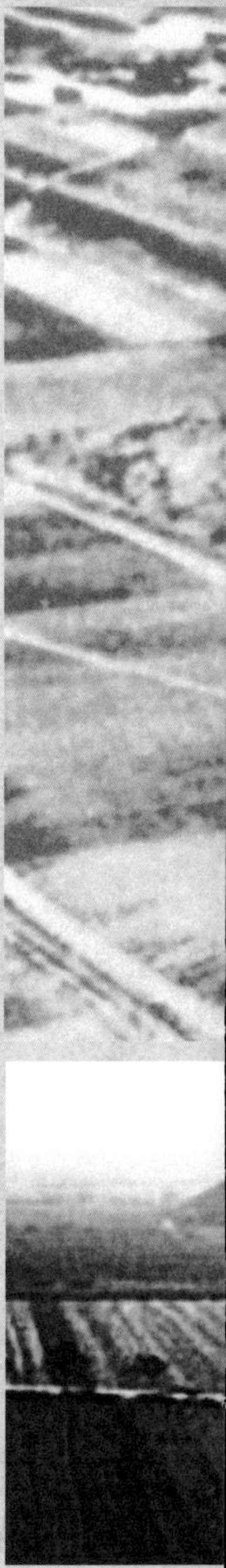

▶1945年に米空軍パイロットが上空から撮影したホワイト・ピラミッド。
◀前漢の武帝の墓とされる人工墳丘。ピラミッドと同じく四角錐に作られている。

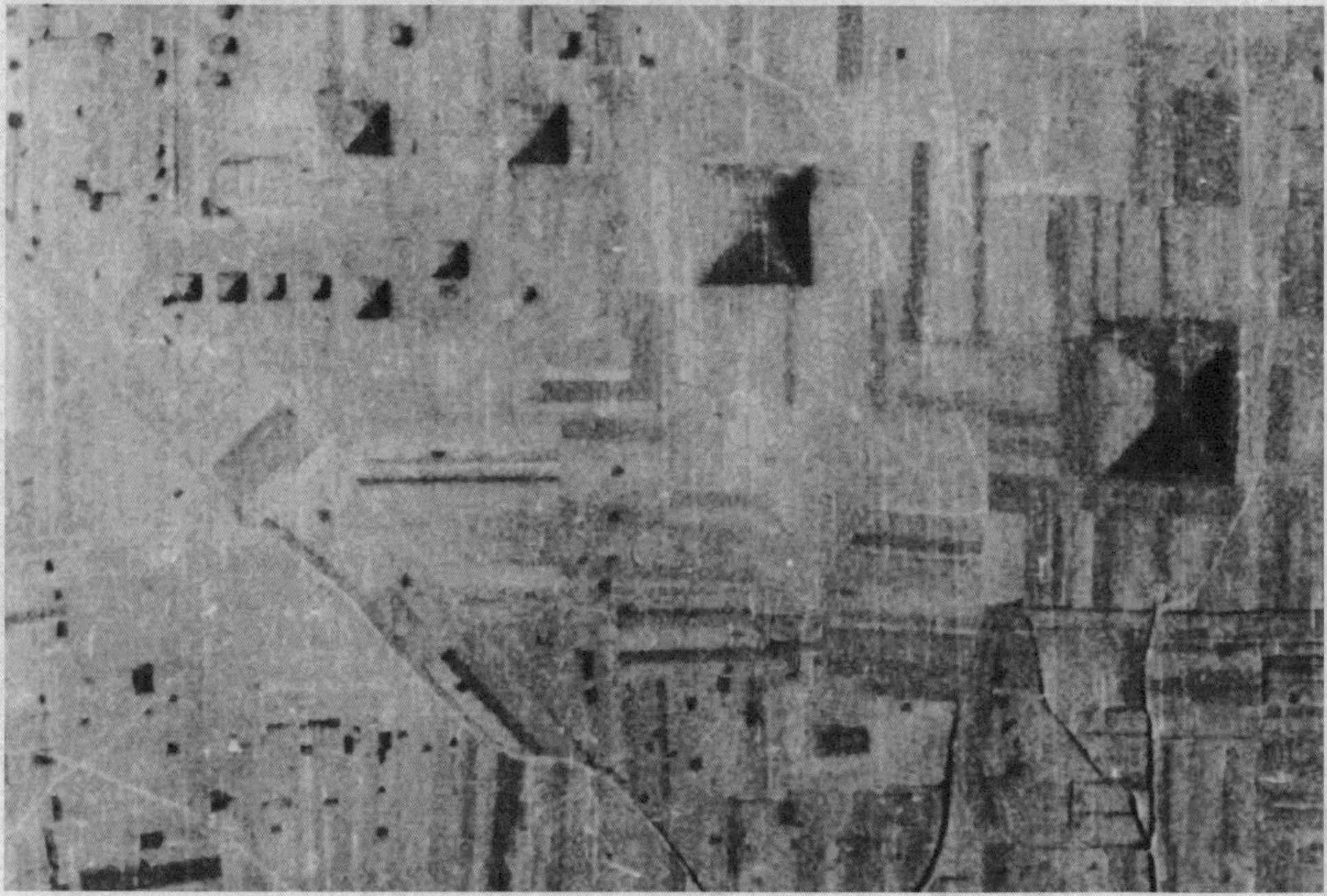

▲西安の三大ピラミッドは、オリオン座の三ツ星を模した配置になっている。

衛星イコノスが、山西省太原宇宙センター近郊に存在するピラミッド群を撮影。そこにはなんと、ギザの三大ピラミッドと配置が同じ、オリオンを形作る3基のピラミッドが見てとれたのだ。これらの事実は、ピラミッドが宇宙空間から見られることを前提としたランドマークであった可能性を示唆する。

現在判明しているだけでも、西安周辺には100基以上ものピラミッドがあるという。

いったい、これほどの規模のピラミッド群をつくり上げたのはだれなのか？

現地調査を行った宇宙考古学者ハウトウィグ・ハウスドルフによると、「火を吹く龍に乗って地球にやってきた天子たちが、この地にピラミッドを建造した」という伝説が報告されている。

この天子とは、もしや異星人なのか？　残念ながら中国側はこれらの情報をいっさい公表せず、ピラミッドの調査も行わないようだ。

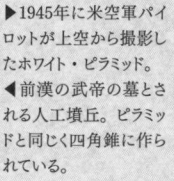

No. 000047

南極の巨大ピラミッド

南極の氷原にそびえるピラミッド。
撮影時や場所は不明だ。

2012年8月31日、地球温暖化によって融解が進む南極で、ピラミッドが発見された。

8人からなる欧米の多国籍探検家チームが、南極探検の途中で3基の巨大なピラミッドを発見。同時に、氷に覆われたピラミッドの画像をネットに公開したのである。

そればかりではない。さらに、26か国に支援される統合海洋観測プログラムの職員が撮ったという、もう1枚の階段ピラミッドらしき画像も公開されたのだ。

人類史を覆しかねない大発見だが、なぜか詳しい調査報告が皆無である。探検チームの隊員の名前もいまだ公表されていないばかりか、ピラミッド発見地点も、内陸部で2基、沿岸部で1基としか明らかにされていないのだ。そもそも近接写真がなく、これらのピラミッドが本当に人工的な構造物であるか否かも確認できない。

それゆえ、今回の発見はピラミッド状に形成された自然の地形の〝誤認〟だったのではないか、という否定的な意見も出ている。

そもそも、約3000万年前の斬新世から氷に閉ざされていた南極の地にピラミッドがあるはずもない。

しかし、フェイクともいいきれない。

なぜなら、世界最大の氷底湖・ボストーク湖が氷に覆われていなかった約1万2000年前の南極には超古代文明が存在していたという説があるからだ。ほかにも金属製の巨大なドームやUFOのような構造物がこの地で発見されたという情報もある。

ピリ・レイスの地図を筆頭に、氷に覆われる前の南極大陸が描かれた古地図はいくつも存在している。それらはアトランティスの技術によって作成された精密な地図のコピーだとされ、南極＝アトランティス説の根拠となっている。

南米、地中海、そしてアフリカにも痕跡があるアトランティス文明の叡智は、超古代の南極にも到達していたのだろうか。

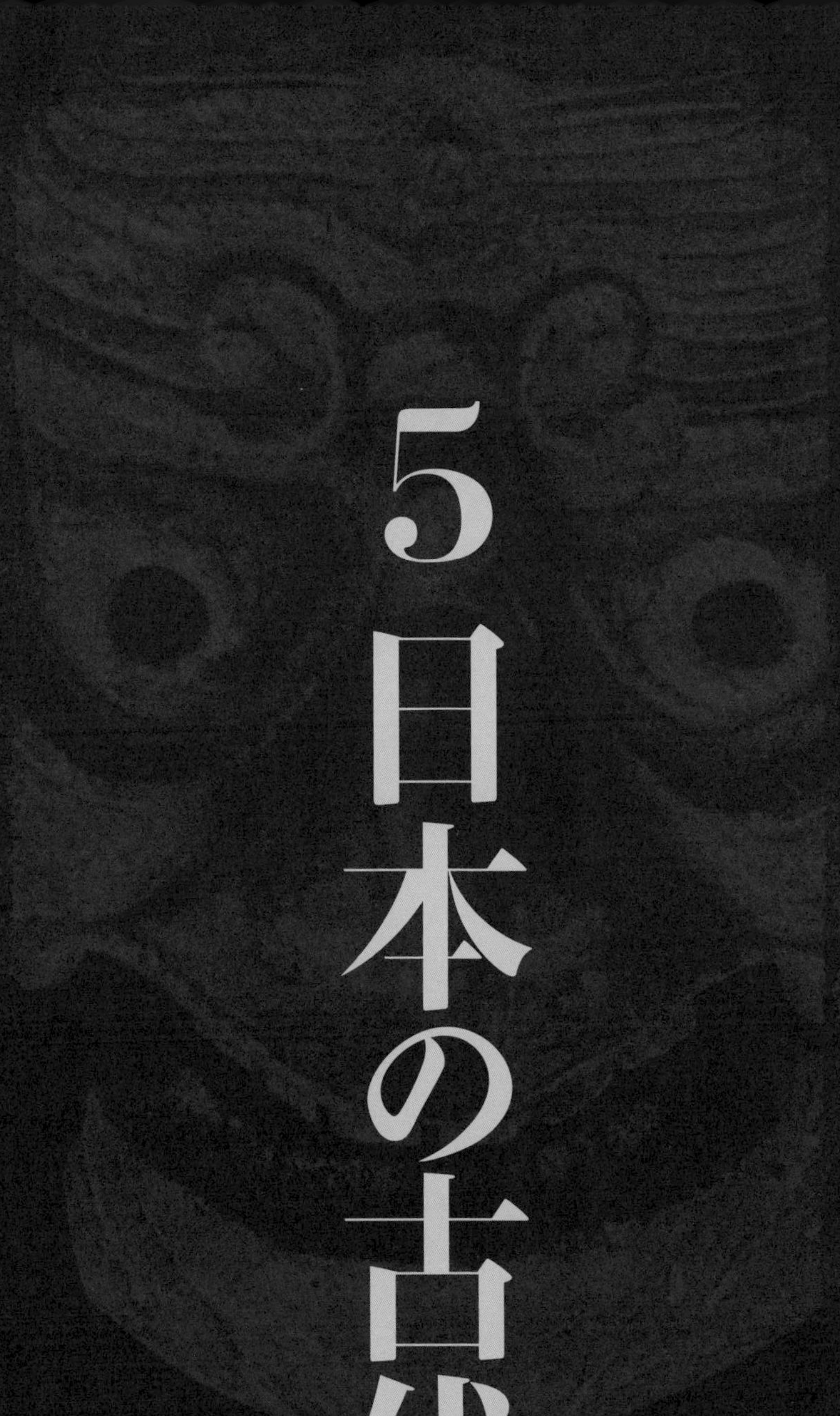

5 日本の古代文明

No.000048-000058

No.000048

葦嶽山ピラミッド

▲広島県庄原市の東部の山中にそびえる葦嶽山。

かつて存在した広島県比婆郡《ひば》は、日本のミステリーゾーンだった。現在は庄原市などと合併して地名はなくなったが、ミステリーゾーンとして代表的な「UMAヒバゴン」にその名前を残す。そしてそれにつぐのが、伝説の「葦嶽山《あしたけやま》ピラミッド」である。

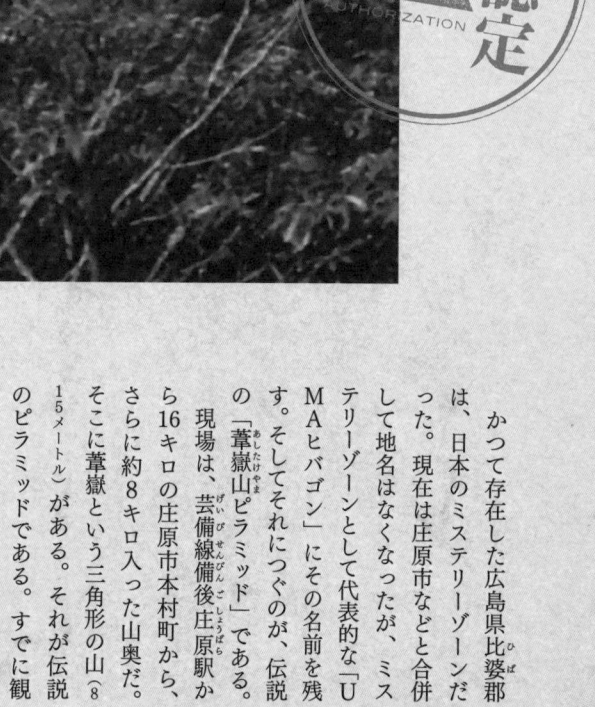

現場は、芸備線《げいびせん》備後庄原《びんごしょうばら》駅から16キロの庄原市本村町から、さらに約8キロ入った山奥だ。そこに葦嶽という三角形の山（815メートル）がある。それが伝説のピラミッドである。すでに観光ルートとしても有名で、頂上にはピラミッド伝説についての解説が書かれた掲示板が立っている。

1932年、酒井勝軍《さかいかつとき》なる人物の研究により、葦嶽山はピラミッドであり、しかも2万3000年前の世界最古のピラミッドであると断定されたことに端を発している。これが全国の新聞に発表され、「日本ピラミッド第1号」として知られるようになる。酒井の定義によれば、日本のピラミッドは必ずしもエジプトやマヤのように人工的に石組みされたものである必要はな

標高815メートルの葦嶽山《あしたけやま》の全容。なだらかだが美しいピラミッド形をしていることから、酒井勝軍《さかいかつとき》は「2万3000年前の世界最古のピラミッド」と断定した。

▲面に立てかけられた巨大な一枚岩は鏡岩と名づけられている。陽光を受けて強く輝いていたと思われる。
◀日本ピラミッドの代表的な場所であり、庄原市の観光スポットにもなっている。
▶山頂付近にある神武岩。人為的に開けられたような丸い窪みがある。

く、自然の地形を巧みに利用し、一部に石や土を積み上げたものでもかまわないのだという。

葦嶽山ピラミッドは「本殿」の葦嶽山と100メートル東方の「拝殿」と呼ばれる鬼叫山《ききょうざん》のふたつからなり、本殿を拝殿から拝むのである。つまり日本のピラミッドは墓ではなくて「神殿」なのである。その本殿側の山腹には、段状の巨石群の上にドルメンと呼ばれる岩がある。これは供物台だという。さらに山頂に登ると東西南北を指すといわれる方位石があり、そこから南側斜面に下ると、鏡岩、神武岩(屏風岩)などの巨石群がある。

鏡岩は神代の昔にはピカピカに磨かれ、鏡のように太陽の光を反射していたという。その下に高さ5メートルほどの柱のような岩が数本立っている。これが神武岩である。すべて人工的としか思えない長方形の巨石だが、発見当時には、この岩にアヒル文字という神代文字が刻まれていたという。

なお、日本の山をピラミッドとする説は多く、長野県の皆神《みなかみ》山《やま》や秋田県の黒又山《くろまたやま》などが知られている。

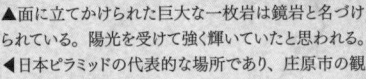

No.000049

皆神山ピラミッド

◀皆神山《みなかみやま》の全景。ひしゃげていてピラミッド形らしくないが、この頂上がへこんだ鞍状であることが、逆に人工ピラミッド説の裏づけにもなっている。

▼皆神山頂に掲げられている看板にも、「世界最大で最古」の「ピラミッド」と書かれている。

太古の日本ピラミッドブームは、広島県の葦嶽山《あしたけやま》に始まったものを第1次ブームとすれば、皆神山《みなかみやま》は、その興味を一般人にまで浸透させることになった第2次ブームの立役者で、世界最古・最大の人工ピラミッドではないか、といわれている。

皆神山は、戦国武将の真田家や、幕末のインテリ、佐久間象山ゆかりの地として知られた信州は長野の小京都・松代にあり、標高679メートルと642メートルのふたつの峰からなっている。そのため、麓から見ると、馬の鞍を伏せたような形をしている。登るなら、藤沢川に沿って東南麓に回り込み、平林地区から、というのがおすすめである。

最初の探訪ポイントは、大本営地下壕跡。太平洋戦争中、軍総師部と皇族を疎開させるために計画されたものだ。現在は入り口が土砂でふさがれ、わずかに中が覗けるだけだ。

登山道をさらに20分登ると、右斜面に、天の岩屋戸と呼ばれる石室が口を開けている。古墳と考えられているが、壁の向こうに空洞がある。

頂上は、ここから約20分。ゴルフ場もある広い台地の中ほどに熊野出速雄《くまのいづはやお》神社があり、車で登ることもできる。30万年前に形成された安山岩質の溶岩ドームとされるが、実はゴロタ石と土砂を積み上げたような印象を受ける。事実、大本営がここに地下壕を築くとき、予想に反し内部に岩盤がなく軟弱な土質のため、工事が難航したという。

また、頂上がへこむ鞍の形であることも、人工ピラミッド説を裏づけている。積み上げた土石の重みで中央部が沈下した可能性があるのだ。また、1965年から71年にかけて発生した群発地震の震源地が皆神山直下だったのも、重量による内部崩壊と無関係ではないという。

巨石遺構を伴う葦嶽山タイプのピラミッドとは違うが、皆神山は、太古日本の超テクノロジーを総結集した日本式のピラミッドかもしれない。

アクセスは、JR長野駅からバスで30分。松代駅下車。無料レンタサイクルで約15分の距離である。

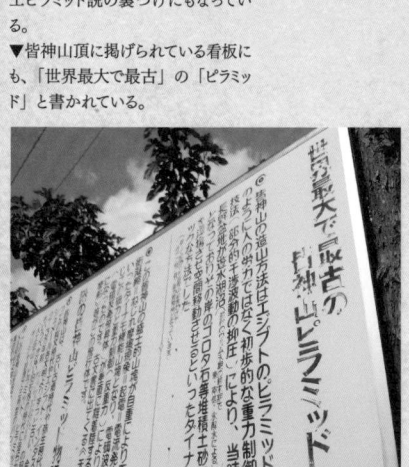

ム認定
AUTHORIZATION

▼上：皆神山の中腹にある、天の岩屋戸と呼ばれる石室。横穴式古墳の石室だと考えられている。下：皆神山の頂上にある小さなため池。水深10メートル以上ある「底なし沼」といわれている。

No. 000050

黒又山ピラミッド

1992年には日本のピラミッドとして唯一、本格的な学術調査が入ったことでも知られる黒又山《くろまたやま》。近くには大湯環状列石がある。

秋田県鹿角市にある「黒又山《くろまたやま》」（通称クロマンタ）もまた山頂に謎の空間を有し、日本ピラミッドだとされる山である。

そのクロマンタは、標高約280メートルで四角錐形をしている。ほぼ隣接するように有名な大湯環状列石があることでも知られている。

現地まではJR花輪線で鹿角花輪駅下車、タクシーあるいは大湯温泉行きのバスに乗り「環状列石前」下車、徒歩約25分の距離にある。現地の案内板によれば、人工的に積み重ねられた山ではないが、人の手で削り取られ、形を整え、山霊を仰ぎ、祭儀を行い多くの人々の信仰を深めた、とある。

名前のクロマンタはクルマクタとも呼ばれ、アイヌ語にルーツがあるという。「クル」は「神、または普通でない人間のこと」で、「マクタ」は「野」。さらに「キシタ」という「山」の意味がついて「クルマキシタ」――「神野山」となり、「クロマンタ」となったと推測されている。つまり、多くの神々が祀られた野に立つ山であり、神を崇めたピラミッドだったのではないか、と解釈できるのだ。

黒又山は1992年、同志社大学に拠点を置いていた「日本環太平洋学会」によって日本のピラミッドとして初めて本格的な学術調査が実施されている。

その結果、山頂で縄文後期から続縄文期にわたる祭祀用土器が多数発掘されたほか、メンヒルも発見され、ここが山岳祭祀の遺跡であることが判明した。地中レーダー調査では、全山が階段ピラミッドに似た7段から10段のテラス状の人工構造物である可能性も高まった。

また、山頂の本宮神社を中心に東西南北のライン上に神社があり、その位置関係の微妙なズレと天文暦を考慮すると、建設されたのは紀元前2000年ごろという数値が出た。

一方、発光現象もしばしば起こっており、「クロマンタピラミッド＝エネルギー装置説」も提唱されている。近年、隣接する大湯環状列石とあわせて世界遺産に推挙する動きがある。

No.000051

大湯ストーンサークル

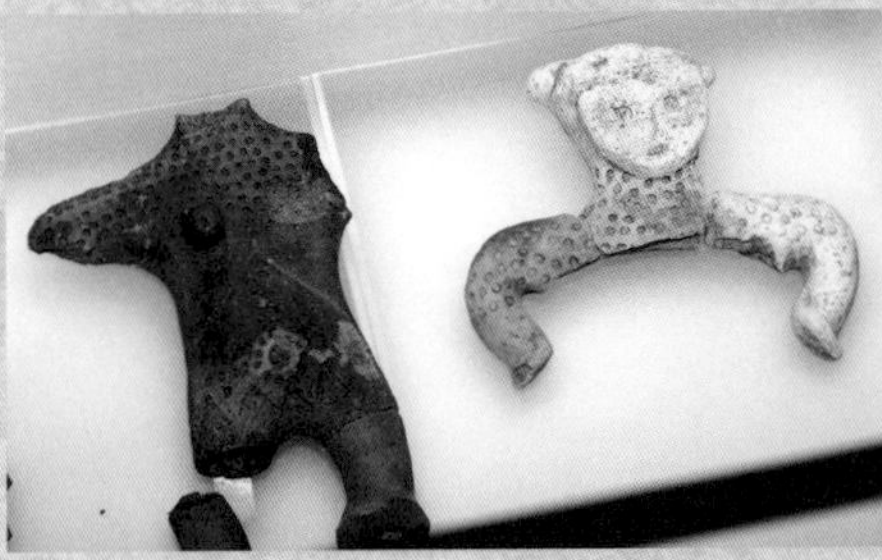

▲秋田県鹿角市大湯《おおゆ》にあるストーンサークル。石を並べた遺跡で、宗教施設とも、日時計や天文台ともいわれるが、確かな説はない。日本のピラミッドともいわれる黒又山が近くにある。
◀遺跡から出土した遺物。縄文時代後期のものとされる一方、それより遥か前の時代のものという説もある。

秋田県鹿角市大湯《おおゆ》の観光スポットとして有名な遺跡がある。それが「環状列石」、別名「ストーンサークル」である。遺構は、万座と野中堂の2地点にある。万座のものは直径40メートル、野中堂のそれは直径46メートルで、直径1～2メートルの石の構造物がある。時代的には、4000～3000年前の縄文時代後期のものだ。

用途については宗教施設、日時計、天文台など諸説がある。しかし、どれもが決定的なものではない。

それに、建造年代にも疑問がある。

なぜなら、大湯の遺構は、1万～1万5000年前に十和田山の爆発で噴出した大量の火山灰の下に眠っていたからである。だとするなら、超古代に日本の東北地方を中心に、超古代文明が存在したことになる。それを踏まえて、この遺構の正体についての大胆な仮説がある。

それは、日時計と呼ばれる組み石の上部に見られる「磁気異常」を根拠にしたものだ。高さ1メートルほどの日時計のような組み石の上部で測定すると、磁気異常が認められたのである。巨石を一定の法則で並べると、赤外線輻射《ふくしゃ》効果が得られることはわかっており、そのことはなんら不思議はない。

だが、あえて磁気異常を見越して設計されたとすれば、もしかしたら古代人が、大地を走る地中エネルギーを抽出してコントロールしていたのではないか、とも想像できる。

そこから、ストーンサークルは、一種のエネルギー・コントロール装置ではないか、という仮説が生まれるのである。

最近、大発見があった。空中から万座遺跡を観察すると、中央部がきっちりと六角形になっていたのである。そしてもうひとつ、地下レーダーで調査した結果、列石を頂上に載せたピラミッド状の小山の存在が確認されたのである。

ということは、火山噴火で埋もれてしまうまで、この地にも神殿ピラミッドが存在していた可能性もあるのである。

No.000052

飛鳥の巨石文明

▲天を仰ぐ人の寝姿にも似た石舞台古墳は、蘇我馬子の墓だと考えられている。

◀右：吉備姫王墓内《きびひめのみこのはか》にある奇石、猿石は全部で4体ある。猿ではなく渡来人をかたどったものと見られ、一説にはペルシア人ではないか、ともいわれている。左：亀石。これもまた明日香村にある謎の石造物のひとつ。

奈良県高市郡明日香村とその周辺地区に残る、いわゆる「飛鳥の石造物」は、6世紀末から7世紀前半にかけて栄えた飛鳥時代に石でつくられたとされる遺物や遺構だ。人物像は当時の日本文化などに照らそうとしても異形としか思えないものが多い。また、用途が明確でないものが少なくない。

たとえば、明日香村に隣接する橿原市にある「益田岩船《ますだのいわふね》」。実に11×8×6メートル、重量900トンにおよぶ巨石で、上面に2個の方形の穴がうがたれている。しかも、この巨石は岩船山の標高約130メートル地点にあり、ほかの場所で製作してここまで運搬されてきたらしい。ただし、この遺構は製作地、製作者、使用目的などいっさい不明である。

さらには明日香村の石舞台古墳。7世紀初頭につくられたとされる横穴式石室で、被葬者は蘇我馬子が有力視されている。玄室は長さ約7・7メートル、高さ約4・7メートル、幅約3・5メートル。玄室に至る通路は長さ約11メートル、幅約2・5

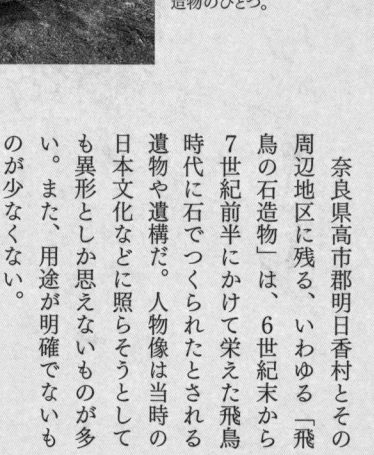

▲飛鳥時代に建造されたとされる石造物の中でも日本最大級の益田岩船。だれが何の目的でどこから運んできたのか、いっさいが不明である。
▶右：謎の溝が刻まれた酒船石。製薬用の道具だったという説もある。
左：近年、周辺で亀型石造物も見つかったことから、酒船石とこれらの遺跡とで連携して使用したものとの説も提唱されている。

メートル。こちらは約30個の巨石が使われ、使用されている石の総重量は約2300トンにおよぶ。

同じく明日香村の酒船石《さかふねいし》も奇妙な石造物である。大きさは5・5×2・3×1メートル。上面に皿状のいくつかのくぼみとそれを結ぶ溝が刻まれている。使用目的は酒造または製薬用とされるが、定説はない。ちなみに近年、酒船石周辺から亀型石造物などの遺物も発見されたため、これらを総称して「酒船石遺跡」と呼ぶ。

ここで紹介したのは、明日香村とその周辺で発見された、不可思議な石造物のごくごく一部である。

いずれも、現代から見てもかなり高度な建造・運搬法が用いられている。それゆえ、これらの異質な外見を呈する石造物の成因に、宇宙考古学の研究者たちが持論を展開している。すなわち太古、地球を訪れた異星人がつくりあげたのだと。

だとすれば、かつてはこの地域一帯に、「飛鳥の巨石文明」とでも呼ぶべき超古代文明が構築されていたのかもしれない。

No.000053

富士王朝

ム認定 AUTHORIZATION

山梨県富士吉田市大明見《おおあすみ》の旧家、宮下家に伝わる古記録・古文書の『宮下文書』。別名『富士古文書』『富士古文献』とも呼ばれ、これらは、かつてこの地にあった「富士王朝」について書かれたものだという。

約2300年前、中国・秦《しん》の時代、始皇帝に命じられて不老不死の妙薬を求め、方士・徐福《じょふく》が一族約500人を連れ、目的地の蓬莱山《ほうらいさん》である日本の富士山麓を訪れた。そこで日本最古とされる神社、不二阿祖山太神宮《ふじあそやまだいじんぐう》に伝わる神代文字で書かれた記録を発見し、漢字で編纂した。これが『宮下文書』である。

ちなみに、現存する『宮下文書』の写本は江戸末期に成立し、漢語と万葉仮名が併用されている。

大正時代にはこれを基にした『神皇紀』（美輪義熙著）も成立している。『神皇紀』には、近年になって初めて科学的に解明された、富士五湖が1000年前にはふたつの湖だった事実なども記されている。

では、富士王朝とはどんな王朝だったのか？　それは神武天

▲富士山麓に鎮座する、日本最古とされる神社、不二阿祖山太神宮。超古代の荘厳な神宮を再興したものだという。
◀富士山北麓の中心都市、富士吉田の金鳥居から望む富士山。この地に超古代文明、富士王朝が存在していたのだろうか。
▶富士北麓の明見湖近くに立つ徐福像。彼は一族を率いて富士山麓の不二阿祖山太神宮を訪れ、神代文字で書かれた『宮下文書』の原典を発見した。

皇の時代より遥か以前から富士山麓に存在した、超古代王朝だという。

日本民族の発祥地は、メソポタミア（現在のイラク）もしくはペルシア東北部（現在のイラン）で、約7000年前に日本に移住した人々が富士山麓に不二阿祖山太神宮を中心とした壮麗な帝都を築き、高い文明を誇ったというのである。

この都にはアマテラスやスサノオらの神々も住み、神武天皇以前から存在したとされる歴代の天皇も、すべてこの地で即位した。人々は、驚異の熱伝導性をもつ「ヒヒイロカネ」と呼ばれる金属を使い、若さを取り戻す方法を知り、また、空飛ぶ船や優れた通信手段など、現代より遥かに優れた文明を享受していたという。

だが、富士王朝は富士山の度重なる噴火によって滅びた。噴火口から流れ出る溶岩が王都を埋めつくし、そこにやがて植物が生え、現在の青木ヶ原樹海となった。堆積した溶岩のため、金属探知機なども使用できないこの地に、富士王朝の痕跡を捜すことはできない。

No.000054

竹内文書

▲『竹内文書』は神代文字で記されている。その内容は正史としてわれわれが知るものとはかけ離れた驚愕すべきものだ（写真＝八幡書店）。
◀「開かずの瓶」の中に、『竹内文書』が保管されていた（写真＝八幡書店）。

認定 AUTHORIZATION

茨城県北茨城市磯原町の竹内家に伝わる数々の古文書類。総称して『竹内文書』と呼ばれるこれらを、1892年に祖父から譲り受けたのが竹内巨麿《たけうちきよまろ》である。巨麿はその後、さまざまな宗教体験を経て、1911年、磯原町に皇祖皇太神宮を設立。自ら興した天津《あまつ》教の布教に努めるとともに、文書の整理と研究を開始した。そして、その成果を徐々に公開していった。

『竹内文書』が成立したのは約2000年前。だが約1500年前に、神代文字で書かれていた文書を、雄略《ゆうりゃく》・清寧《せいねい》・顕宗《けんぞう》・仁賢《にんけん》の4天皇に仕えた大臣・平《へ》群真鳥《ぐりのまとり》が漢字・仮名に翻訳したとされる。竹内家はこの平群真鳥の系譜に連なるという。

では『竹内文書』の内容について、ごく一部を紹介しよう。

――宇宙が誕生したといわれる150億年以上前、日本列島に異星人が飛来した。そして天皇となり、全世界を支配することになった。彼らは、現在の富山市に皇祖皇太神宮という壮大な宇宙神宮を造営し、世界各地にピラミッドを建設して、祭政一

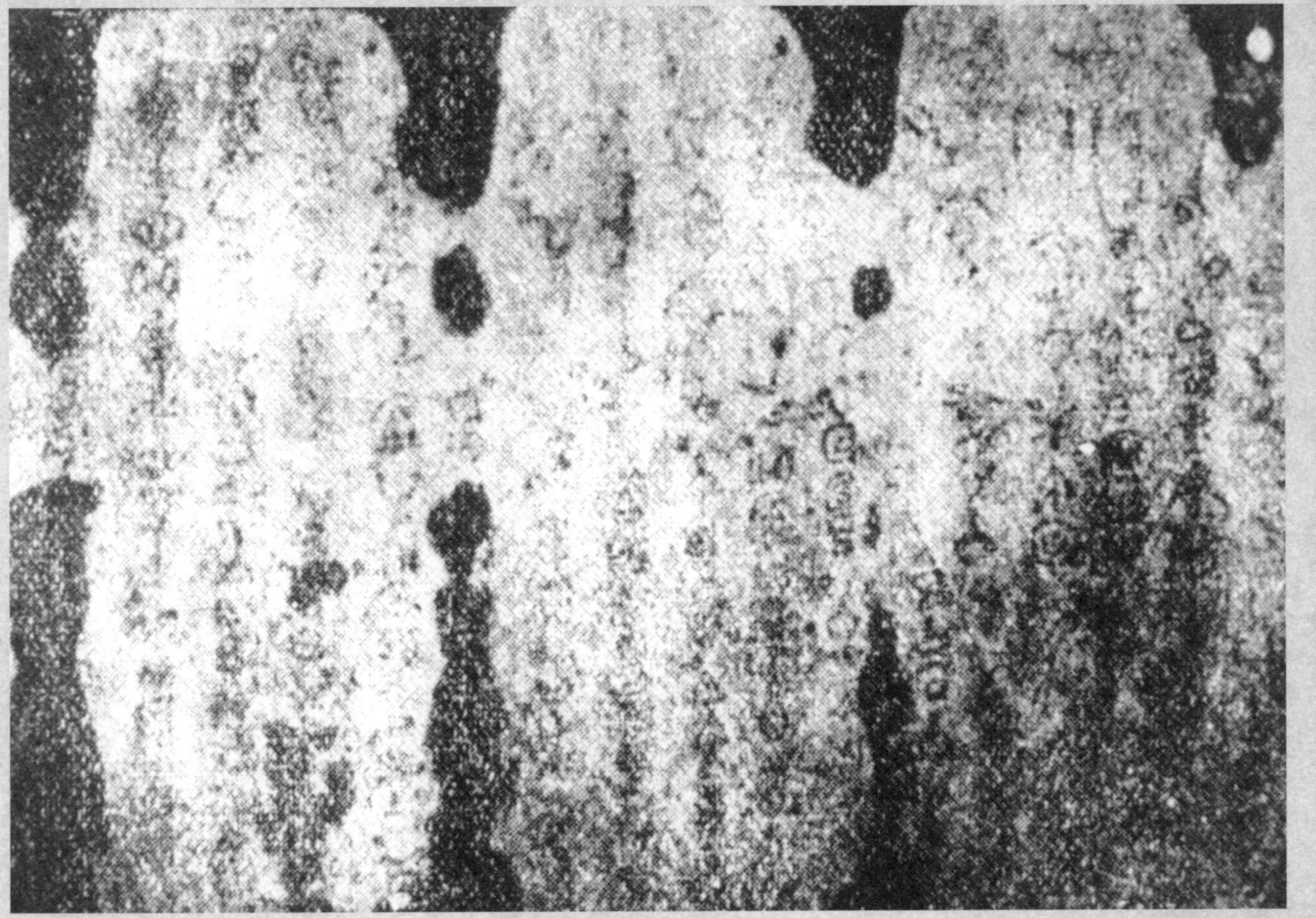

▲古史古伝のひとつ、竹内家に伝わってきた『竹内文書』の一部（写真＝八幡書店）。

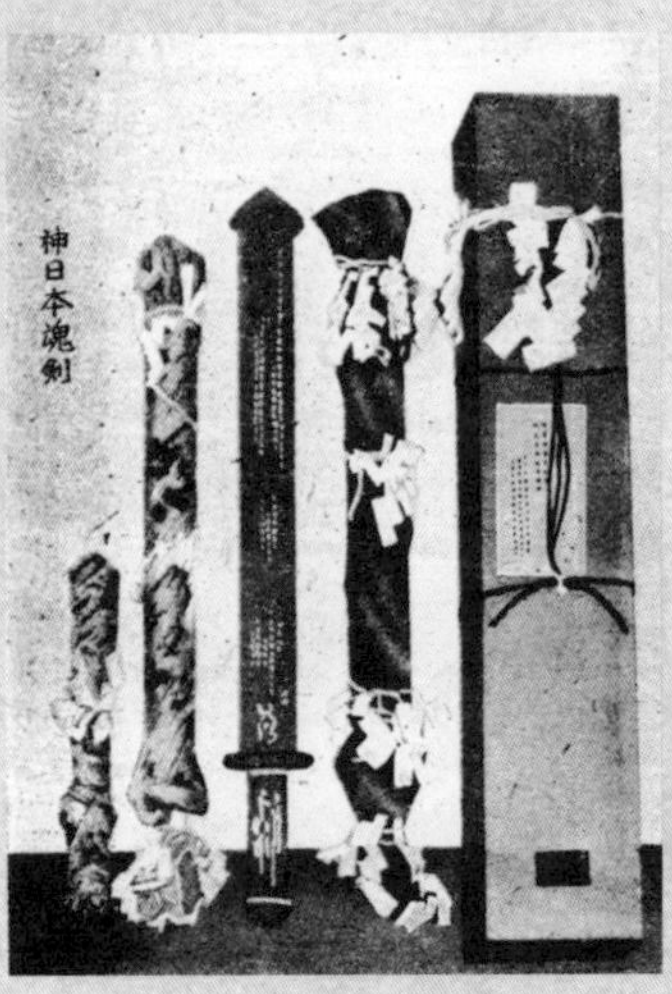

◀竹内家に伝わる神剣（左）と神鏡（右）（写真＝八幡書店）。

致の政治を行った。この、日本を中心としたきわめて高度な超文明が栄えた古代世界には、最先端の科学技術が備わっていた。たとえば「天浮船《あめのうきふね》」という、大気圏外にまで飛翔できる超高速の飛行船や、永久に錆びない超合金「ヒヒイロカネ」などを駆使していたのである。

だが、超文明は度重なる天変地異のために疲弊し、滅亡してしまう。残されたのは栄光のみであった。

その栄光は平群家や、その末裔の皇祖皇太神宮の神官であった竹内家に伝えられていく。また、栄光の輝きに惹かれ、モーセや釈迦、イエスなど、世界の聖人と呼ばれる人々が日本にやってきたという。

『竹内文書』の記す皇統譜は、想像を絶する時空を経て神武天皇、そして現在の天皇家につながる。そのあまりに衝撃的な内容に、これを偽書、創作の類いとする説が一般的だ。現在、竹内家には文書の写本とともに、多くの超古代文明由来とされる神器が伝わる。ただし、これらの真贋は現時点では判明していない。

五色人文明

No.000055

◀幣立神宮に奉納されている五色神面。上段：左が白人、右が青人、中段が赤人、下段：左が黒人、右が黄人。
▼五色人伝説が伝わる、熊本県の幣立神宮。同神宮の創建は神代までさかのぼり、境内にあるヒノキの御神木の命脈は1万5000年を数えるとされる。

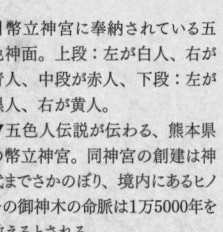

熊本県上益城郡山都町の「幣《へい》立《たて》神宮」には、「五色神面」と呼ばれる木製の彫像面がある。社宝として奉納されているこの面は、世界の人類の祖神をかたどったものという。

幣立神宮では、5年に一度「五色人祭」という祭りが開かれる。同神宮の秘宝である五色神面は、このときしか見ることができない。この祭りは一時期途絶えていたが、1995年に再開され、近年では2015年夏に開催された。

それにしても「五色人」とは何なのか？　実は『古事記』や『日本書紀』より古いとされる史書『竹内文書』によると、かつて世界には「赤人」「青人」「黄人」「白人」「黒人」の5つの根源的人種があった。それらは現在の「黄色人種」や「白人種」とは必ずしも一致せず、大まかに次のように分けられていた。

赤人はユダヤ人やネイティブ・アメリカン、アラブ人など。青人は北欧人やスラブ人など。黄人は日本人、中国人、朝鮮人などのアジアモンゴロイド系民族。白人はヨーロッパのコーカ

ソイド民族など。黒人はインド人、アフリカ人、パプアニューギニアやメラネシアの人々など。なお、黄人は五色人の大本であり、中でも日本人は、これらを超越する「黄金人」の末裔であるともされる。

実は、記紀ではイザナギとイザナミの国造りに始まり、天孫降臨、そして神武天皇の即位へと話はつながっていったが、幣立神宮にはもうひとつ別の高天《たかまが》原《はら》神話が残されている。それはイザナギ、イザナミより遥か昔、カムロギ命、カムロミ命と称する2体の神々が、火の玉に乗って、この地に降臨したというものだ。

そして、大本の人類である黄人＝日本人を生みだし、彼らが世界各地に広がって、その地の風土や気候などの影響を受けて、赤や青、白、黒の人々へと派生したという。

つまり、日本は人類発祥の地であったというわけだ。なお、伝説によると、神々（すなわち異星人？）は山形県と宮城県の県境にある蔵王の火口湖＝御釜《おかま》（別名：五色沼）で、人類を創世したとされる。

キリストの墓

No.000056

▲新郷村にあるキリストの墓。県道沿いの高台にふたつあり、写真はキリストが眠るとされる「十来塚」だ。

認定

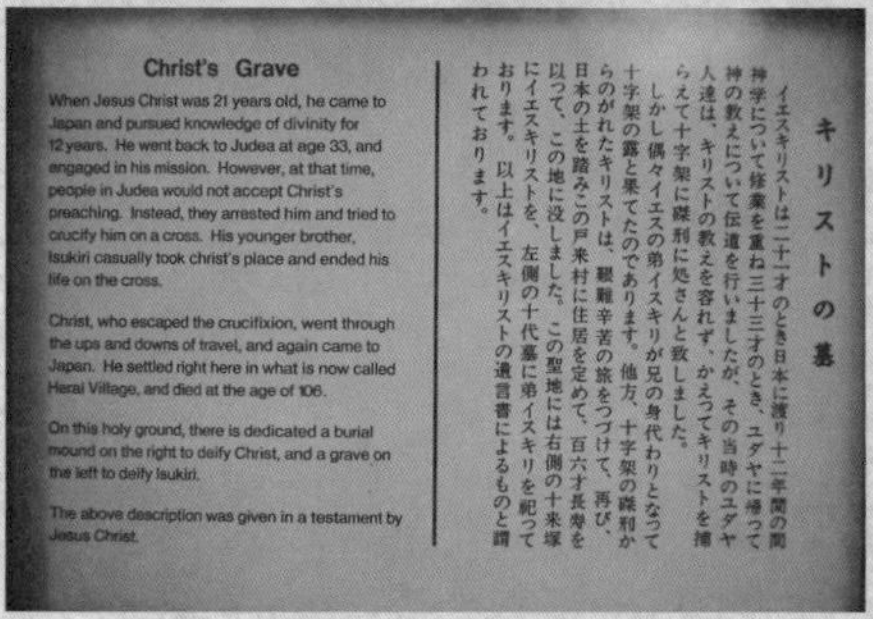
キリストの墓

イエスキリストは二十一才のとき日本に渡り十二年間の間神学について修業を重ね三十三才のときユダヤに帰って神の教えについて伝道を行いましたが、その当時のユダヤ人達は、キリストの教えを容れず、かえってキリストを捕らえて十字架に磔刑に処さんと致しました。
しかし偶々イエスの弟イスキリが兄の身代わりとなって十字架の露と果てたのであります。他方、十字架の磔刑からのがれたキリストは、艱難辛苦の旅をつづけて、再び、日本の土を踏みこの戸来村に住居を定めて、百六才長寿を以って、この地に没しました。この聖地には右側の十来塚にイエスキリストを、左側の十代墓に弟イスキリを祀っております。以上はイエスキリストの遺言書によるものと謂われております。

Christ's Grave

When Jesus Christ was 21 years old, he came to Japan and pursued knowledge of divinity for 12 years. He went back to Judea at age 33, and engaged in his mission. However, at that time, people in Judea would not accept Christ's preaching. Instead, they arrested him and tried to crucify him on a cross. His younger brother, Isukiri casually took christ's place and ended his life on the cross.

Christ, who escaped the crucifixion, went through the ups and downs of travel, and again came to Japan. He settled right here in what is now called Herai Village, and died at the age of 106.

On this holy ground, there is dedicated a burial mound on the right to deify Christ, and a grave on the left to deify Isukiri.

The above description was given in a testament by Jesus Christ.

▲右上：キリストの墓を守ってきた沢口家はソロモンの星を代々家紋とする。左上：新郷村では子供を初めて野外に出すとき、額に墨で十字を描いていたという。また、ヘブライのように、丸いカゴに赤ちゃんを入れる習慣もあったという。これは偶然の一致ではすまない事実だ。下：墓に至る階段にある墓の説明。

▶「十来塚」の隣にある「十代墓」は、キリストの弟イスキリの髪などが埋められているという。

青森県三戸郡新郷村に、有名な「キリスト伝説」がある。エルサレムのゴルゴタの丘で十字架にかけられたはずのイエス・キリストが、実は弟のイスキリを身代わりとして日本に逃れていた。彼は十来太郎天空坊(天狗)と称し、この村で106歳の天寿を全うした——というものだ。

1935年8月、新郷村がまだ戸来《へらい》村と呼ばれていたとき、皇祖皇太神宮の神官、竹内巨麿《たけうちきよまろ》という人物が訪れ、沢口地区にあるふたつの墓を見て、そう断言した。その後、村の風俗を検証してみると、あながちデタラメともいい切れなくなった。

たとえば、村ではかつて父をアダ、母をエバと呼んだが、これはエデンの園のアダムとイブを連想させた。「戸来」なる村名も、「ヘブライ」の転訛と思えなくもない。

またキリストの末裔とされる沢口家では、「ミコの跡」といわれ、2~3代ごとに異国的な風貌の子が生まれてきたという。さらには、その戸袋には有名なソロモンの星の紋章が打ちつけられていた。

加えて、この地方に古くから伝わる「ナニャラドヤラ、ナニャラドナサレニ」という意味不明の盆踊りのフレーズも、神学者・川守田英二氏の解説だと、ヘブライ語で「お前の聖名をほめ讃えん……」という意味になるという。

ちなみにキリストの墓は、新郷村役場から十和田湖方面へ約3キロ進んだ県道沿いの高台にある。小山がふたつあり、木製の十字架が立つ。右側が、キリストが眠る「十来塚」で、左側が、弟のイスキリの髪などが埋まっているという「十代墓」だ。

この墓から約8キロ先に、古代人が太陽を拝み、神との交流を図ったという「大石神《おおいしがみ》ピラミッド」があり、山奥に入ると、同じくピラミッド説のある「十和利山《とわりやま》」がある。山麓一帯は迷ケ平《まよがたい》と呼ばれ、千古の原生林が繁茂する高原が広がっている。

一説では、「エデンの園」の地は、実は太古の十和田に栄えた超文明のことで、その首都が戸来の迷ケ平にあったらしい。キリストは何かでそれを知り、訪来したのではないか、といわれているのである。

No.000057

トンカラリン

▲トンカラリン内部の石組み通路。大人が這って通るのがやっとの狭さだ。

呼び名も奇妙な「トンカラリン」という構造物がある。熊本県の和水町《なごみまち》にあるトンネル形の遺構で、国の史跡である江田船山古墳《えたふなやまこふん》がある清原台地《せいばるだいち》に位置する。その全長は約464メートル、そこに人工の石組み溝渠《こうきょ》と自然の地隙《ちげき》が続いているのだ。

トンネル内の天井や壁は、エジプトのピラミッドと同じく布石積みで構成されている。階段を設置した場所もあることから、この場所を人が通ることを前提にしたものであることは間違いないだろう。

ただし、場所によっては人ひとりが這ってようやく通れるほど狭い箇所もあり、日常的な通路ではないことがうかがえる。これらの事実から、単なるトンネルではないことだけは理解できるが、いったい何の目的でつくられたのか、それがまったく見当がつかない。

というのも、これほど大規模であるにもかかわらず、建設についての史料はもちろんのこと、伝承、伝聞がいっさい残されていないからだ。

そのため、排水路説、古代人

▲大小の石で天井のような覆いをしつらえた場所もある。

▶地隙が分岐し、第2トンカラリンへとつながっている。第3、第4のトンカラリンが隠れているともいわれる。

の信仰遺跡説、道教由来説など、建造目的はさまざまに語られてきた。

作家の松本清張は「魏志倭人伝」の記述を基に、ここを「邪馬台国の卑弥呼の鬼道である」と主張したが、定説になるまでには至っていない。

名前についても、穴に石を投げ込んだ際の「トンカラリン」の音に由来するといわれる一方で、古代韓国語の「トンカラリ（=鬼のこもる穴）」ともいわれるなど、はっきりしていないのだ。

建造された年代については、5〜6世紀の古墳時代であるといわれているが、これは石組みに使われた工法から推測されたもの。別の説によれば、地裂や出土遺物から、江戸時代の初期である可能性も否定できないという。

さらに最近の調査では第2のトンカラリンが当地から発見されてしまった。まったくもって謎が深まるばかりである。

佐田京石

No.000058

▲いわく不明の存在だが、地元では京石を大切に保全している。
▶左：現地調査の例は少ないが、秦氏との関わりを指摘する研究者は多い。右：石を重ねた"こしき石"も散見される。上の石を取ると、嵐が起きるという言い伝えもある。

大分県宇佐市安心院《あじむ》町熊《まちくま》に、神が宿るといわれる米神山《こめかみやま》がそびえる。

この山には、麓にある高さ約2～3メートルの立石9本からなるストーンサークルをはじめ、山腹の支石墓、山頂のストーンサークルなど、99本の石群——通称、佐田京石《さだきょういし》が林立しているのだ。

太古の祭祀場、神社の起源や鳥居の原始の姿、埋納経の標石といった説が唱えられてきたが、佐田京石の由来について定説はない。

伝説では、聖なる山の麓に都を築こうと、神々が100本の石を大地に突き立てようとし、この地に〝石の雨〟を降らせるのだが、米神山の神が一計を案じて最後の一本を防ぎ、都を築かせなかったと伝えられている。何らかの史実を示唆している可能性も否定できないが、比定できる史料やヒントを見出すことはできない。

一方で、仏教における経石《きょういし》の一種ではないかという説もある。経石とは、小石に経文を書いて地に埋めるもの。実際、石群の表面からは岩刻文字も確認されているのだ。

また、この地を含む九州北東部は豊前国と呼ばれていた時代に、この地に土着した渡来氏族・秦氏《はた》がつくりあげたという説もある。事実、秦氏の神社には巨石が祀られていることが多く、江戸時代には「秦氏は石を以て祀る」という記述も残っている。

ともあれ、京石周辺から発掘された土器片は弥生時代のものと推測され、京石自体も同時代のものということだけは間違いないだろう。

線刻文字、つまりシュメール文化や秦氏の巨石文化を受け継いだものという可能性もあるが、ミッシング・リンクが発見されるのはまだ先になりそうだ。なにしろ、京石については計画的な調査がいまだ行われたこともなく、さらに石の中には、もともとの場所から移されてきた出所不明のものも多いからだ。

結局のところ、多くの謎をたたえたまま、この石群は神の宿る山に立ちつづけている。

6 超文明の残滓

No.0000059-0000084

No.000059

ムー大陸

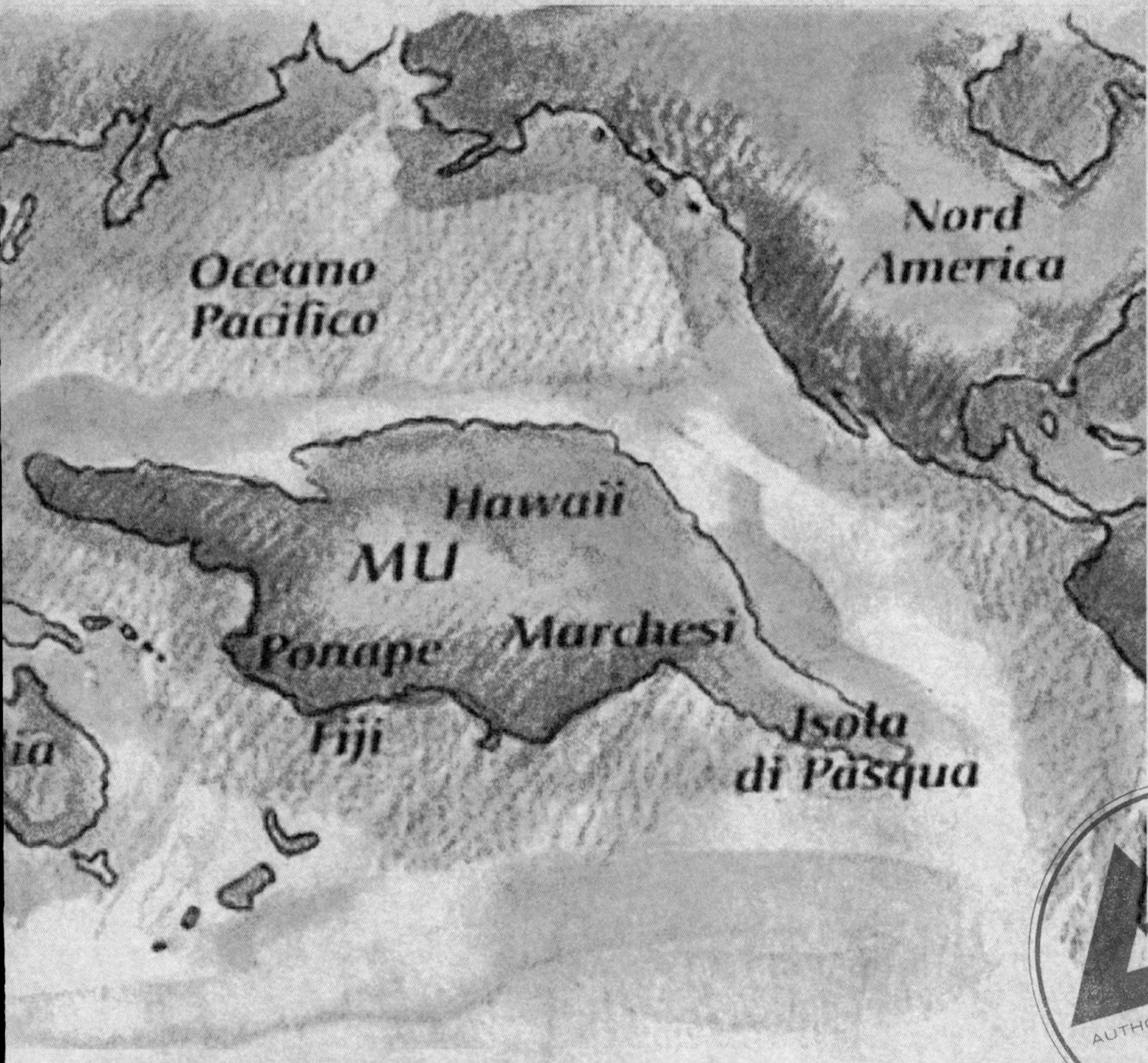

20世紀初頭に出版された、イギリスの考古学研究家ジェームズ・チャーチワード著『失われたムー大陸』は、世界中で話題を呼んだ。

軍人であった彼は、インド駐屯地勤務で訪れたヒンドゥー教の僧院で、高僧から「ナーカル（聖なる兄弟の意）」という特殊な言語で書かれた粘土板の存在を教えられた。

そこには人類の起源の物語と、かつて繁栄をきわめた「ムー」という大陸の存在が記録されていたのだ。

「ナーカル碑文」というその粘土板によると、ムーは太平洋の中心部に位置する東西8000キロ、南北5000キロの広大な大陸だった。人類は5万年以上前にこの大陸で生まれ、高度な文明を築いた。

大神官ラ・ムーの統治下、7つの都市を擁し、気候に恵まれ、実り豊かなこの地上の楽園で、6400万人もの人々が暮らしていたという。人々は優れた航海術によって、環太平洋地域から中国、東南アジア方面まで足を延ばした。そして交易を介し

Above—Tablet of diorite and andesite, red and red and yellow in color. Below—Some Mongolian figures which Mr. Niven says are the most perfect he has ever found.
Tablet—diorite, 43x25x20 centimeters, red and yellow.
Red and yellow tablet of diorite.

Asia
Aus

▲ムー大陸の実在を証明するため、チャーチワードはムーに関する石像などの遺物の数々を公開した。

▼右：イギリス陸軍大佐・考古学研究家でムー大陸の存在を世に知らしめたジェームズ・チャーチワード。左：ムー大陸の民たちが崇めていたという宇宙創造の神ナラヤナは7つの頭をもつヘビの姿をしている。

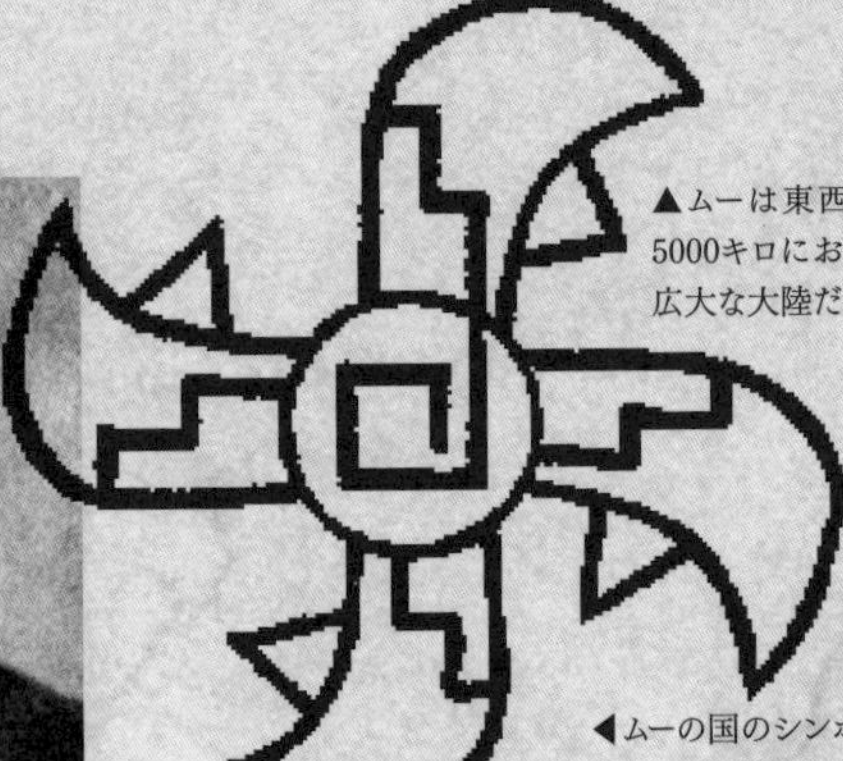

▲ムーは東西8000キロ、南北5000キロにおよぶ太平洋上の広大な大陸だったという。

◀ムーの国のシンボルマーク。

▶左・右：チャーチワードが描いたムー大陸最後の日の様子。巨大地震が発生し、大陸の火山が次々に噴火した。続いて、大津波が大陸を襲い、あらゆるものを流しさっていった。

て文化を広め、莫大な富を手に入れたのだ。

だが、その栄華は突如、終わりを告げた。約1万2000年前、地震や火山の爆発に続いて巨大津波が発生。大陸は一夜にして海底に沈んだのだ。

チャーチワードは、ムーの実在は古代文明の記録にも残ると主張。たとえば、19世紀フランスの聖職者ブラッスールによるマヤの古記録、チベット寺院に伝わる古記録、イースター島の碑文……。また、環太平洋の島々に広がる文化の奇妙な一致も、ムー実在の根拠とした。

だが、現代の海洋地質学により、太平洋に水没した大陸があった可能性は否定され、ムーも単なる夢物語として片づけられていった。

ところが近年、氷河期時代に東南アジア地域にあったスンダランドという古大陸こそ、ムー大陸だったという説が唱えられだした。

同大陸が氷河の融解で海面下に沈んだのは約1万2000年前と見られ、ムー伝説と一致する。謎のムー大陸の解明は始まったばかりなのだ。

No.000060

古大陸スンダランド

▲スンダランドの文明遺構と目されている、インドネシア、ジャワ島のグヌンパダンの巨石遺構。最終氷河期の最中に建造されているという。

現在の東南アジア地域、すなわちマレー半島東岸からインドシナ半島に接する海底の大陸棚は、かつて地上にあった「スンダランド」と想定される古大陸だったという。

約7万年前から1万4000年前まで続いたヴュルム氷河期時代。当時、海面は現在より約100メートルも低く、大陸棚は海上の広大な平野だった。だが、氷河期の終わりからの温暖化で海面が上昇、約1万2000年前に、スンダランドは海底に没したという。

なお、スンダランドには驚くべき説がある。アフリカを祖とする人類は、主にコーカソイド（白色人種）、ネグロイド（黒色人種）、モンゴロイド（黄色人種）に大別されるが、このうちモンゴロイドの発祥の地だという。

いわゆる「モンゴロイド南方起源説」だ。スンダランドで生まれたモンゴロイドが、約5万年前に移動を始めた。その一部は北上し、モンゴルやシベリアにまで広がり、寒さに適応しながら北方系のアジア民族になった。さらに彼らの一部はシベリ

▲上：5段テラスの間には30〜45度の斜面があり、特に大型の石材を縦横に配置した頑丈な構造になっている。右中、右下：2000年代の発掘調査では、遺跡建造に使われた石器類や土器製品の破片などの遺物も数多く発見された（写真＝インドネシア科学院資料より）。左下：南西部上空から俯瞰したテラス状の遺跡上部（インドネシア科学院資料より／©Danny Hilman Natawidjaja）。

ムー認定 AUTHORIZATION

アから当時、陸続きとなっていたベーリング海峡を越え、アメリカ大陸に広がっていった。また、スンダランドに残った一部の人々は、海洋民族として太平洋に広がった。さらにその一部の人々がスンダランドと陸続きになっていたジャワ島やバリ島から海を渡り、オセアニアに移住したとする説もある。

ちなみに「モンゴロイド北方起源説」も有力で、現在、日本人の祖先が北から来たのか、また南から来たのかは定かになっていない。

ところで近年、スンダランドが海底に没したといわれる時期から、実はこの大陸こそムー大陸だったのではないかという説が導きだされてきている。太平洋と東南アジア地域という位置のずれはあるが、両者が海底に沈んだ時期がほぼ重なり合っているからだ。

しかも近年、タイのスンダランドがあったと目される海底で、自然の造形とは思えない奇妙な構造物が発見されたという。仮にこの構造物が人工のものなら、人類の歴史は大きく覆るかもしれない。

No.000061

イースター島のモアイ像

▲地上に出ているモアイの頭部は全体のほんの一部にすぎず、地中には胴体が埋まっているものもあることが、近年の調査で明らかになった（写真＝EISP-Eastern Island Statue Project）。

ム認定 AUTHORIZATION

▲島内の各地に約1000体のモアイ像が鎮座するイースター島。
◀製造途中で放棄されたままのモアイ像もある。

巨石文化をしのばせる遺跡といえば、真っ先に挙げられるのがイースター島だろう。

平均的なもので高さ3・5メートルから4・5メートル、重さ約40トンの巨大な「モアイ像」が、総面積約180平方メートルの島に約1000体も鎮座する。日本の佐渡島の4分の1程度の広さに巨大な像が1000体もあるといえば、その異様さが実感できるだろうか。

未完成のモアイ像の中には高さ21メートル、200トン以上の重さのものまで確認されているという。

製造工程や運搬方法など、多くの謎に満ちた「モアイ像」だが、イースター島の立地がさらに謎を深めている。チリ本土の海岸から海へ3700キロ、もっとも近い隣の島でさえ1600キロも離れており、まさに絶海の孤島であり、もちろん「モアイ」のような像は近隣の島には見当たらない。

そもそもイースター島の住民自体が謎で、南方から渡ってきたポリネシア人だという説が一般的だが、島には興味深い伝承がある。

「自分たちの故郷は遠い昔に海中に没したため、指導者に率いられてこの地にやってきた」――というものだ。

この伝承から、島民たちは遥か太古、太平洋に繁栄していたムー大陸の人々の末裔ではないか、とまことしやかに囁かれている。

さらにこんな興味深い伝承も残っている。

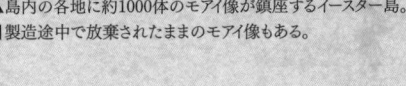

▲上：多くのモアイ像は島の中心部、山の方向を見ている。左下：もっとも古いモアイ像。島はその昔、ムー大陸の一部であったという説もある。右下：かつては貝殻の目が飾られていたという。写真は復元されたもの。

島はその昔、「雲のような白衣を身につけ、虹にふちどられた」王によって治められていた。彼は「マケマケ」という鳥神を信仰し、それによって島民たちに「マナ」という霊力を授けた。モアイはこの「マナ」の力で自分で歩いて移動したが、やがて「マナ」の力が滅びてしまうと、モアイも歩くのを止めてしまった。

宇宙考古学者のエーリッヒ・フォン・デニケンはこの伝説を受け、「マケマケ」は島に降り立った異星人で、「マナ」は彼らの超自然的な力ではないかとしている。そして「そのために、モアイ像の多くが宇宙の彼方を見つめて立っているのだ」と、説いている。

ム認定
AUTHORIZATION

▲玄武岩とサンゴ礁で築かれた人工島につくられた都市遺跡ナン・マドール。建設年代以外、詳しいことは不明だが、超古代文明の技術が使われたという説も納得できるほど、規模も緻密な設計も、目を見張るほどの遺跡だ（写真＝有賀訓）。

No.000062

ナン・マドールの遺跡

西太平洋の赤道近くに浮かぶミクロネシア諸島。中でもっとも大きなポンペイ島の南東部に位置するテムエン島のサンゴ礁に、東西500メートル、南北1200メートルにわたって築かれた遺跡島がある。「ナン・マドール」——現地の言葉で「神と人間との間に広がる空間」という意味をもつこの島は、どこまでも異質である。

まず、遺跡周辺は玄武岩でできた高さ、幅ともに9メートルの巨大な壁で囲まれ、東、北西、南西に水門が設けられている。外洋からの入り口は1か所しかなく、内部には丹念に積み上げられた巨大な玄武岩の角柱の上にサンゴの塊や砂で2メートルほど底上げされた92の人工の島が存在する。島を構成する玄武岩の数は約50万本。土台の島の高さは約1・2メートルほどで、潮が満ちると巨石海上都市の様相を呈する。

島の形はどれもが長方形や正方形で、これらが水路で結ばれており、船を用いて行き来できるようになっているのだが、それぞれが役割をもっていたようだ。中でも立派なのは王族の住居、もしくは祭祀場とされる島で、1本10トンほどの細長い玄武岩の角柱を横に倒し、交互に組み合わせた強固な外壁で守られている。このほか、居住地、貯蔵庫、養殖地、医療施設、牢獄、葬儀場、墓地、船着き場として使用した跡も散見され、あらゆる点で実に計画的だ。

それにもかかわらず、11世紀というおおまかな建設年代以外、だれがなぜ、この場所に海上都市をつくったのかはまるでわかっていない。

イギリスの退役軍人で研究家のジェームズ・チャーチワードは、実地調査した結果、失われたムー大陸の中心都市のひとつだったのではないかと結論づけた。というのも海底には10メートルもの巨大な石柱群が沈むなど、規模が海上のものより明らかに大きく、古いのだ。

約1万2000年前、この地にムーの都市があり、それを知る民族が栄華をしのび、同様の人工島を建設した……そんな幻想とロマンを抱かせるほど、この遺跡は謎に満ちている。

No.000063

レムリア大陸

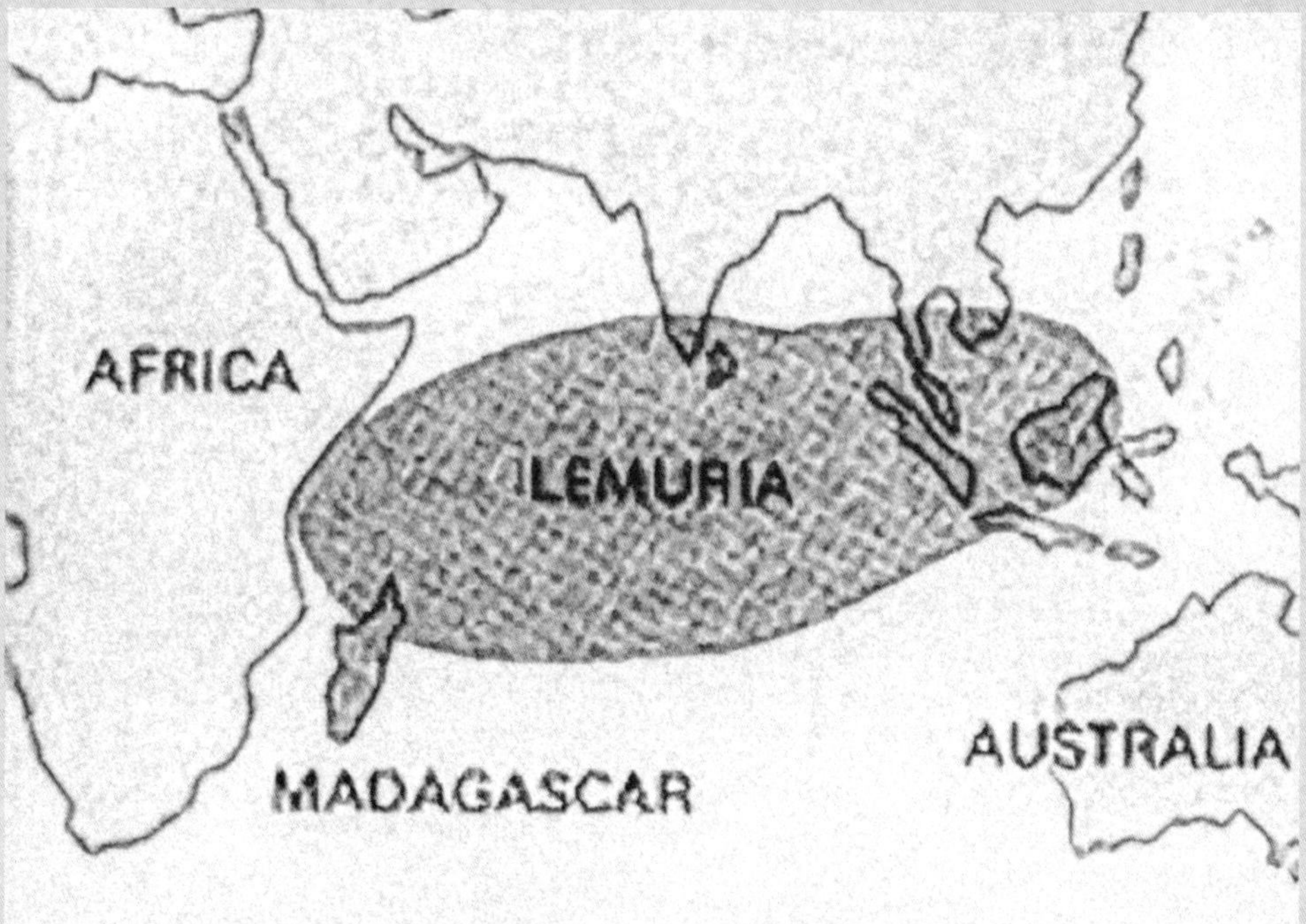

▲レムリア大陸の位置を示す地図。北はインド、西はアフリカ、南はオーストラリア、東はインドネシアに囲まれたインド洋上にあったと仮説された。

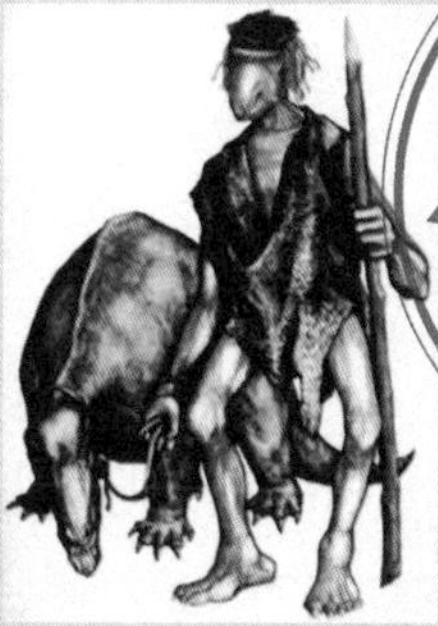

▶左：キツネザルの一種レムールの分布から、レムリア大陸は想像された。右：イギリスの神智学者W・スコット＝エリオットが著書『アトランティスと失われたレムリアの物語』の中で描いたレムリア人の想像イラスト。

太平洋のムーと大西洋のアトランティスという沈没大陸に勝るとも劣らない謎の巨大大陸が、実はインド洋にも沈んでいるという。北はインド、西はアフリカ、南はオーストラリア、東はインドネシアに囲まれた海域に浮かんでいた、この幻の古大陸は「レムリア」と呼ばれる。

レムリアの名づけ親は19世紀イギリスの動物学者フィリップ・ラトリー・スクレーター。アフリカ東部、マダガスカル島に棲息するキツネザルの一種「レムール」が語源である。

レムールはすぐ西隣のアフリカ大陸には棲息していない。それにもかかわらず、海を隔てて数千キロも離れたインドやスリランカ、インドネシアなど、南アジアから東南アジアにかけての地域、すなわちインド洋の周辺地域には散在して棲息しているのだ。いかにも奇妙で不可思議な分布である。

生物学上の常識からすると、同一種の生物が隔絶地で互いに無関係に発生することはありえない。しかもレムールはきわめて臆病な動物で、泳ぐこともできない。大洋を泳いで東アジアなどに到達した可能性は皆無なのである。となると、考えられる原因はひとつ。マダガスカルとインドや東南アジア周辺は、かつて巨大な陸地でつながっていたのではないか……？　これらの事実を踏まえ1874年、スクレーターは「レムリア仮説」を提唱したのだ。

だが、これはあくまでレムールの分布をもとに考えられただけの「仮想の大陸」にすぎない。そして20世紀以降の地質学の進歩によりプレート・テクトニクス理論が完成し、大陸移動説が裏づけられるようになると、レムールの不可思議な分布も無理なく説明されるようになった。そのためか、近ごろはレムリア大陸についてはあまり話題に上らない。

とはいえ、ムーを提唱したジェームズ・チャーチワードが、ムー大陸の起源をレムリア大陸に求めるなど、この仮説が超古代文明研究におよぼした影響は決して小さくない。

No.000064

シャスタ山と地底王国レムリア

▲シャスタ山。アメリカ、カリフォルニア州にある火山である。

▶左：モーリス・ドーリル博士。右：シャスタ山は、氷河と岩に覆われた険しい山肌で知られる。

アメリカのカスケード山脈南端にあるシャスタ山は、古来「偉大な神が宿る聖地」としてインディオたちに畏怖されてきた。一般にレムリアはインド洋の古代大陸を指すが、太平洋レムリア大陸説を主張する者も実は多い。シャスタ山はその残滓を伝える聖域なのだ。さらにはUFOや怪光現象、巨人族との遭遇譚やその彼らの文明「レムリア」が地下に存在するという伝説もある。

伝説を基にした仮説によれば、レムリア文明が興ったのは約20万年前のこと。世界各地にコロニーを建造するほど栄華をきわめたが、海底火山が連鎖噴火を繰り返すようになった約1万2000年前に崩壊。アンデス山脈、エジプト、シャスタ山に逃げ延びたレムリア人たちが、地下に新たなコロニーを形成したと伝承されている。

もっとも、レムリアは単なる伝説ではない。実際に訪れたと証言する者がいるのだ。そのひとりであるモーリス・ドーリル博士は、1931年、レムリア人の子孫ふたりに連れられて当地を訪れたという。そこは巨大な空洞を利用したドーム状のコロニーで、人工太陽が輝き、色とりどりの花が咲き乱れている場所だった。

シャスタ山の研究家ウィリアム・ハミルトンが遭遇したレムリア人女性は、さらに驚愕の情報をもたらしている。なんと、レムリア人の祖先は惑星オーロラから地球に飛来した「ハイプロービアン」というエイリアンだったというのだ。彼らは極地点から地球内部に入り、そこで築いたのが地下都市シャンバラだった。

彼らによれば、アトランティスやアガルタはレムリア人が統治していたことになる。それほどの叡智をもつ存在が地中で暮らすことに疑問を感じる方もいるかもしれないが、月や太陽から放射される光線が彼らにとって有害であるため、選択肢はないようだ。ただし、地上の自然破壊は注視しているという。もし、その影響が地下世界におよぶなら、レムリアの民が今後干渉してくる可能性もあるだろう。

No.000065

アトランティス大陸

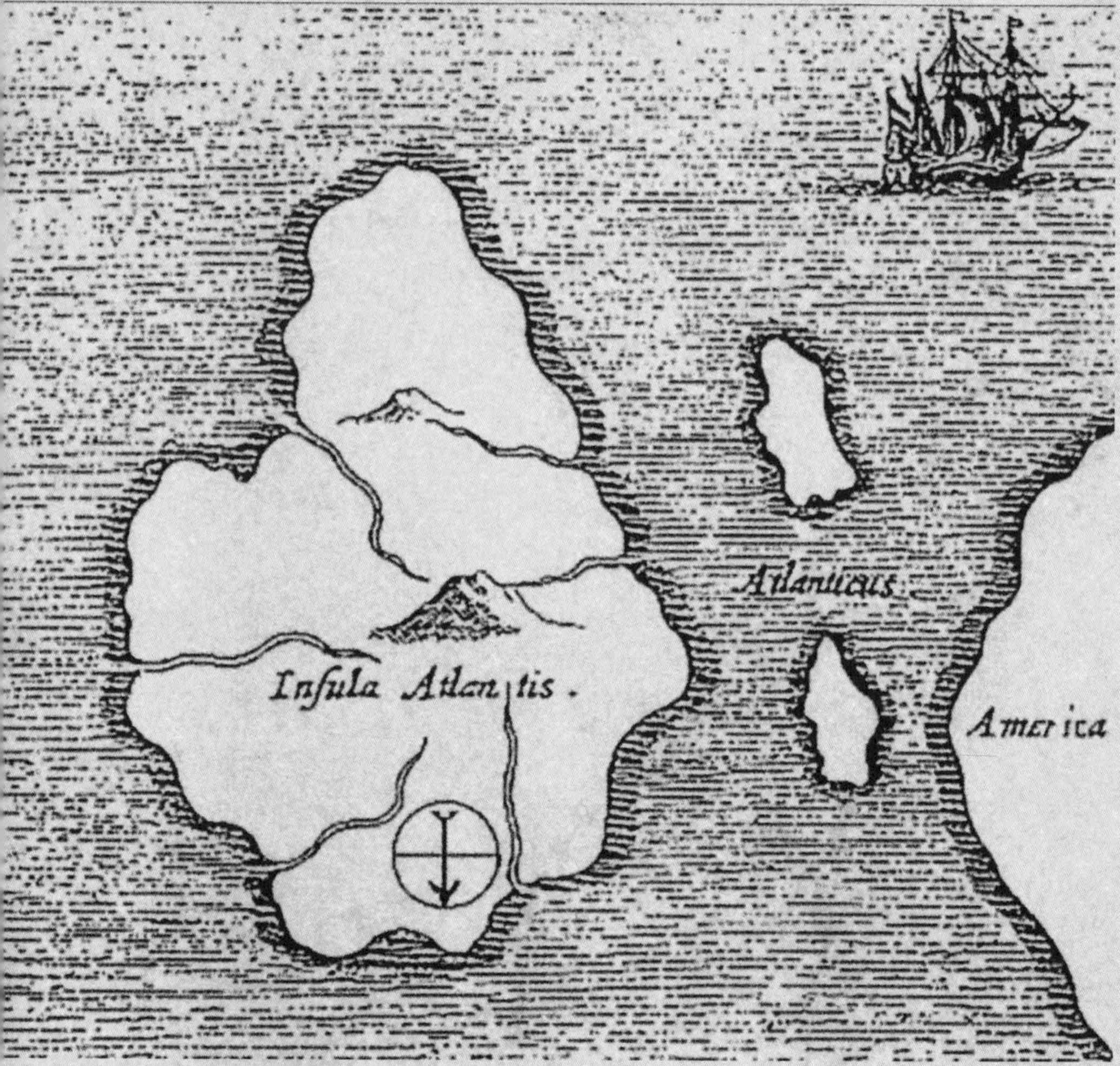

▲大西洋上の中央にアトランティス大陸が描かれた地図。右にアメリカ大陸、左にアフリカ大陸がある。

遙かな太古、繁栄していたとされる「アトランティス大陸」。温暖な気候と豊かな実りに恵まれたこの大陸の住民たちは、きわめて徳が高く、聡明で、超能力を駆使する者もいた。彼らは必要とするエネルギーをレーザーを用いた遠隔操作で得ていた。

また、オリハルコンと呼ばれる超金属を操り、航空機や船舶、潜水艦なども建造して都市には現代でいうテレビや電話、エレベーターなども普及していた。

だが、そんな文明の極みに達していた彼らの住む大陸は、約1万2000年前に突如として起こった大地震と大津波に襲われ、一夜にして海中に没したのである。

この悲惨な末路を迎えた大陸について歴史上、最初に記録したのは、古代ギリシアの哲学者プラトンだった。彼はかつてギリシアの政治家だったソロンが、エジプトの神官から聞いた話として、その大陸の詳細を著書『ティマイオス』と『クリティアス』に記している。

それによると、アトランティスは100万年前、海神ポセイドンの子である5組10人の双子たちが治めた広大な大陸だった。10人の王たちは善政を敷き、アトランティスは平和と繁栄を享受していたが、やがて王たちに驕りが生じ、彼らは突如として他国に侵入。これが神々の逆鱗に触れ、アトランティスは滅びの日を迎えたのだ……。

プラトンによる幻の大陸の記述は、後世の西欧世界を引きつけた。そして、著書に示されたアトランティスが沈んだとされる「ヘラクレスの柱」、すなわちジブラルタル海峡の彼方＝大西洋に向かい、人々は地中海から大海に進出したのである。この衝動がやがて大航海時代をもたらす動機のひとつとなった。

その後も多くの人々が謎の文明の痕跡を求めて研究を重ねたが、今なおアトランティスは発見されていない。

やはりアトランティスは伝説上の大陸にすぎないのか？　だが、21世紀の現代に至っても、幻の大陸に比定される土地やその残滓を発見したとの報道が、ときおり世界中を湧かせることもまた事実なのだ。

▶アトランティス大陸の存在を著書『ティマイオス』『クリティアス』の中で紹介した古代ギリシアの大哲学者プラトン。
▼カナリア諸島のグイマー・ピラミッドは、海上に残されたアトランティス大陸文明の名残りとされている。

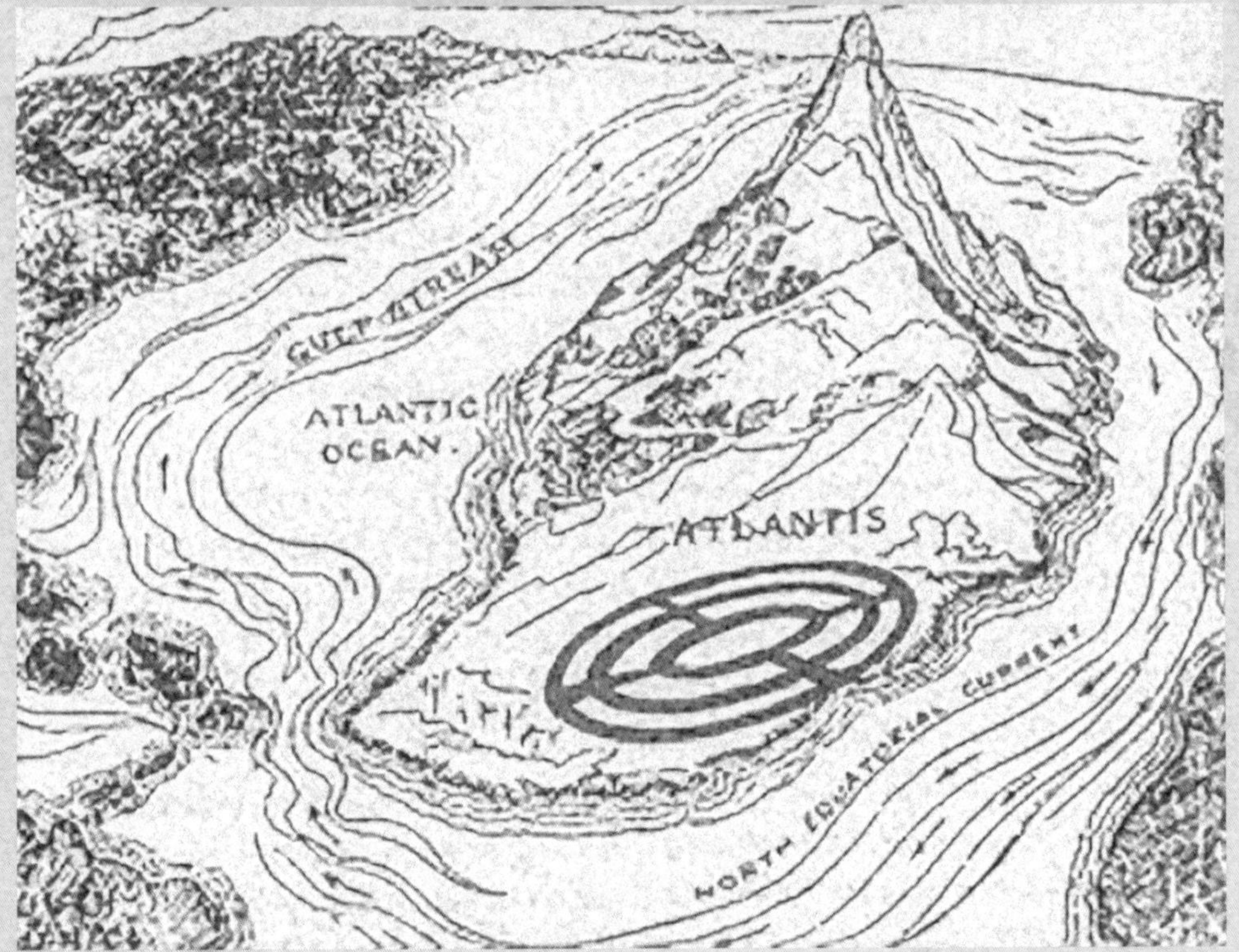

◀アトランティス大陸の想像画。未知の大陸の上に都市が築かれている。

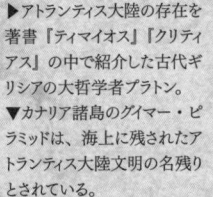

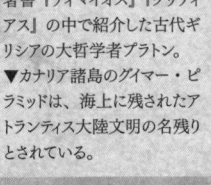

No.000066

マルタ島の地下神殿

▲ハル・サフリエニのハイポジウム。音の反響を利用してトランス状態を誘発し、祭祀に用いたともいわれる。

地中海のほぼ中央、イタリア半島の南にあるマルタ島。総面積が246平方キロというこの小さな島には随所で巨石を用いた神殿や地下宮殿の遺跡が見られる。

すでに発掘されたものだけで二十数か所、崩壊して手つかずのものも加えれば、なんと40を超える遺跡が残っているのだ。

これらの遺跡の中でもとりわけ有名なのが、1902年に発見され、世界遺産にも登録されている「ハル・サフリエニのハイポジウム」と呼ばれる地下神殿跡だ。

これは石灰岩をくりぬいてつくられた祭祀場跡と見られ、深さ10メートルを超す地下3階建てという規模である。

通路は複雑な迷路状になっており、ドーム形の天井と楕円形の室内という空間が33室も広がっている。さらに室内には壁画の跡も見られ、巨大な井戸まで発見されている。

また、男性の声しか響かないように設計された「神託の間」が存在するなど、この地に高度な石造技術が存在していたこと

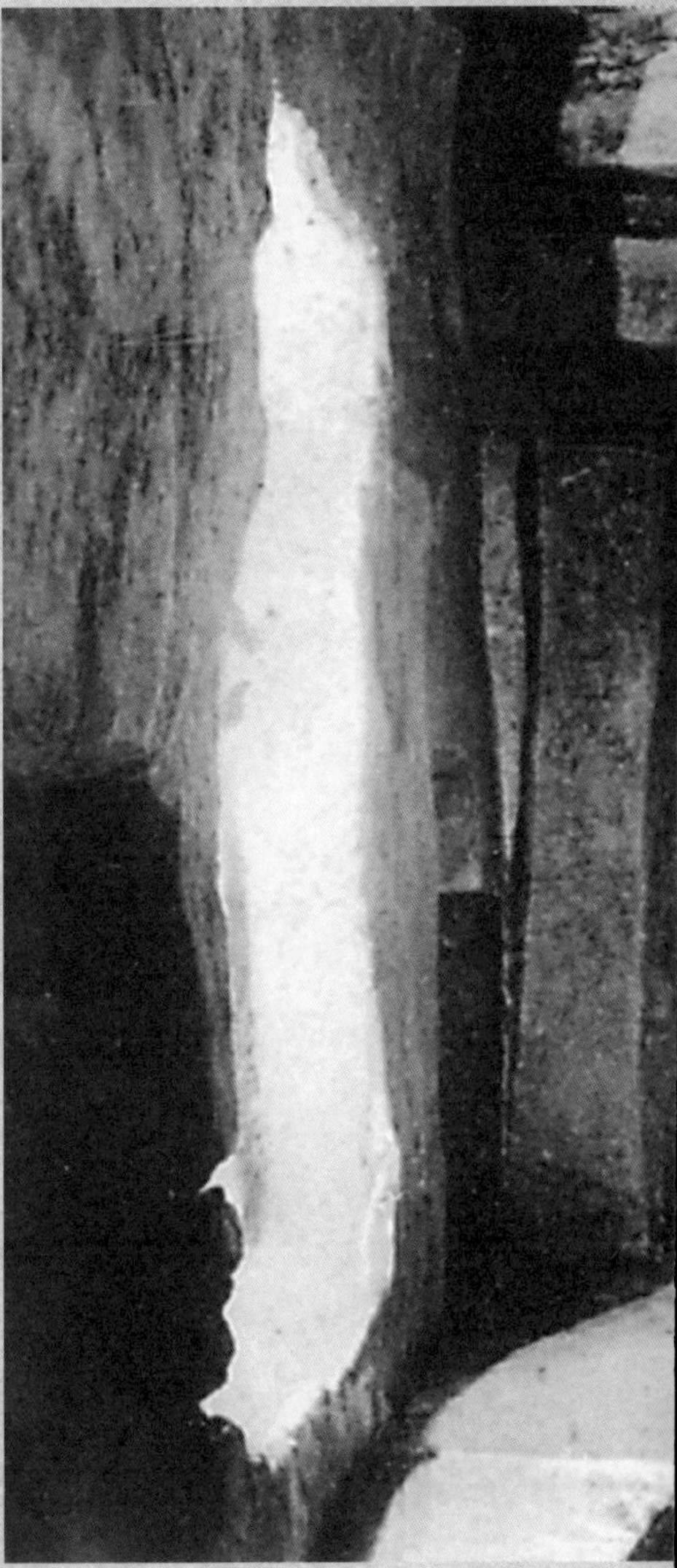

◀上：マルタ島に点在する巨石神殿のひとつ。5000～6000年前につくられたといわれている。中：石材運搬用の線条痕が残っているが、これらは現在の海にもつながっている。下：4000年以上前のマルタは今より広い島、陸地であった。海底崖の崩壊によって陸が沈み、津波が起きたともいわれる。

を物語っている。

発見時には、床から1メートルまで赤土で埋まり、とても埋葬されたとは思えない重なり合った7000体もの人骨も発見されているが、彼らがだれで、なぜ死んだかなどは解明されていない。

ちなみに同島における遺跡は、紀元前3600年ごろに建てられたものと推定されているが、紀元前2200年ごろまでには衰退し、以来、20世紀になるまで、人々の記憶から忘れ去られていた。

エジプトの最古のピラミッドの建設時期が紀元前2600年ごろという通説に従えば、マルタ島の巨石文明は世界四大文明のどれよりも古い、ということになる。

一部にはマルタの古代神殿は1万年以上前のものだと主張する学者もいる。マルタの巨石文明に用いられている技術は単独で発達したものではなく、実は地中海まで勢力を伸ばし、各地に植民地を設けていたという、かのアトランティス文明の一部だった——という仮説がその根拠となっている。

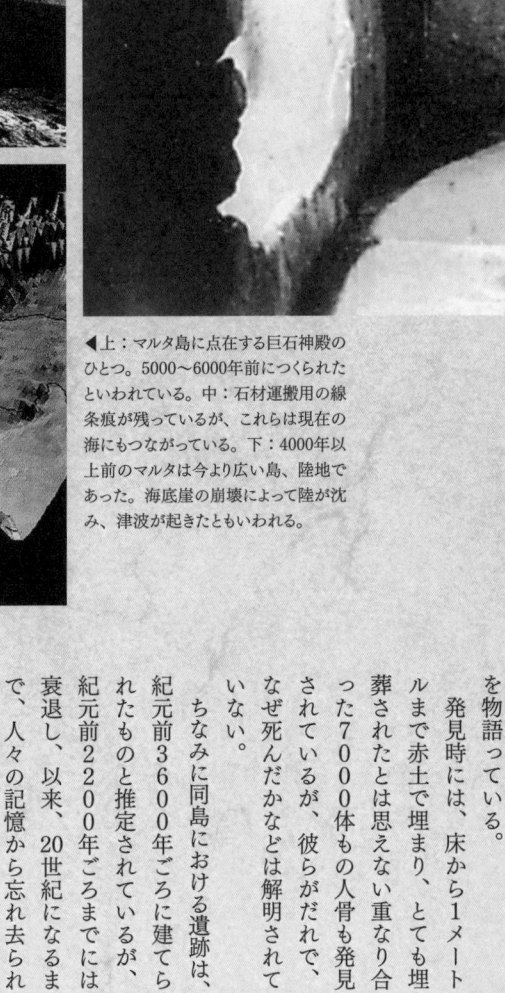

No.000067

オリハルコンとアトランティス大陸

アトランティス大陸のオリハルコンが発見された――！　2015年1月8日、イギリス「Daily Mail」が衝撃的なニュースを配信した。

イタリアの海洋考古学者グループが、シチリア島南岸の都市ジェーラの沖合30メートルの海底に横たわる沈没船から、オリハルコンと思われる金属でできたインゴットを39個発見したというのだ。2600年も海底で眠っていたにもかかわらず、その金属は鈍い輝きを保っていた。

すぐにインゴットの分析が行われ、銅と亜鉛を中心にした合金であることが明らかになり、ニッケルと鉛、鉄も検出された。蛍光X線分析の結果からシチリア島海洋管理局所属のセバスティアーノ・トゥーサ教授は「このインゴットはオリハルコンだ」と断言した。

オリハルコンという金属の存在、組成については長い間議論が重ねられてきた。プラトンは『クリティアス』の中で、「アトランティスはオリハルコンが放つ赤い光で輝いている」と記述している。幻の大陸アトランティスでオリハルコンが掘りだされ、ポセイドンの神殿も覆っていたというのだ。また、金について価値ある金属であるとも語っている。

その正体について、もっとも可能性があるといわれているのが銅と亜鉛から成る真鍮に似た合金説だ。壺の中で亜鉛原鉱を木炭と銅に反応させるセメンテーション（拡散浸透メッキ法）という方法で作るというものだ。

今回発見されたインゴットの組成などは、この仮説とほぼ合致する結果になっている。これがオリハルコンだとすれば、話は当然、アトランティスの実在性や場所におよぶ。

周知のとおり、アトランティスの存在に関しては、歴史学および考古学分野でいまだ議論が続いているが、従来は1万2000年前に大西洋沖に沈んだとされてきた。だが地中海からオリハルコンが発見されたということは、アトランティス文明の所在地も、地中海だったということになるのだ。

オリハルコンらしき金属インゴット39個は、2600年の時を経ても鈍い輝きを保っていた。

▲地中海海底から引き揚げられた金属インゴット。オリハルコンである可能性が高い。

No.000068

オロンティウス・フィネウスの地図

「オロンティウス・フィネウスの地図」と呼ばれる奇妙な古地図がある。

フランスの地理学者のオロンティウス・フィネウスが1531年に作製したもので、そこには〝南極大陸〟の全形が描かれている。それも海岸線の輪郭から南極点の位置、周縁部の山岳と河川、湾内の小島まで詳細に描写され、現代の科学技術を駆使して作製された南極図とほぼ合致している。ただ、ほかの大陸に比べ、南極大陸だけが4倍もの大きさで描かれている点を除いて……。

南極大陸が発見されたのは1820年。およそ300年も前にどうやってオロンティウスはその全景を知ることができたのだろうか。

実は、地球球体説がすでに唱えられていた古代ギリシアでは「南の彼方に巨大な大陸がある」と考えられていた。大陸は「テラ・アウストラリス・インコグニタ（未知の南の大陸）」と呼ばれ、紀元前150年に作製されたとされるプトレマイオスの地図にも描かれている。

オロンティウスの地図に目をやると、確かに同様の記述が確認できる。だが疑問は残る。オロンティウスはどうやって詳細な位置関係を知りえたのだろうか。そしてなぜ、この大陸を巨大に描いたのだろうか。

ここに興味深い説がある。カナダの古代史研究家のランド・フレマスが提唱するもので、南極大陸の厚い氷の下にアトランティス大陸が眠っているという。

プラトンの著作には「アトランティスは海中に没した」とある。小さな島ならいざ知らず、プラトンが記述するほどの大陸が、跡形もなく消え去ることなどあるだろうか。

そこで彼が注目したのが、「巨大な大陸＝南極大陸」だった。問題は南極が分厚い氷に覆われている点だが、今から1万2000年前の南極大陸は温暖な気候だったと主張する学者もいる。

オロンティウスは古地図を参考に作製したという。その原図には、1万2000年前の地球の姿が描かれていたのかもしれない。

▼オロンティウス・フィネウスが1531年に作製した世界地図。右側に描かれているのが、4倍の面積になっている南極大陸だという。

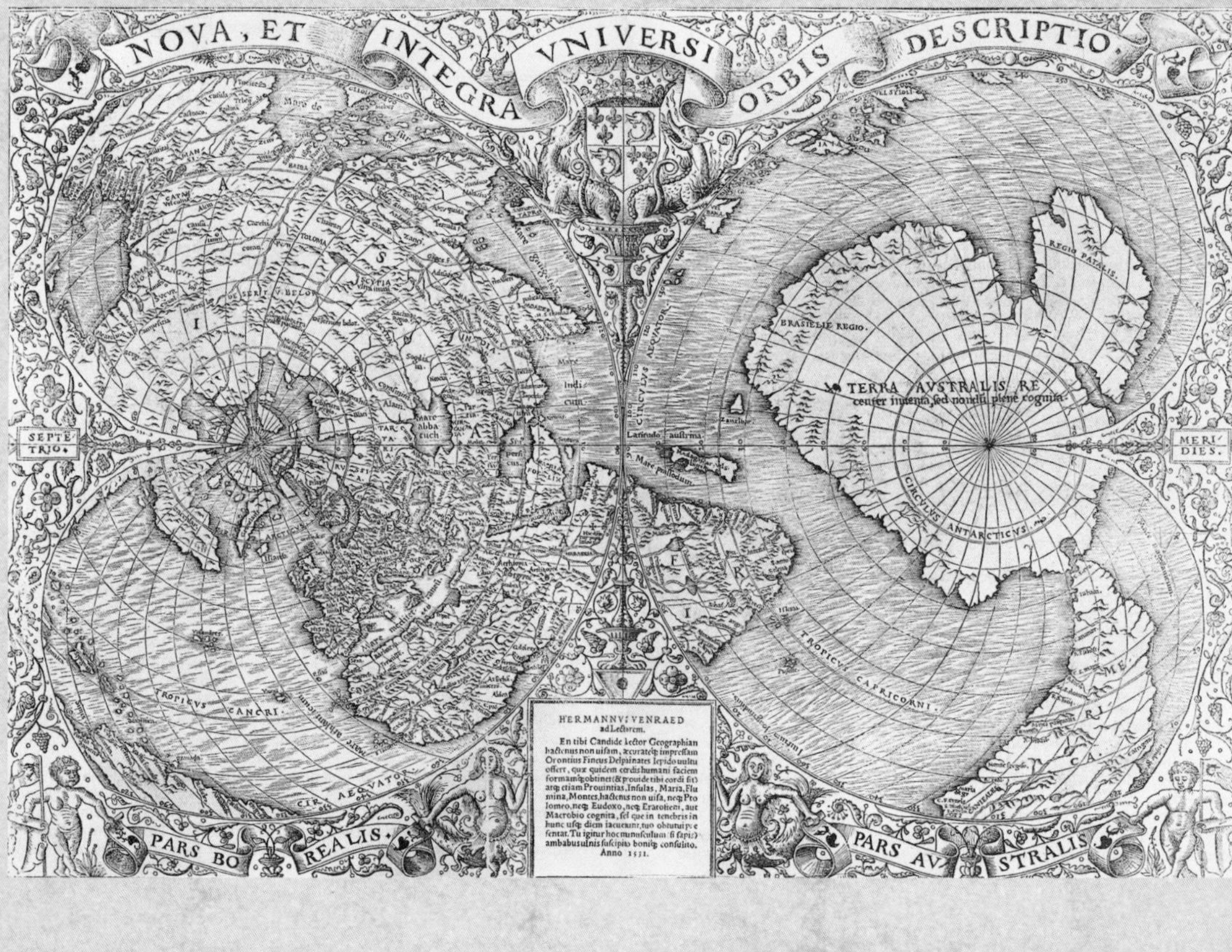

No.000069

ピリ・レイスの地図

1926年、トルコ最大の都市イスタンブールにあるトプカピ宮殿で、羊皮紙に描かれた地図の断片2枚が発見された。1枚は1513年作製と記されたもので、スペインから西アフリカ、そして南北アメリカの東海岸が、1528年作製と記されたもう1枚にはグリーンランドとカナダの一部、北アメリカの東海岸が描かれていた。

この2枚の古地図こそ、16世紀のトルコ海軍ピリ・レイスによって描かれたオーパーツ、「ピリ・レイスの地図」である。

この地図は謎に満ちていた。コロンブスがアメリカ海域に到達したのは1498年。地図が描かれる20年前である。ピリ・レイスはどうやって南北アメリカの形やその他の大陸の配置を知りえたのだろうか。地図全体に見られる奇妙なひずみも疑問を生んだ。地図にしては地形もやや不正確だった。

そんなピリ・レイス地図に興味を持ったのが、アメリカの古地図研究家アーリン・マラリーである。

マラリーは、米海軍水路部の協力を得てこの地図の分析をした。すると地図のひずみ具合が、米空軍が第2次世界大戦時に作製した地図と酷似していることがわかった。さらに軍用地図の作製法に基づいて再分析してみたところ、なんとエジプトのカイロ上空から地球を計測したときの地形とぴったりと一致したのである。

さらに、アメリカ、ニューハンプシャー州立大学のチャールズ・ハプグッド教授によって、地図には当時未発見だった南極大陸の海岸線が描かれていたことが、近年になって判明した。それは氷に覆われる以前の南極大陸の姿だったという。

飛行機の存在しなかった16世紀に、どうしてこのような地図が作製できたのだろうか？

ピリ・レイスは地図作製にあたって、「マッパ・ムンディス」と呼ばれる紀元前4世紀ごろの地図など、二十数枚を参考にしたというが……。ピリ・レイスの地図は今でも、トプカピ宮殿に収蔵されている。

◀ピリ・レイスの地図には、ヨーロッパからの到達から間もない南北アメリカ大陸や、1800年代になるまで確認されていなかった南極大陸が記載されている。地図作製にあたって、紀元前4世紀ごろの地図を参考にしたという。

▼ピリ・レイスが使用したヨーロッパ地図。こちらは正確に地形が記されている。

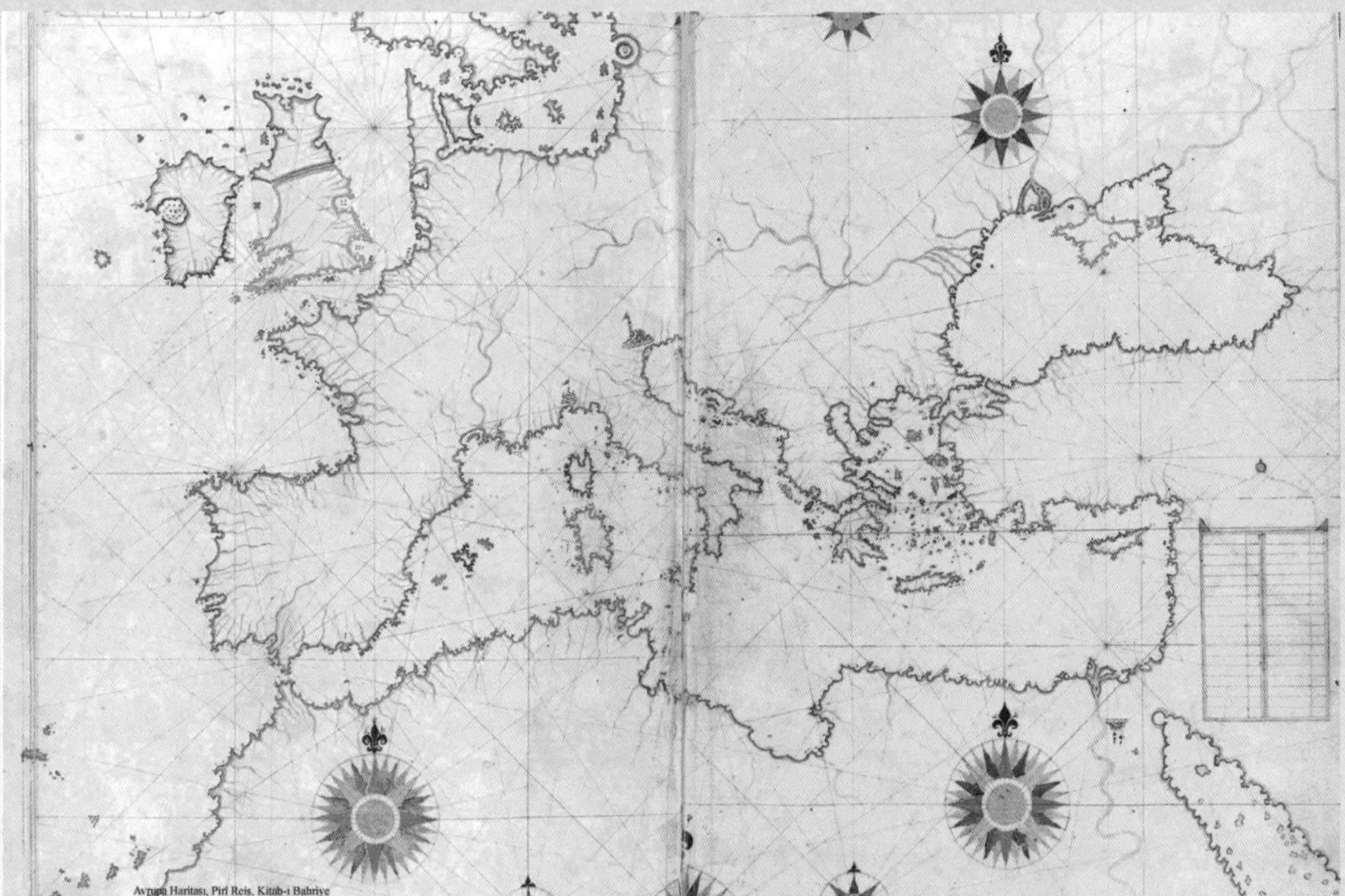

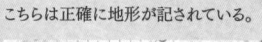

Avrupa Haritası, Piri Reis, Kitab-ı Bahriye
(16. yy. Sonuna Ait Bir Kopya) İstanbul Üniversitesi Kütüphanesi. No:6605
Map of Europe, Piri Reis, Kitab-ı Bahriye

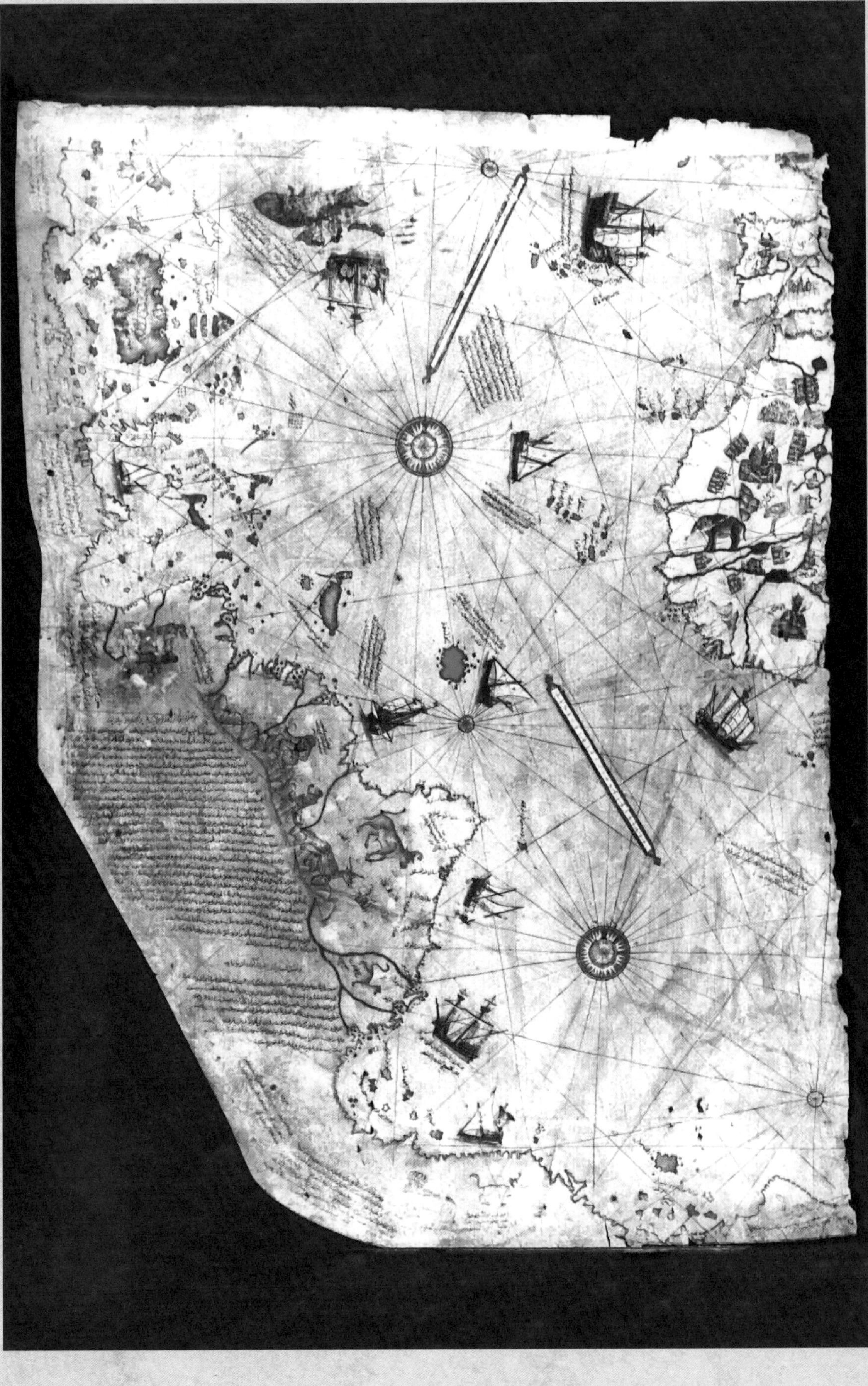

No.000070 聖徳太子の地球儀

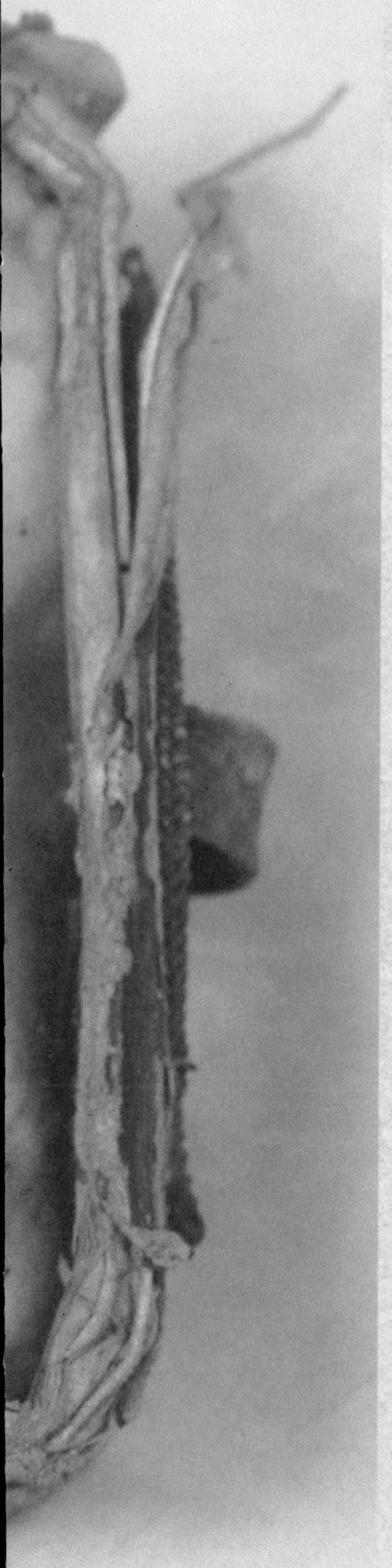

◀斑鳩寺《いかるがでら》に収蔵されている「聖徳太子の地球儀」。表面には、日本をはじめ、地球上の大陸がほぼ正確な位置関係で浮き彫りにされている。しかも、ムー大陸までが彫られているのだ。その由来はまったく不明だ。

日本にも「聖徳太子の地球儀」と呼ばれるオーパーツがある。兵庫県揖保《いぼ》郡太子町の斑鳩寺《いかるがでら》に「聖徳太子が作った」として伝わる「地利石」がそれだ。

斑鳩寺は推古天皇14（606）年に聖徳太子によって開基されたという天台宗の古い寺院だ。仁王門をくぐると講堂、聖徳院、三重塔と、法隆寺によく似た伽《が》藍《らん》配置になっている。境内には宝物殿もあり、木造日光菩薩立像や木造月光菩薩立像など国指定の重要文化財が並ぶが、その傍らにソフトボールぐらいの大きさの地利石がある。

さて、地利石がオーパーツとされる由縁は、この〝塊〟がある見方をすると地球儀にしか見えない点にある。陸地を凸面、海を凹面と見立てると、日本をはじめ、ユーラシア、アフリカ、南北アメリカ大陸、そして南極大陸までもが確認できる。アメリカ大陸にコロンブスが到達したのは1498年、南極大陸が発見されたのは1820年のことである。太子はどうやって、このふたつの大陸の存在を知ることができたのだろうか。

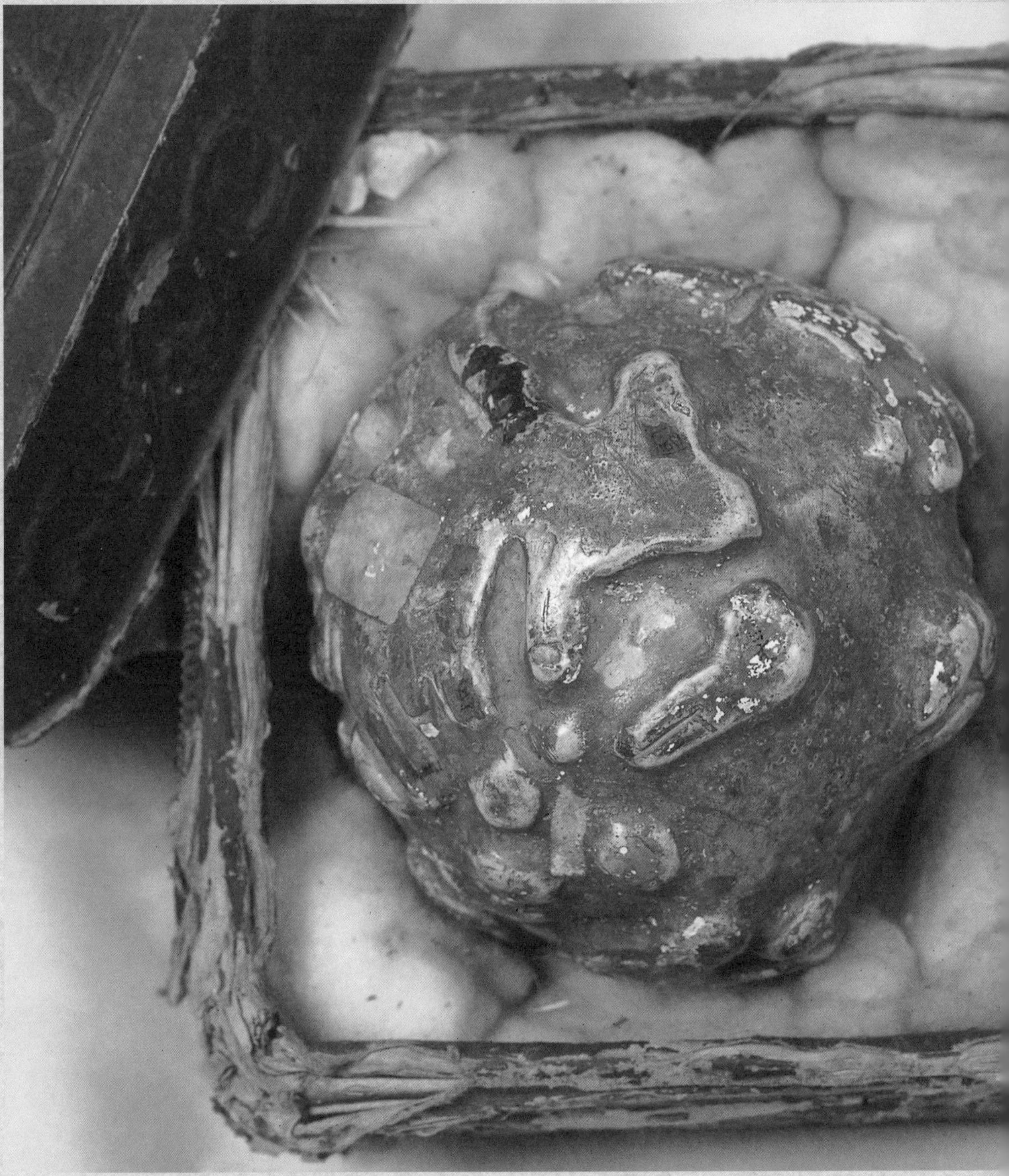

さらに地利石をよく見ると、ちょうど太平洋の中央に巴形の陸地を目にすることができる。なんとこれは、今から約1万2000年前に海に沈んだムー大陸を思わせるではないか。日本史に数多くの伝説を残す聖徳太子だが、何らかの方法で超古代の地球の地形を知りえたとでもいうのだろうか……。

もちろん否定する向きもある。もっとも多いのが、漆喰と海藻糊で作られた地利石の素材が、戦国時代以降に日本で確立した技術だとして、そもそも太子由来のものではないというものだ。1713年、江戸中期に出版された『和漢三才図会』に掲載されている地図「山海輿地全図」に似ていることから、江戸以降に作られたものだという説もある。

しかし、そのころにはまだ「ムー大陸」の概念すらない。いずれにしてもこの〝地球儀〟はいつ、だれがどこから持ち込んだのだろうか。謎は尽きない。

認定
AUTHORIZATION

No.000071

地底王国アガルタ

　チベット奥地に地底王国「アガルタ」があるという。太陽に準じる光源と高度な科学文明をもつその地には、超常的な力を有する地底人類が住むと伝えられてきた。

　〝永遠の理想郷〟と称される首都「シャンバラ」には華麗なチベット仏教の僧院が並び、黄金の宮殿には〝世界の王〟と呼ばれる最高君主マニ・リンポーチェが在城する――。

　伝承によれば、アガルタの民は超古代大陸のレムリアやアトランティスの末裔である。彼らは地上の災禍を逃れて地底に移り住んだというが、これについて紅帽派のチベット仏教徒であるロバート・E・ディクホフ博士が展開する仮説は実に興味深い。彼の主張によれば、その〝災禍〟とは、火星人と金星人による地球の支配戦争だというのだ。

　今から200万年以上前、地球に到達した火星の超人たちは、アトランティスとレムリアに生まれたホモ・サピエンスに遺伝子操作を加えて〝新人類〟を創造。この新人類が地球人と交配を繰り返しながら、高度な文明を築いていた。だが、遅れて降下してきた金星の蛇人が邪悪な思惑で人類を堕落させようと、レムリアに拠点を築いたことが発端となり、戦争が勃発。火星人が月の前線基地からレムリアを攻撃したことで地球の地形が変わり、金星人が応戦したことで月は死の星となった。超人と蛇人の双方が禁断の超兵器を使用したからだ。

　いうまでもなく、超兵器とは神話や伝承にも記述がある核兵器である。そして、この災禍から逃れた者たちが築き上げたのが、アガルタの始まりだと博士は主張する。

　こう聞くと荒唐無稽な説に思えるかもしれないが、数多の伝承で地底の王国は超文明人によって築かれたものと語られ、その創造主も〝天上人＝異星人〟であるケースが多い。つまり、古代戦争が神話的に継承され、それが今日の伝説や神話のもとになったと考えれば決して突飛ではないのだ。

　シャンバラはラサのポタラ宮殿に通じており、地底の主の託宣はダライ・ラマに伝えられているという。これらの伝説が現実であれば、真実の告白はいずれチベットからなされるかもしれない。

◀チベット仏教の『時輪タントラ』で説かれる、仏教王国としてのシャンバラの図。
▼チベット仏教のポタラ宮殿。この巨大な宮殿の地下に、シャンバラへの入り口があるという。

認定
AUTHORIZATION

No. 000072

シャンバラとディクホフ

▲ロバート・アーネスト・ディクホフ。出身地不明、抱いているのは息子。

認定 AUTHENTICATION

中国内陸部、サンポ渓谷の地下に位置し、高度な文明を誇るという地下王国アガルタ。その存在は、チベットのラマ教徒の間で、まぎれもない事実として信じられている。多くの都市があり、総人口は億を超えるというアガルタの首都がシャンバラだ。シャンバラには、華麗なラマ教の僧院が立ち並び、「世界の王」と呼ばれる最高君主マニ・リンポーチェが君臨している。

ラマ僧の紅帽派に属するロバート・E・ディクホフ博士は、ダライ・ラマから直接アメリカに派遣され、1947年にニューヨーク市にて、「米国仏教同胞教会」を創設し、宗教活動を始める。1951年には著書で地下王国アガルタの全貌を明らかにした。

ディクホフ博士によれば、アガルタへと通じるトンネルは、デルタ形をしており、トルキスタン地方の天山山系とアフガニスタン、そしてブラジルのマット・グロッソ高原にある。実はニューヨークのセントラルパークの地下や、地球上の主要なピラミッドの下にトンネルが走っており、それらはすべて海を超えてシャンバラに通じているのだという。

これらのトンネル網は、約200万年前、地球に飛来した〝火星超人〟たちが、彼らの宇宙船の燃料や戦いの武器を作るための鉱物資源を採掘するため建設したもの。この戦いの相手は、〝金星蛇人〟である。

両者間の地球占領争いは核戦争に発展し、月面は核で死滅。地表にあったレムリアとアトランティスの両大陸は地殻変動を起こして陥没した。アトランティスの指導者たちは地底内部の「虹の都」に住人たちとともに逃げ、一大王国アガルタを築き上げたのだという。

ディクホフ博士は、日本について、水中に没したレムリア大陸の高峰が太平洋上に姿を残している部分だと指摘する。レムリア文明の生存者が集まって生きながらえた、レムリア遺跡ともいうべき日本の古神社には、その遺物と記録が秘蔵されていると述べている。

No.000073

ニコライ・レーリヒ

ニコライ・レーリヒは、ロシア、サンクトペテルブルクの裕福な公証人の家に生まれた。物心がついたときからモンゴルやチベットの伝説に語り継がれ、中央アジアのどこかにある〝幻の聖地シャンバラ〟の探求に焦がれていた。

1925年、レーリヒは妻エレナと長男ユーリを連れてシャンバラを探し求めて旅に出る。

その探索中に彼が描いた絵画「チンタマニ」は、ヒマラヤの深い谷を行くキャラバンの中に、色鮮やかな小箱をのせた1頭の子馬があり、運搬人が監視の目を光らせている、というものだ。レーリヒは、小箱には「石」が収められていると補足している。その石こそ「オオイヌ座のシリウスからもたらされたシャンバラのチンタマニ」だという。

シャンバラは、王を長とする〝ハラーキー〟なる導師のグループが支配し、彼らなくしてシャンバラに入ることは叶わない。

つまり、チンタマニを知るレーリヒとエレナは、シャンバラに入ったか、ハラーキーと接触したことが考えられるのだ。

1928年、インドに戻ったレーリヒ一家は、ヒマラヤのクルー渓谷に居住し、「ウルスワティ研究所」を設立。その後、ヨーロッパやアメリカ、日本を歴訪して、すべての文化財を戦火から守ろうという「レーリヒ条約」を発表するなど、平和運動に多大な貢献をする。

1947年、74歳の生涯を閉じるまで、レーリヒはシャンバラの叡智を人類に伝えるべく思索、著述、絵画制作に没頭した。絵画のモチーフにはシャンバラを扱ったものが多く、「シャンバラにもっとも近づいた人物」といわれる。

◀レーリヒが描いた絵画「チンタマニ」。シャンバラの秘密が隠されている。

▼ニコライ・レーリヒ（手前右の座ったラクダに乗っている人物）。本名はニコライ・コンスタンチノヴィチ・リョーリフ。ロシア出身。

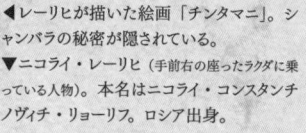

No.000074

ムスタン洞窟

中央ネパールの奥地に、伝説の地底王国シャンバラに通じると噂される古代都市がある。発見された場所は、2008年までネパール唯一の自治王国であったムスタン王国。長い間、外国人の入域がいっさい禁じられており、近年でも年間1000人しか入域が許されない〝禁断の国〟である。

この国のかつての首都ローマンタンで数千年前に築かれたと思われるのがムスタン洞窟だ。断崖絶壁にあるその洞窟は住居と石窟寺院で構成された一種の都市であり、その数は1万にも達するという。

実は、ムスタンに調査の手が入ったのはごく最近のこと。それゆえ、その全貌はほとんどわかっていない。これまで発見されたのは55図におよぶ仏伝大マンダラ、30巻分の古経典、マスク、動物の頭骨、そして大量の人骨である。

仏伝大マンダラは14〜15世紀に描かれたと推測され、現在の経典には説かれていない土着の神や謎の場面も数多く描かれているという。何を示すのかまではわからなかったが、続けて発見された古経典にヒントがあった。経典の中に、仏教とは異なる独自の思想をもつ原始ボン教の経典が大量に含まれていたのだ。

アニミズム秘教の性格が強いボン教の教説が書かれていたことから、ムスタンの人々は、新しいボン教の変化を避け、古代からの信仰を守りつづけるために、断崖絶壁に都市を築き、隠れた可能性が高い。

一方で、イギリス人作家のジェームズ・ヒルトンは、チベット密教の秘儀を納めた〝隠れ谷〟があるという伝承を基に、シャンバラが登場する『失われた地平線』を記した。原始ボン教を信仰した集団は、この洞窟から地底王国へと旅立ったのかもしれない。

▼絶壁に無数の洞窟が口を開ける。地理的にも政治的にも接近が困難な秘境に、ムスタン洞窟はある。

No.000075

ナチスと楽園トゥーレ

アドルフ・ヒトラーが異様なまでに執心した伝説がある。神秘主義に心酔していた彼は、膨大な古文書や伝承を研究し、地球内部に超科学文明が存在すると確信し、南極やチベットに調査団を幾度となく派遣していたのだ。

彼のオカルティズムに思想的助言をなしたのが、秘密結社「トゥーレ協会」だ。組織名にあるように、極北の楽園トゥーレの存在を信じる神秘主義者によって結成された。彼らは、太古に存在した超文明人の子孫がゲルマン民族であると信じ、北方出自による霊的共同体の創造を究極の目標に掲げていた。この思想はのちにヒトラーが標榜する第三帝国の原点となるとともに、ナチス・ドイツを南極探査に駆り立てる原動力になった。

このトゥーレ協会と発展的融合を果たす「ヴリル協会」の創設者カール・ハウスホーファーもまた、ヒトラーの助言者であった。彼は、未知のエネルギー「ヴリル」を操る超人が棲む地底の王国「アガルタ」がゲルマン民族の故郷であり、子孫である自分たちがヴリルの力で世界の支配者になるべきだと考えていた。この思想に傾注したヒトラーは、地底王国へ至る手がかりを求め、チベットを中心にアジアへの調査団も繰り返し派遣することになる。

トゥーレとアガルタ——彼らの超科学を獲得し、それによってヒトラーは第三帝国を実現しようとした。史実を見れば、それが失敗に終わったことは明らかだ。

しかし、筆者には腑に落ちない点がある。

1938年から毎年のように調査団を派遣していながら、ヒトラーが南極をナチス領としなかったことだ。もしかしたら、彼は南極の先住民と遭遇し、協力する道を選択していたのではないか。それゆえに、ヒトラーであっても、南極を領土とは主張できなかったのではないか？

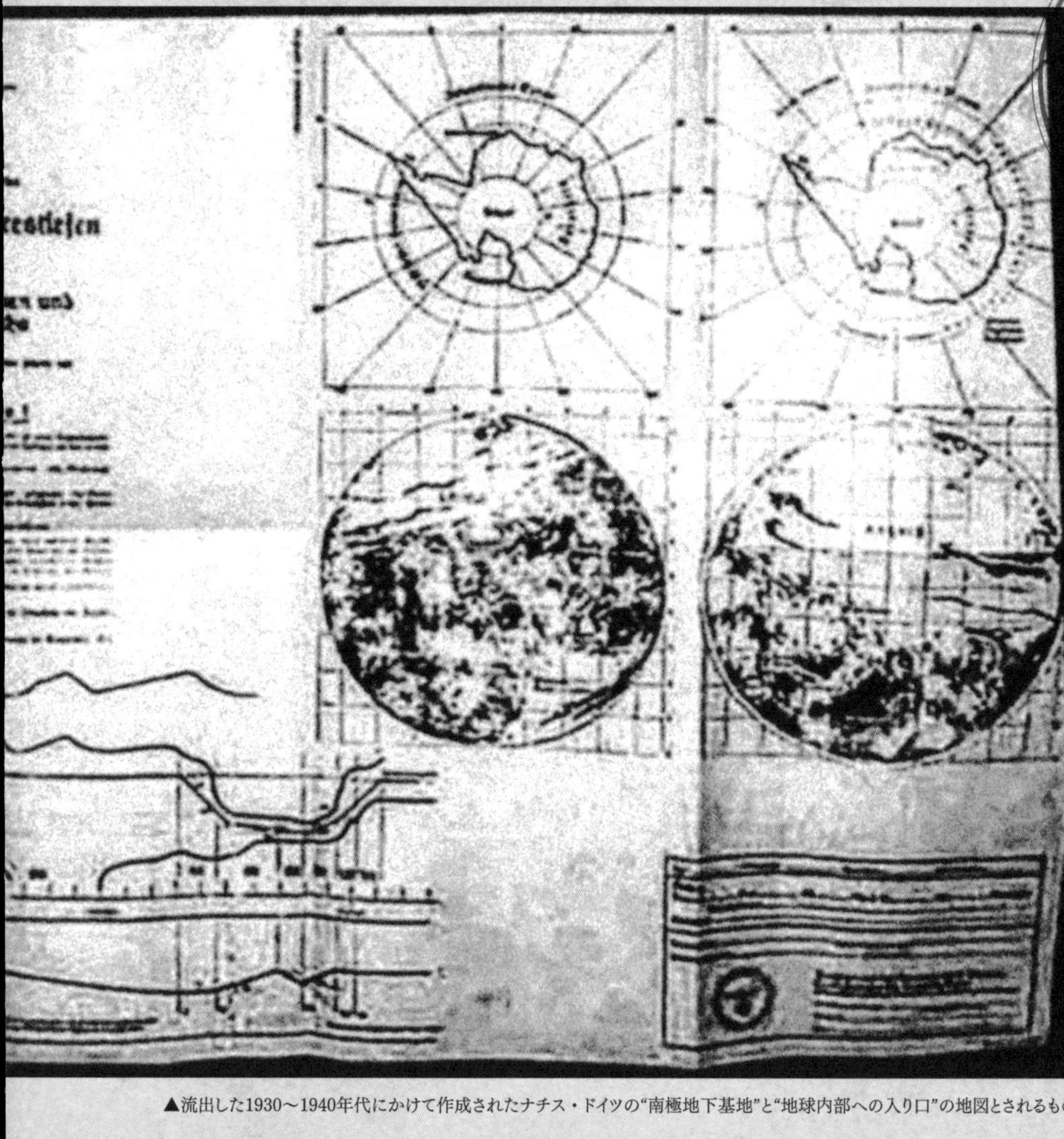

▲流出した1930～1940年代にかけて作成されたナチス・ドイツの“南極地下基地”と“地球内部への入り口”の地図とされるもの。

ヒトラーは南極大陸の地下に"虹の都《レインボーシティ》"を発見した、あるいはヴリルの力を獲得し、UFOの建造に成功したという仮説もある。そして、無気味な噂を裏づけるように、南極では謎めいた遺物の発見が現在も続いている。もしかしたらヒトラーの願いが現実になる日は、遠くないのかもしれない。

▲ヒトラーの命を受け、南極探査を行っていたナチス・ドイツの兵隊たち。
◀「グーグル・アース」で発見された、南極の地下への入り口。ここから地球内部空間の世界が広がっているのだろうか？

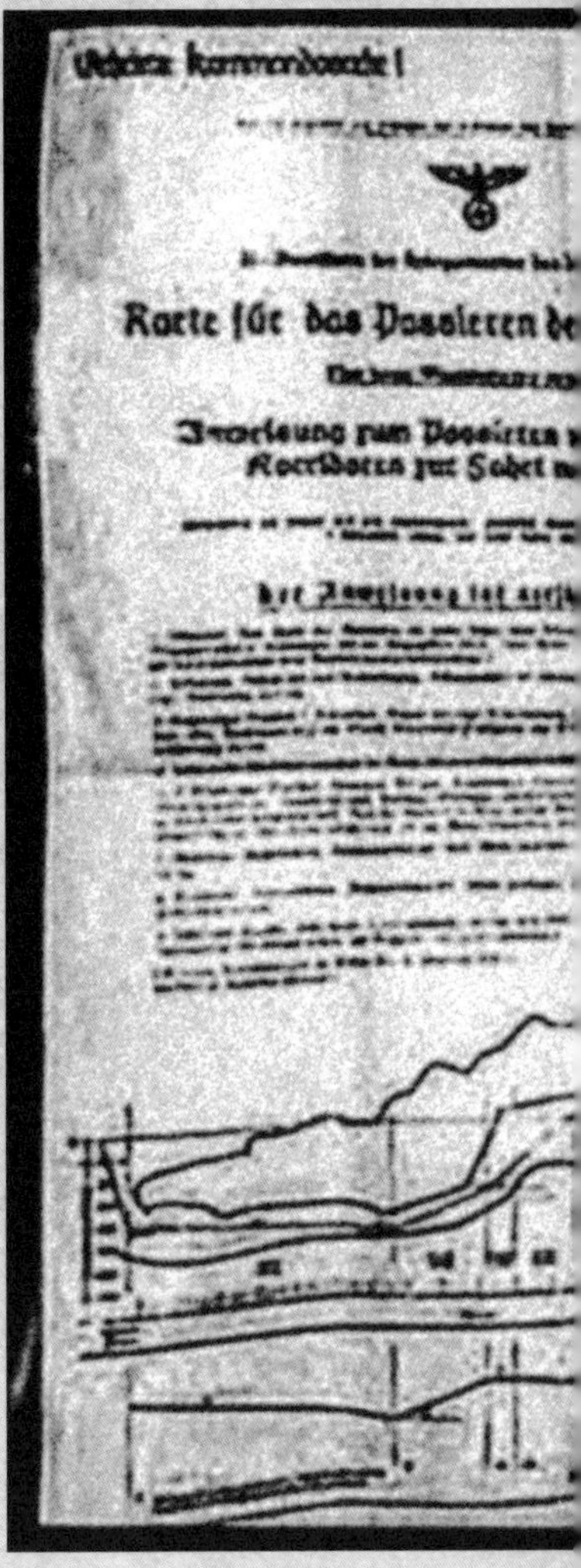

▼オラウス・マグヌスの16世紀北欧地図。トゥーレも記載されている。

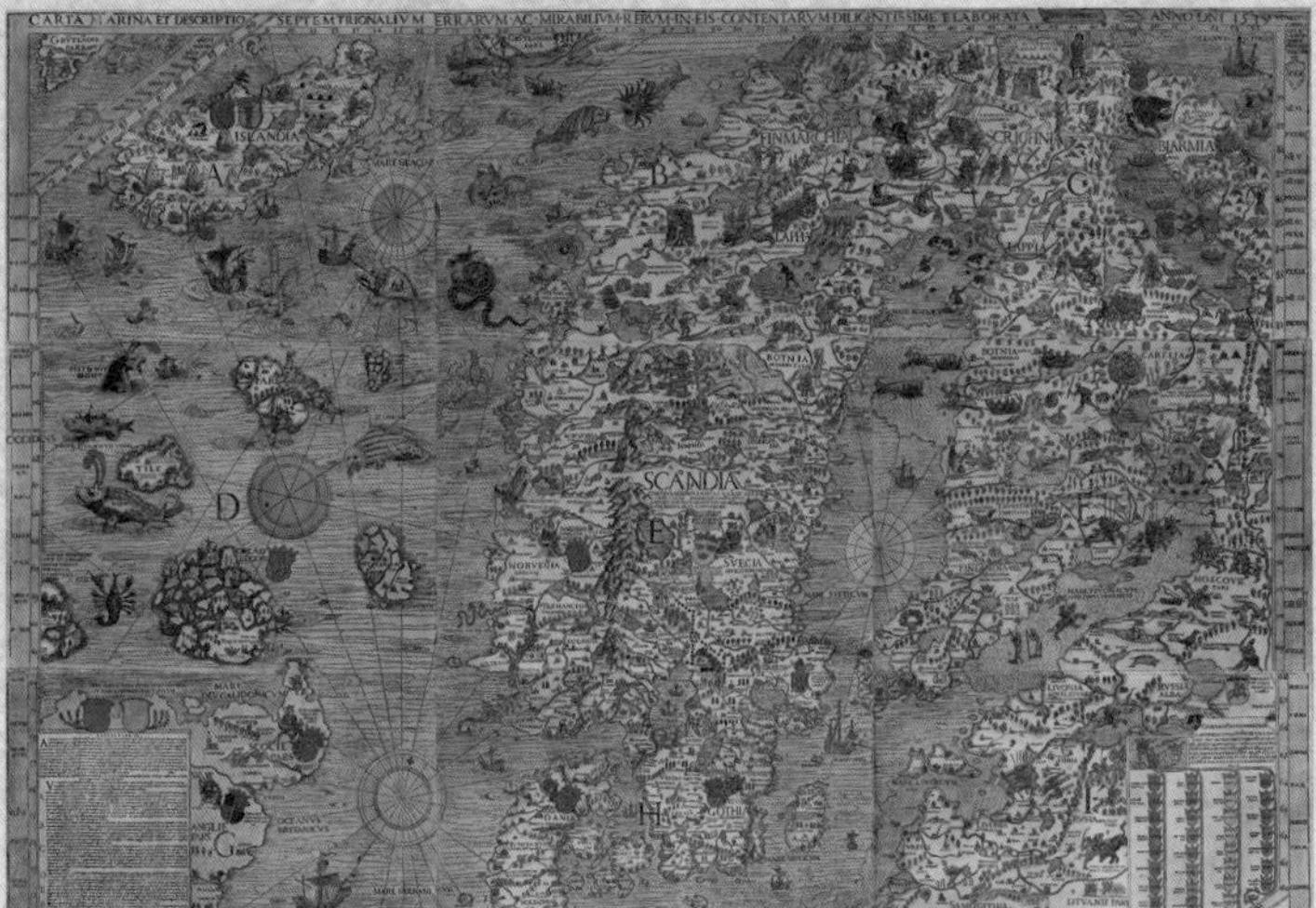

No. 000076

地底の太陽〝スモーキー・ゴッド〟

認定
AUTHORIZATION

北極圏に近いノルウェー周辺では、極北の彼方に楽園があると古くから語り伝えられてきた。草花が咲き乱れ、美しい鳥獣が暮らすというその伝説の地を、実際に訪れた人物もいる。スウェーデン人漁師のエンス・ヤンセンと息子のオラフだ。

1829年4月、ふたりは楽園を目指して出航し、ひたすら北を目指した。だが北極圏に到達したところで、船は激しい嵐に襲われてしまう。なんとか穏やかな洋上へとたどり着いた親子が目にしたのは、海水に囲まれた〝水のトンネル〟だった。呆然としながらそれを抜けると、彼方に水平線が見える。

上空には太陽が輝いていた。それは彼らが知る太陽よりも小さいがバラのように赤く、煙に包まれたように鈍い光を放ちながら、その場から動かない。違和感を抱きながらも陸地を捜す親子の前に、巨大な船が現れた。その船に乗っていたのが4メートルの巨人だったことで、親子はまたしても驚かされる。だが、幸いにも巨人は友好的で、彼らの国へと招き入れられた。

地底に広がる巨人の国には、謎めいた動力で動く機械による高度な文明が築かれていた。黄金で彩られた建物、家畜や草木——どれもが巨大である。そこで暮らす巨人たちは、地中で輝く煙った太陽を崇拝し、〝煙の神《スモーキー・ゴッド》〟と呼んでいた。この地底都市で2年間過ごしたのち、ヤンセン親子は帰国を決意。教えられたルートをたどって南下すると、南極の海に出た。

直後、ふたりを乗せた船が氷山に激突、土産に渡された巨大な金塊と地底の地図とともにエンスは氷海に消えた。生き残ったオラフは奇跡的に救助された。

なぜオラフだけが極寒の氷山の上で無事だったのかを説明できた者もいない。しかし、ノルウェーの漁師たちの間には、煙った太陽を見た、巨人と遭遇したという伝話や手記がいくつも残されている。

▶アメリカのリモートセンシング専門の企業からリークされた、内部で太陽が輝いている南極の穴の画像。

▼巨人たちと対面する、スウェーデン人漁師のエンス・ヤンセンと息子のオラフ。

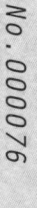

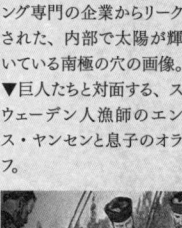

No.000077

ハイジャンプ作戦

▲リチャード・バード。アメリカ、バージニア州出身。

▲南極観測プロジェクト「ハイジャンプ作戦」。バード少将は指揮官、そしてパイロットとして参加した。

1926年に飛行機による初の北極点到達を達成し、1929年には南極点までの往復飛行に成功。南北両極への飛行成功により、アメリカ海軍少将で探検家でもあるバード少将は、国民的英雄となった。

さらにバード少将は1946年から開始された南極観測プロジェクト「ハイジャンプ作戦」の指揮をとるが、その飛行中に彼は、以下のような不思議な体験をする。

南極点を通過後、天候が急変し視界が霧でさえぎられ、機体がグングン降下。SOSを発信しようとしたとき、霧が晴れた。見ると、眼下に緑のジャングルが広がり、機体の左右には山脈があり、山の一角にマンモスがいたという。同乗の通信士もこの驚くべき光景を目のあたりにし、その状況を基地に報告したが、燃料切れで、基地へ引き返した。

さらに1956年1月、バード少将が南極のマクマード基地から飛び立ち、極点を越えて高度3700キロを飛行中のことだ。またしても眼下に青々と茂った森林地帯や高くそびえる山並みや、マンモスの姿を目撃したという。帰還したバードは、「今回も新しい領域を開拓した!」という声明を残した。

これら未知の陸地は、いったい何だったのか? 厳寒の極点付近に位置するのに、氷に覆われることもない広大で緑豊かな大地は、もちろん地図には記載されていない。

考えられる結論はひとつ。「地球空洞説」だ。

バード少将は極点付近にある入り口から地球内部に迷い込んだに違いない。その証拠に、バード少将が迷い込んだ際の飛行機の軌跡を示す地球空洞図や、彼が迷い込んだ〝穴〟とされる写真が最近になって発見された。気候変動の影響でか、露わになった岩肌の一角に全高30メートル、全幅90メートルもの大穴が開いているのだ。

1957年、バード少将は、「あの天空の魔法の大陸、永遠の神秘の国よ」との言葉を残して、息を引き取っている。それは、かつて見た地球内部世界を指していたのだろうか。

No.000078

超古代アダムの橋

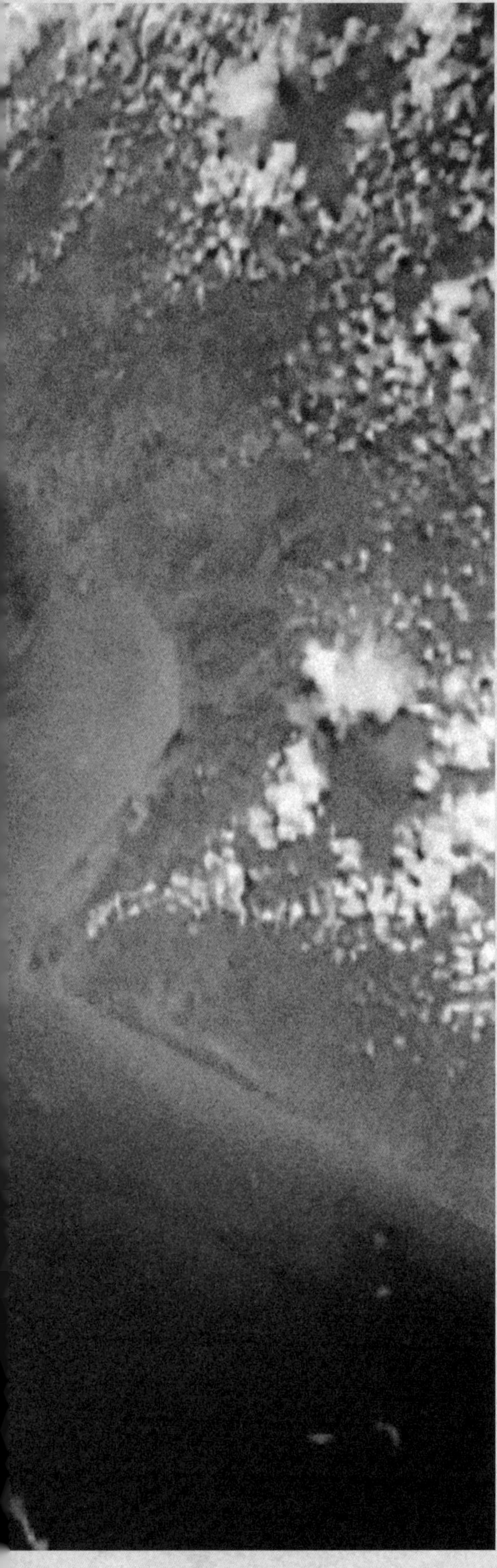

古代インドの神話がまぎれもない真実だった、という証拠が発見された。NASAのスペースシャトル「STS059」が宇宙から撮影した一枚の写真が、それを見事に証明した。

宇宙空間から撮影したその写真には、ちょうどインドとスリランカを結ぶ巨大な「橋」が写り込んでいたのである。

「アダムの橋」と名づけられたこの橋は、マドラス工科大学の研究グループによれば、砂州の連なりで構成され、長さ約48キロ。独特のカーブを描いており、まさに人工陸橋の様相を呈しているという。

さらに研究グループを驚かせたことがある。興味深いことに、この「橋」は、古代インドの叙事詩『ラーマーヤナ』で語られている神話上の「橋」とそっくりだったのである。

神話では、ラーマ王子が奪われたシータ妃を救いにランカ島（スリランカ）へ渡るため、巨大な橋を建設しようとする。そこで、神々の宮殿や乗り物、装飾品を製作してきた天界の工匠神ヴィシュバカルマンの息子が橋の建設を始め、大勢のサルたちが石や木を集めて5日で長大な橋を完成させたという。

ちなみに『ラーマーヤナ』は、紀元前5世紀に原型ができあがり、紀元前2世紀にはほぼ完成したといわれている。そして件の橋の建設だが、それはなんと今から175万年前の出来事だとされている。

だが、写真に写った「橋」の位置は、まさにこの神話とぴったりなのだ。そして、この「橋」が実際に超古代に建設された橋だとすれば、この叙事詩が事実に基づいて書かれていたことになる。

もちろん、大海の水を堰き止め、わずか5日で長さ30キロもの橋を建設する技術など、現代に生きるわれわれですら想像さえできない。もし、それが事実なら、古代インドにおいて、いかなるテクノロジーが用いられていたというのだろうか？

重力を自在に制御する〝失われた科学〟が存在した、と飛躍した解釈でもしない限り、この「アダムの橋」の存在は説明がつかない。

認定
AUTHORIZATION

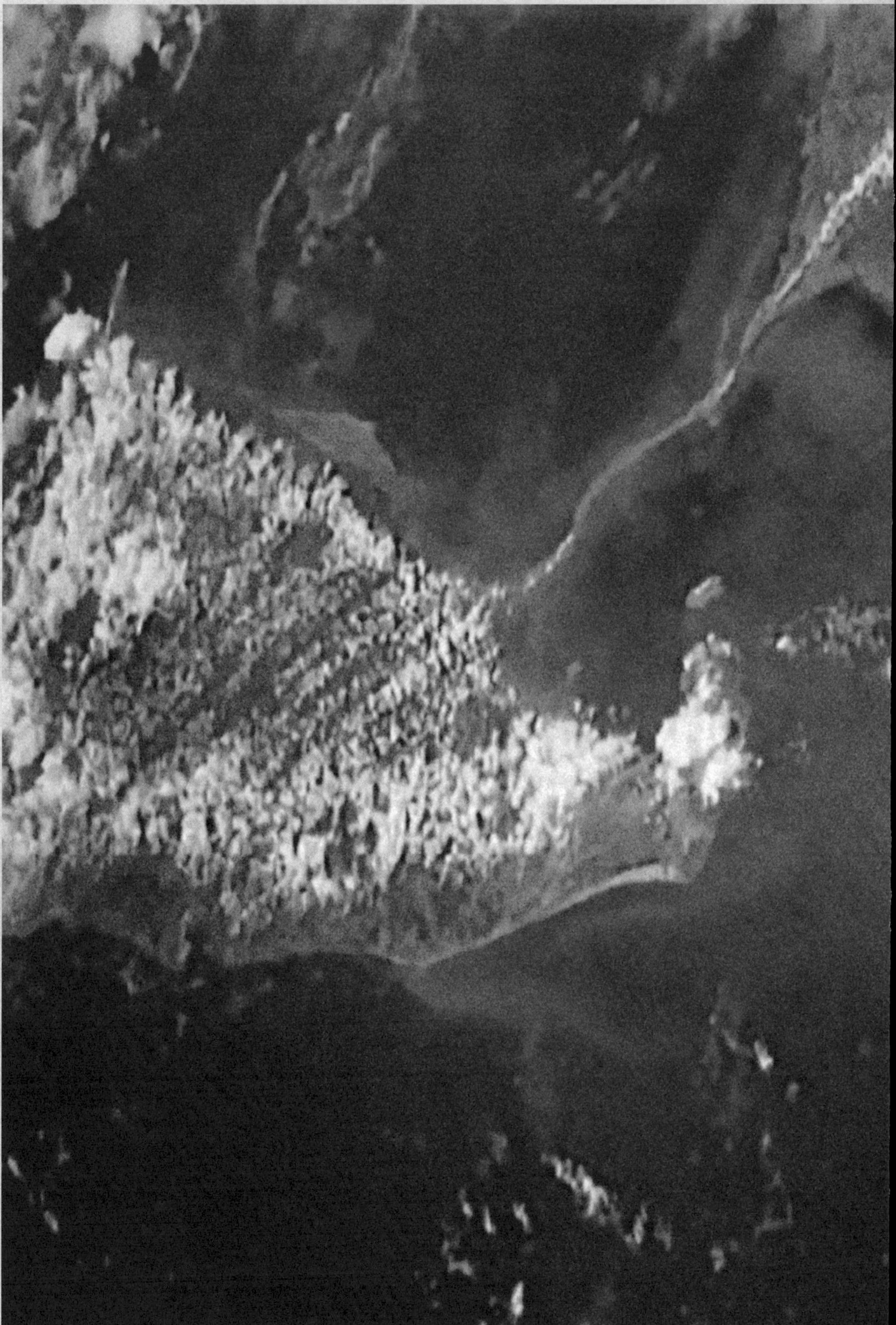

▲スペースシャトルが宇宙から捉えた画像には、古代インド神話が事実だったことを示す、アダムの橋が写っていた。全長48キロにもおよぶ長大な構造物だ。

No.000079

ビミニ・ロード

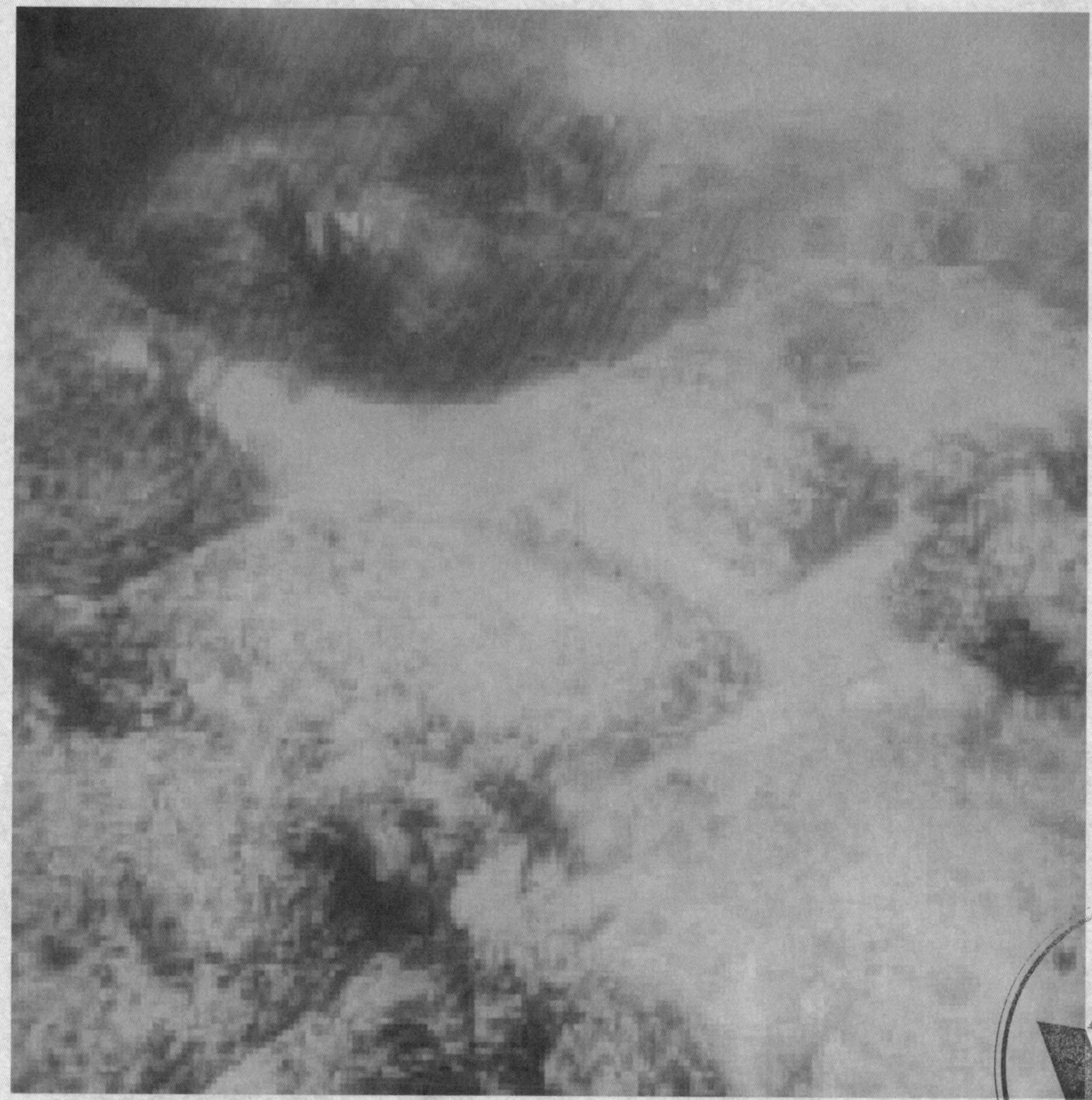

▲エドガー・ケイシーが予言したことでも知られるビミニ・ロード。長方形の石が、長さ600メートルにもわたって道路のように並ぶ。

アメリカ、フロリダ半島沖に沈む驚異の海底遺跡がある。

発見されたのは1968年9月、ダイビング中のダイバーによってだった。場所はバハマ諸島ビミニ島から1キロほどの浅瀬。そこに人工的な石組みが沈んでいた。その後、マイアミ科学博物館の考古学者で、深海潜水士のマンソン・バレンタイン博士らが探査で潜ると、長さ約600メートルにもおよぶ壮大な石畳が発見された。

それは長方形になった大小の切り石が直線に並べられた、まさに道路だった。そのため、地名から「ビミニ・ロード」と名づけられている。切り石は最大のもので4・5メートル四方もあり、かなり巨大。それが石灰岩の基盤の上に直線を形成して整然と並べられているのだ。その長方形の石だが、直線を形成するだけでなく、大小の切り石が敷き詰められた先端が見事なJ字形にカーブを描いていることも明らかになった。

現状では、この遺跡の正体についてはまるでわかっていない。考古学者のデビッド・ジク博士は、1975年と77年に確認調査を行い、海底に沈んだ宗教儀式か天文観測の遺跡ではないか、と推論している。

これらの石だが、年代測定をした結果、1万5000年前には地表に露出していたことがわかっている。となると、どうしても、その当時存在していたとされる高度な文明アトランティスの存在を視野に入れざるを得ない。

だが、当時は突飛な考え方でもなかった。なぜなら「眠れる予言者」として著名な故エドガー・ケイシーが「神殿の一部が、古くからある海底の軟泥の下から発見されるだろう……フロリダ沿岸沖のビミニという場所の近くで……」と、この発見を正確に予言していたからである。

バハマ諸島の海域は、氷河期が終わって海面が上昇して以降は隆起したことがない。もちろん、これが謎のアトランティスの遺跡かどうかは不明だが、ここに一大文明圏が存在したことは確かではないだろうか。

台湾の海底巨壁

　2008年5月、台湾近海で海底神殿遺跡らしきものが発見された。発見者は台湾国立中央研究院の鄭明修《チョンミンシュウ》博士。場所は台湾西海岸から約40キロ離れた澎《ほう》湖《こ》諸島の最北端にあたる海域の海底である。魚類分布調査のため、博士が水深15～16メートルの海底に潜った際に、太さ1・5～2メートルほどの黒くて大きな石柱がびっしりと、それも幾何学的に並んでいるのを発見したのだ。まるでそれは古代の城壁のような構造物に見え、度胆を抜かれたという。

　近寄ると石柱は不揃いで、その側面は階段状になっていた。最長の石柱は13メートルほどの高さがあった。博士は石柱群を俯瞰できる位置まで移動すると、その断面はまるで、六角形で蜂の巣を見ているようだった。この謎めいた構造物群の上部の総面積は数万平方メートル以上だった、という。

　全体規模の水中調査は実施されていないが、博士はこの石柱群を「約1800万年前、火山活動で生まれた澎湖諸島で噴出した玄武岩マグマが冷えて収縮し、そのとき〝柱状節理〟現象が起きている。陸上部に似た地形があるので、海底のこれも同じではないか」と考えている。だが一方で、石柱の一部を人間が加工した痕跡もあると指摘されている。

　同遺跡に注目するジャーナリストの有賀訓氏は、「火山マグマの海中噴出では柱状節理は生じないので、かつて陸上にあったと考えられる」と主張する。澎湖諸島には海に沈んだ古代都城があり、1982年に同諸島南端の虎井島付近の海底でその遺構が見つかっているからだ。そして、現在の水深は、この虎井沈城とほぼ一致する。

「古代人はこの柱状節理の岩山を荘厳な神の創造物として信仰し、人が昇降しやすいように、側面の石柱の一部を階段状に加工したのではないか……」という有賀氏の説は、一定以上の説得力がある。海底神殿を建造した文明についても調査が必要だろう。

ム認定 AUTHORIZATION

▼▶虎井島の岸壁から、城壁のように並んだ構造物と、ブロック状の石が発見された。

No.000081

カンベイ湾沖海底遺跡

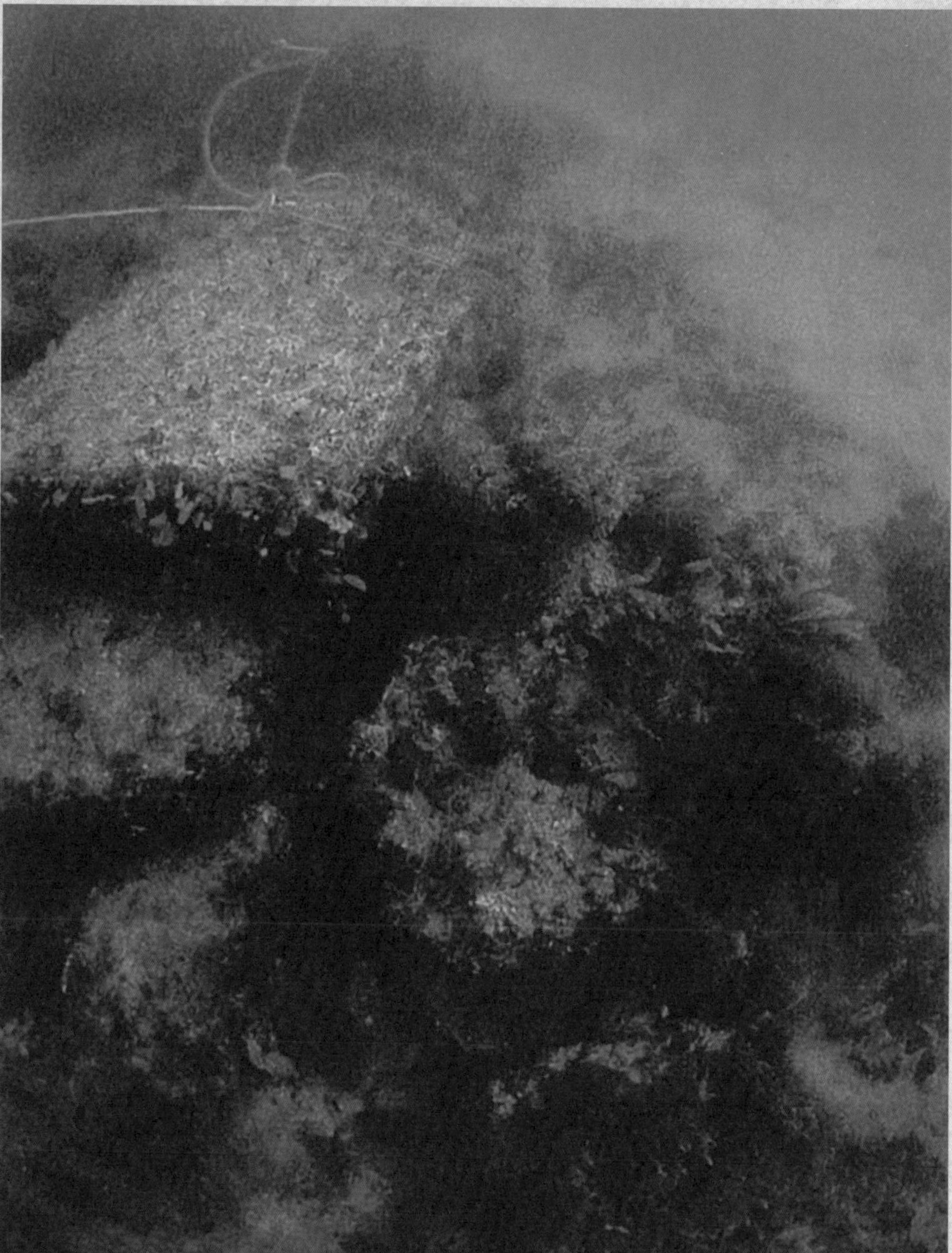

▲プーンプハール沖の海底遺跡。幾何学的な構造からモヘンジョ・ダロ遺跡との共通点が指摘される。

2002年1月、インドの科学技術庁は、「インド西部グジャラート州カンベイ湾スラト沖の水深40メートル地点に、約9500年前のものと見られる海底遺跡が存在する」と発表した。

インド国立海洋技術研究所(NIOT)の地質学コンサルタントのS・バドリナラヤンによれば、彼が最新鋭のサイドスキャン・ソナーを使って、海底地形と海底下の地形を撮ったスキャン写真に、水底深くに幾何学模様の、都市遺跡らしき影が写り込んでいた。そこで水中音波探査装置を使って確認したところ、砂に埋もれた建造物の存在が突き止められたという。

この海底都市遺跡は当時の川跡に沿って、延々9キロにもわたり市街地が続いていた。四角い壁で仕切られた構造が多くあり、まるでモヘンジョ・ダロやハラッパー遺跡と酷似した巨大な都市構造のようだったことがわかったという。

その後、領域の海底からは木片、壺のかけら、骨の化石、ビーズなど数千個を超える遺物が引き揚げられたが、その木片を

▲海底のスキャン画像。判別しにくいが、専門家は柱などの特徴から寺院と思われる建造物の遺跡だという。▶左：海底からは宝飾品のほか、三日月形の道具らしき石器や、像、人骨なども引き揚げられている。右：浅瀬を発掘することで発見された木片。鋭く切りだされた痕がある。

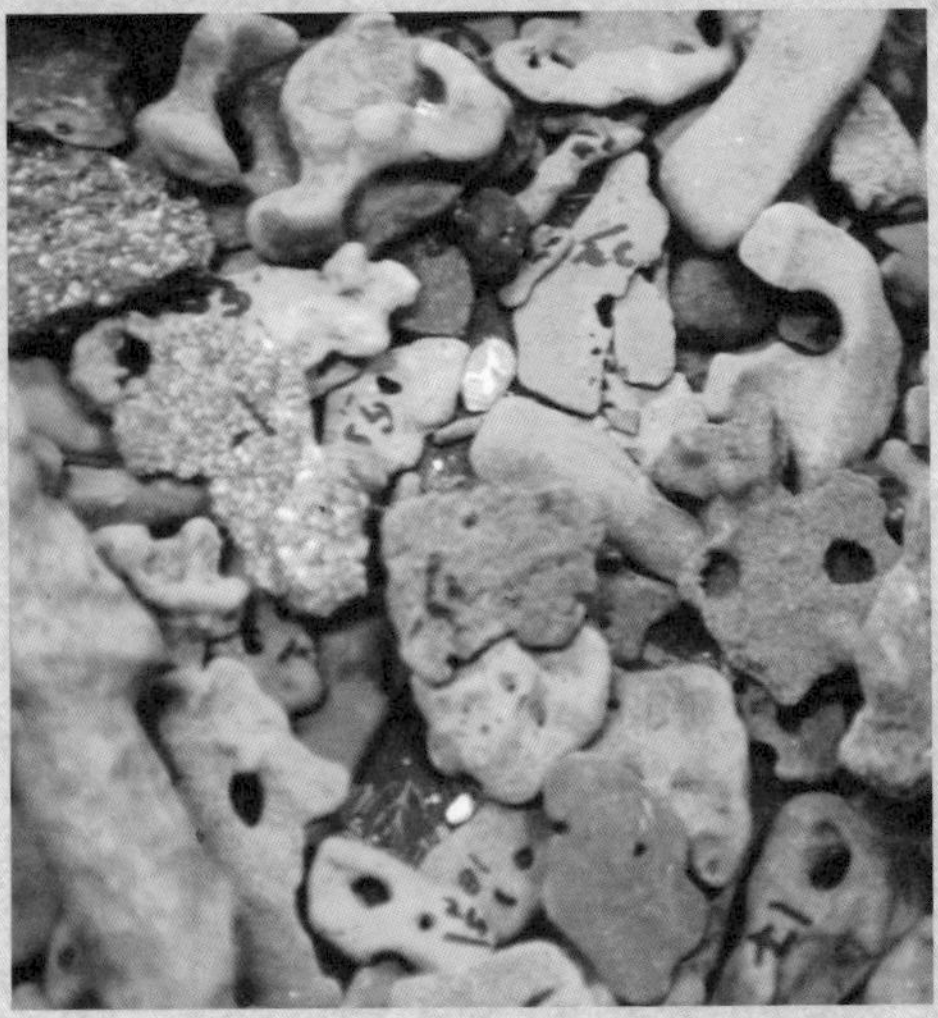

炭素14年代測定法で測定した結果、驚くべきことに「9500年前」という数値がはじきだされたのだ。

これを受けてジョン科学技術相は「モヘンジョ・ダロやハラッパー遺跡に似ている遺跡が発見された。これはシュメール文明を遥かに凌ぐ、世界最古の都市に間違いない」と述べた。

だが、この9500年前という数値は、現代の考古学界の常識では到底受け入れがたいものだった。なぜなら、世界最古の文明とされているシュメール文明ですら、その起源は約5000年前とされている。それよりも遥か4500年以上も前に、世界最大級の都市が築かれていたことになるからだ。

本格的な調査が実施されて遺跡の全貌が明らかになれば、「人類の文明は約5000年前にシュメールで始まった」という定説はもろくも崩れ去るだろう。そのとき、新たな歴史はインド洋から始まる。

No.000082

与那国《よなぐに》海底遺跡

沖縄県の与那国島は、日本最西端の島である。人口約1600人、農水産業が中心だが、台湾と近接していることから古来、貿易が盛んだった。同島は、世界最大級の蛾といわれる「ヨナグニサン」が生息することでも知られている。

島へのアクセスだが、石垣島から飛行機で約30分、フェリーで約4時間の距離である。

その与那国島の新たな観光スポットが脚光を浴びている。それが「海底遺跡」である。

発見されたのは1986年のこと。地元ダイバーの新嵩喜八郎氏が、新たなダイビングポイントを捜していたとき、島の南側の新川鼻という岬の沖合いの海底約20メートルのところで、人工物としか思えない構造物と遭遇したのだ。

それは、東西約50メートル、南北約150メートル、高さ約25～26メートルの岩礁に、人の手が加わったようなテラスや階段、排水路らしき溝などがあり、まさに「神殿遺跡」のようだった。

その後の調査で周辺からは、祭祀遺跡のような巨石を安置したと見られる穴、カメの甲羅をモチーフにしたような亀石、人工的に彫られたように並んだ3つの穴、台座岩の上に六角形の巨石が置かれた太陽石、さらには人面様の「立神岩」なども確認された。

これまで調査が何度となく実施されているが、これらが人工物なのか、自然の産物なのか、アカデミズムでも結論は出ていない。

もし人工物だとすれば、水没したのが動植物の分布や鍾乳石から1万年以上前と見られ、世界最古の古代遺跡となる。

最近では、島の観光にもこの海底遺跡ツアーが組まれていて、グラスボートで海上からこの遺跡を直接見ることができるようになっている。観光的には、「遺跡ポイント」と呼ばれ、今や大人気のダイビング・スポットであると同時に、与那国島の貴重な観光資源である。

◀与那国《よなぐに》海底遺跡の階段状石組み。いまだ人工物なのか自然物なのか、明確な結論は出ていないが、とても自然の力で削られてできたとは思えない。

認定
AUTHORIZATION

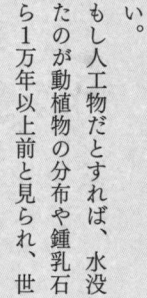

▲与那国海底遺跡の二枚岩と呼ばれる直方体の巨石。人の手が加えられて作られたように見える。

▲まるで人面のモアイ像を彷彿とさせる立神岩。周辺からは、カメの甲羅をモチーフにしたかのような亀石や、六角形の巨石が置かれた太陽石などが発見されている。

No. 000083

カリブ海の海底都市遺跡

２００９年12月9日、アメリカ、ワシントンDCのオンライン新聞「パリス・ヘラルド」紙は、「フランスの海洋考古学者のチームが、カリブ海の海底に未知の有史前文明に属する広大な都市の廃墟を発見した」と発表した。同時にデジタル処理された画像も公開されたが、そこには明らかに幾何学的な基盤構造の上に整然と立ち並ぶ、ピラミッド構造を含む建物群が見てとれる。

プロジェクトのリーダー（匿名）は、人工衛星から送信された画像データから発見したという。ただ、肝心な発見地点の座標を公表していないため、正確な位置は今も不明だ。

彼によれば、この都市遺跡群は約７００メートルの海底にあるそうだ。

欧米の主要メディアは、ついに「アトランティスの失われた都を発見か？」と煽ったが、同チームの学者らは冷静に、ギザにある古代エジプトのピラミッドよりさらに古い、数千年前に栄えた都市文明の遺跡である可能性を示唆。かつてカリブ海で

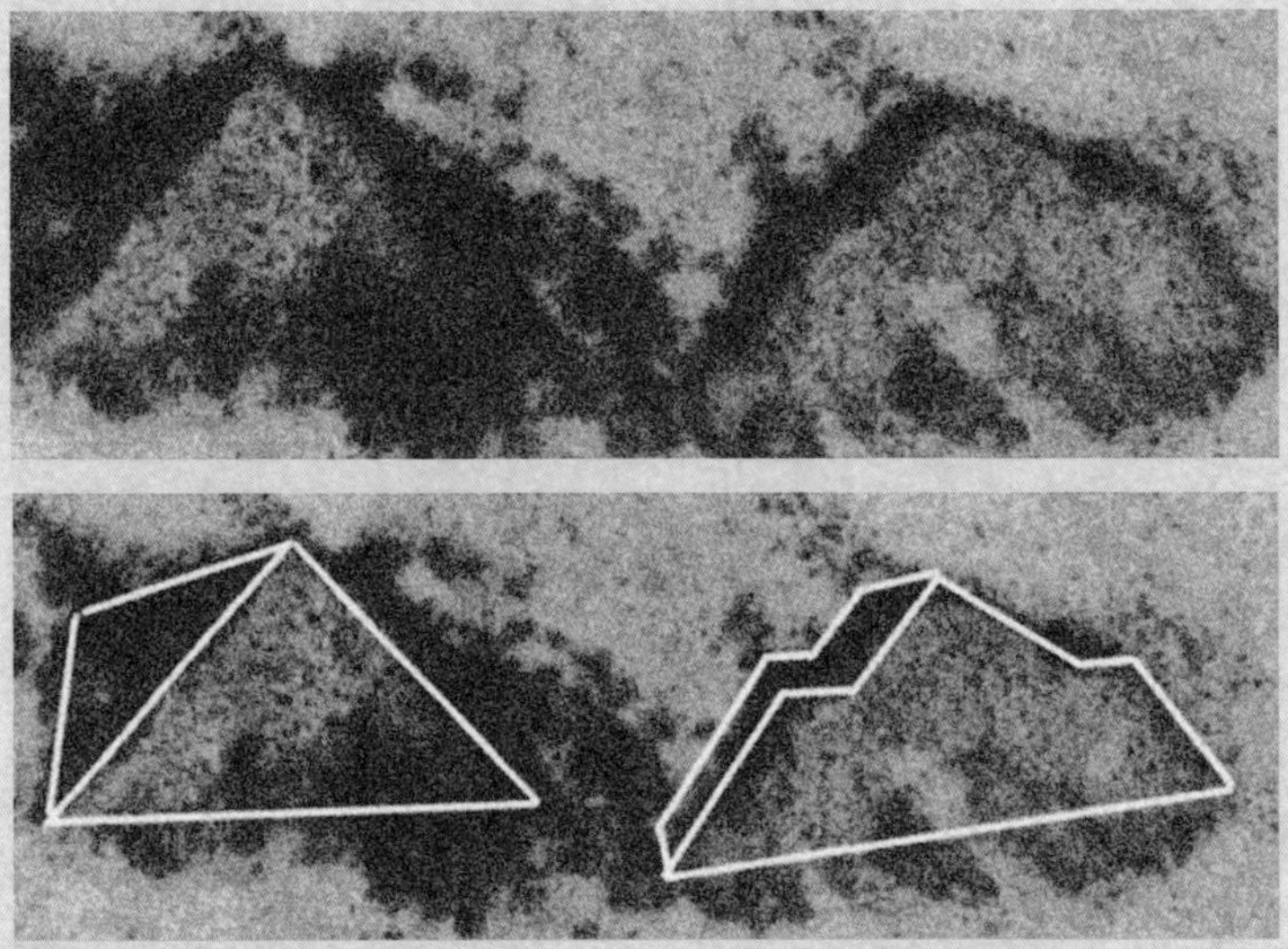

▲カリブ海の浅瀬の海底で見つかった2基のピラミッド。下はその輪郭をわかりやすくトレースしたもの。

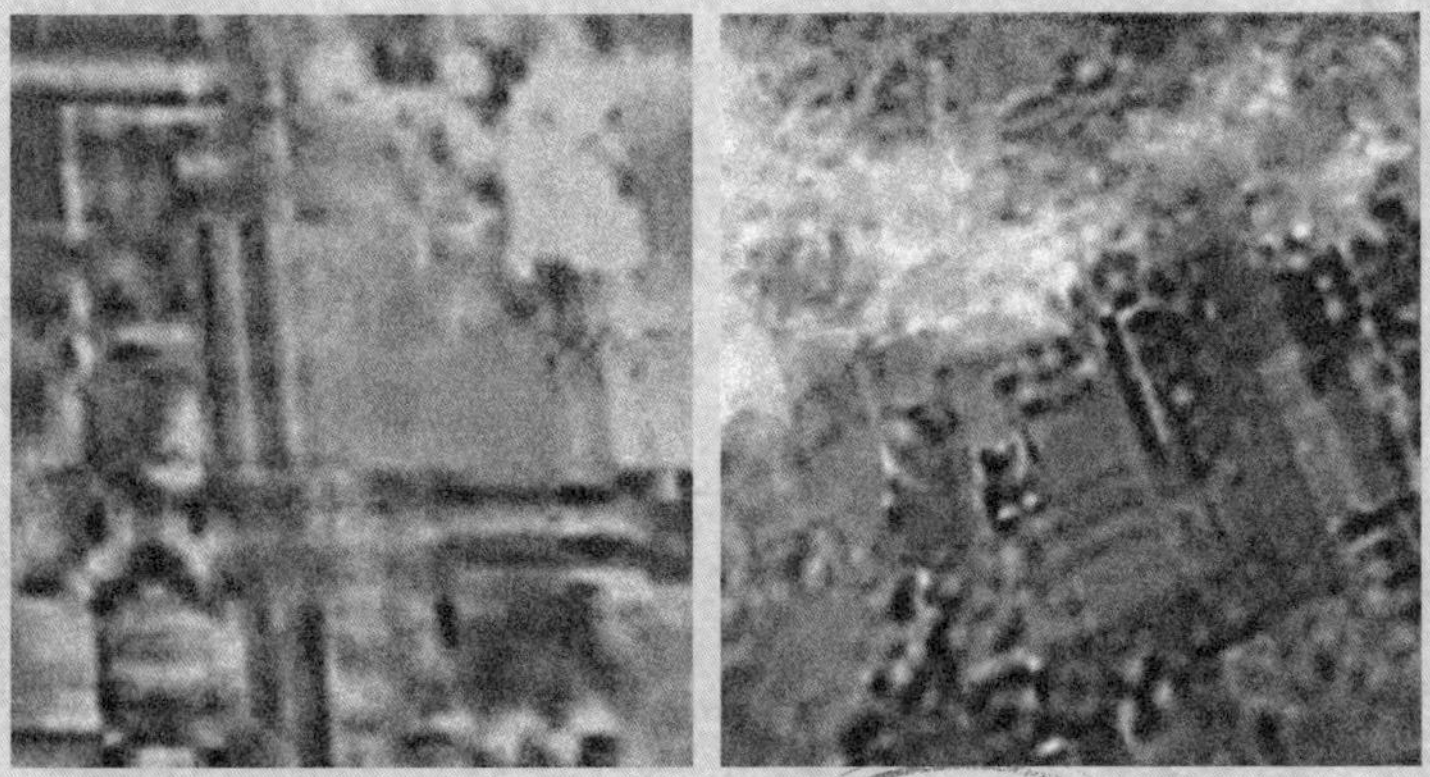

▲いずれも海底都市の拡大図。直線をベースに構成された都市構造が見てとれる。

▶カリブ海の海底に広がる謎の海底都市。整然と整備された都市に見える。

栄えた高度海洋型貿易都市のひとつだったのではないか、と語っている。

その後、同じカリブ海で2017年10月、今度はグーグルアースの画像（座標「24°56'26.50"N 77°19'39.35"W」）から、フロリダ半島南東にあるバハマ諸島のひとつ、ニュープロビデンス島の沖合い6・6キロの浅瀬の海底に並ぶ2基のピラミッド状構造物が発見された。それぞれ基底部の1辺の長さが約100メートル、高さ約60メートルという大きさだ。

上の画像左のピラミッド構造物はエジプトのピラミッド同様に、四角錐状に見え、画像右のピラミッド構造物は途中が段差になっている。これはマヤ文明の遺跡「チチェン・イッツァ」のピラミッドに近い形状を彷彿とさせる。

ちなみに、このピラミッド状構造物が発見された付近の島々は、マヤやアステカ文明の影響を強く受けている。そのことから、このふたつの構造物もまた両文明とリンクするピラミッドだった可能性が高いのでは、と指摘されているのだ。

No.000084

バミューダ海底のクリスタル・ピラミッド

フロリダ、プエルトリコ、バミューダ諸島を結ぶ「バミューダ・トライアングル」では飛行機や船の消失事件が多発し、100年以上前から〝魔の三角地帯〟と恐れられてきた。

その元凶のひとつに未知の古代文明が残したテクノロジーが強力な磁気を発生させているという説がある。

そしてなんと、その装置と目される遺物、ピラミッドが、三角地帯の海底で発見されてしまった。それも1基ではない、複数だ。

最初の発見は1970年のこと。自然療法医レイ・ブラウンがバハマ諸島近海で、ガラス質の結晶で構成された「クリスタル・ピラミッド」を発見。その7年後には、アンドロス島沖を進む漁船のソナーが、マヤの神殿ピラミッドに似た構造物をキャッチ。最近では2012年3月29日に、フロリダ沖の水深2000メートルの海底で、米仏の共同グループが2基のクリスタル・ピラミッドを発見している。地上の大ピラミッドの2倍以上あるそれは、ひび割れもなく、不思議なことに海藻や貝殻の付着もなかったという。

同年10月24日には、キューバの東北東、水深700メートルの海底で、クリスタル・ピラミッドを含む4基のピラミッド、さらにスフィンクス、神殿などの都市遺跡が発見された。これを発見したカナダの海洋学者のふたりは、2000年にも同じキューバ西端の海底でピラミッドや都市遺跡も発見しているという。

〝眠れる予言者〟エドガー・ケイシーによれば、伝説のアトランティスは「大水晶」というエネルギー装置とともに沈んだという。そしてその装置の冠石は地球や太陽、さらに宇宙のエネルギーを集積し、エネルギー場や量子真空状態を創出する一種の発電装置だったそうだ。

ケイシーの〝見た〟とおりに、クリスタル・ピラミッドがアトランティスの大水晶だとすれば、バミューダ海域をめぐる異常や謎は、氷解するのだが……。

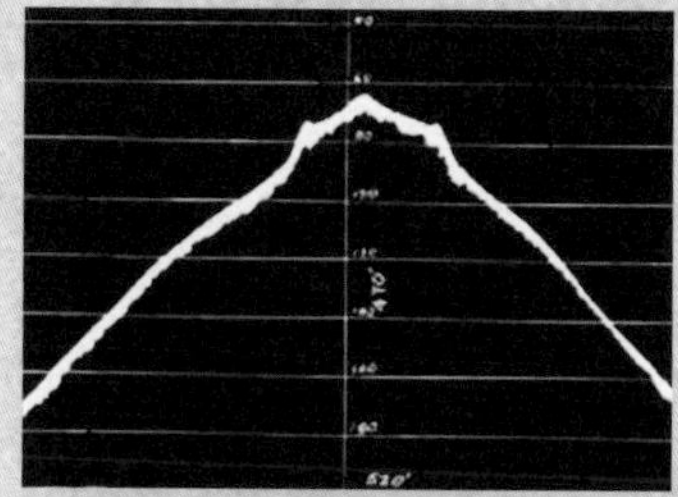

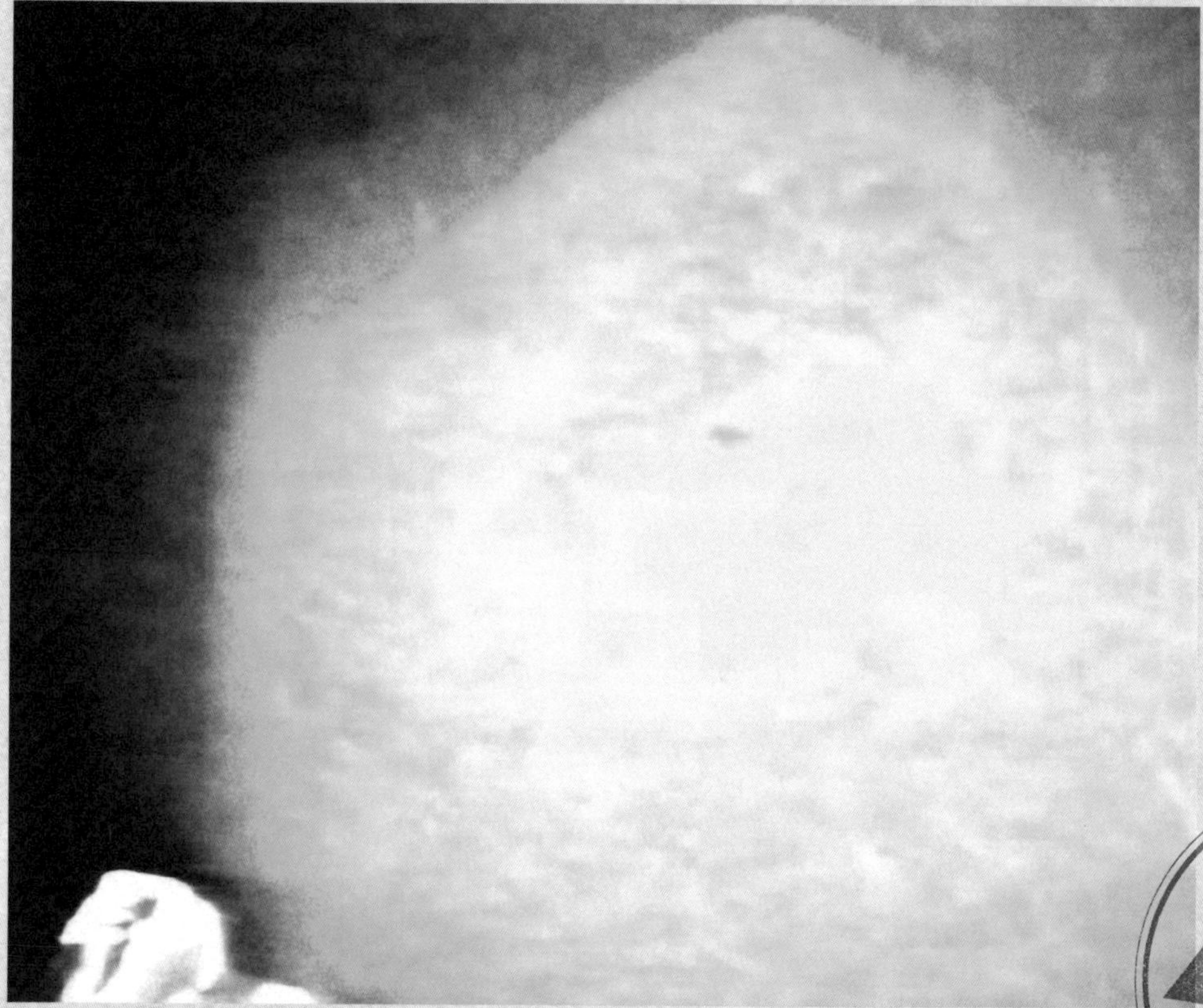

◀▼クリスタル・ピラミッド。水深の深さと巨大さから、全容のはっきりした写真は撮影されていない。

7 聖書遺産

No.000085-000091

No.000085

契約の箱アーク

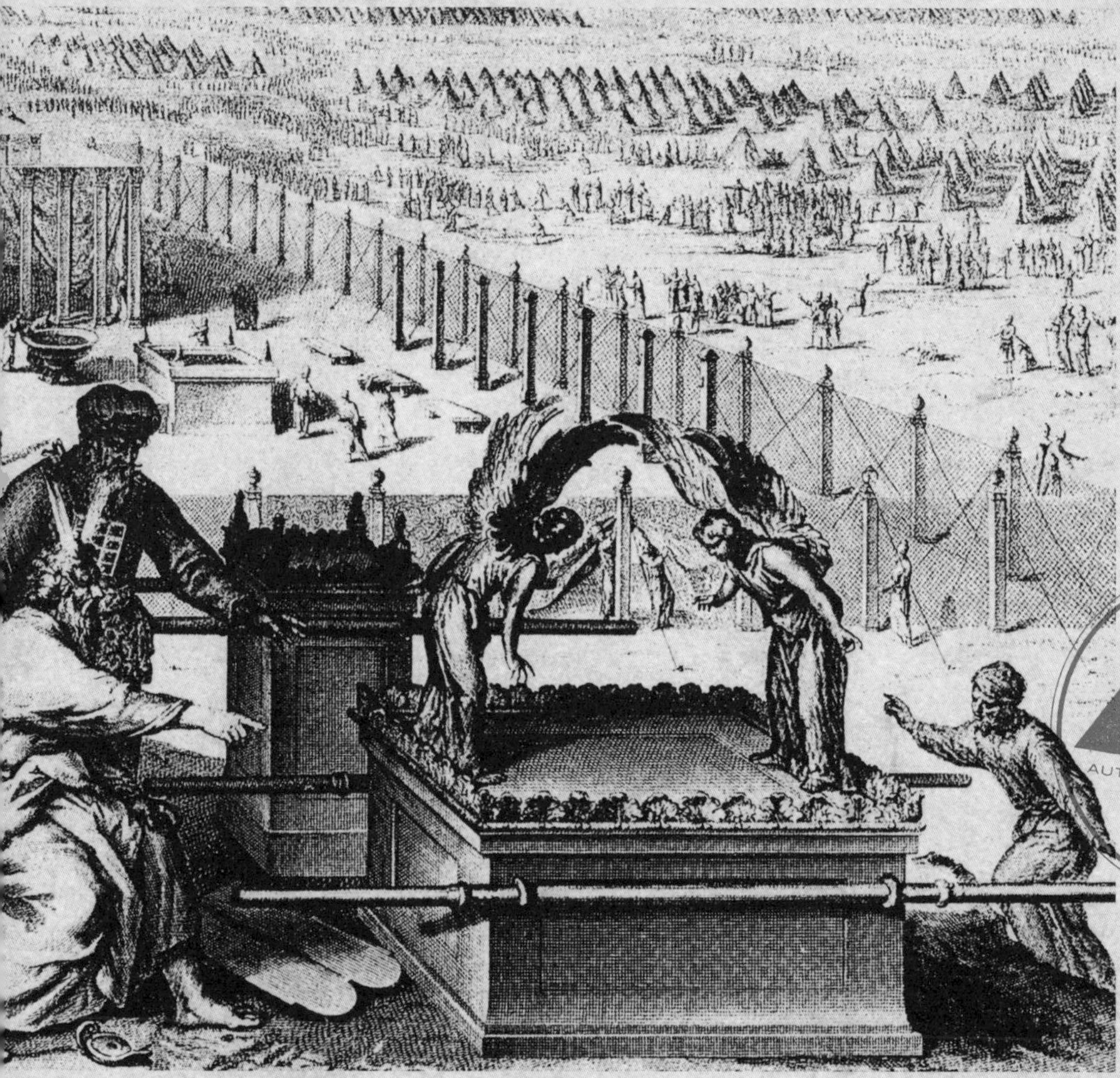
▲唯一神ヤハウェからモーセが授かった、十戒石板や黄金の壺などを収めたアーク。

『旧約聖書』に登場する「契約の箱」といえば、映画『レイダース／失われたアーク《聖櫃》』でおなじみの「アーク」のことである。

アークはアカシア製の箱で、長さ約1・3メートル、幅と深さが約79センチ。内外とも金で覆われていたという。蓋の上には1対のケルビム（智天使）像が飾られている。中には、モーセが神に授けられた十戒を刻んだ2枚の石板、食料「マナ」の入った黄金の壺と、超常現象を引き起こすアロンの杖が収められていた。

アークはむろんヘブライの至宝となったが、武器としても超絶なパワーを有していた。その威力はモーセの後継者ヨシュアの時代とそれ以降に発揮されている。ヨシュアが死海北西部の町エリコを攻めたとき、ヘブライの人々はアークを担いで7日間城壁の周囲をめぐり、角笛を吹いた。すると、巨大な城壁が崩れ落ちたという。

その他、重さ数百キロあるにもかかわらず、アークは宙に浮いて敵めがけて飛んだともいわれる。また、ヘブライの人々と敵対していたペリシテ人に奪われたが、感染症などの災厄を彼らにもたらしたため、不吉なものとして返還されたと伝わる。

アークは、イスラエル王国のソロモン王がエルサレムに第1神殿を建立した際に、至聖所に安置された。このときには、アークの中には石板しか残されていなかったという。実は、『旧約聖書』には、これより以降のアークについての記述がない。事実、外敵による第1神殿崩壊後、アークの行方は不明である。もしかすると、このときに破壊されたのかもしれない。

ただし確証がないため、その所在に関しては諸説紛々だ。第2神殿の地下深く、つまり岩のドームの下に埋もれている、エチオピアの教会にあるなどだ。

また、日本に渡り伊勢神宮に安置されている、徳島県・剣山に隠されているなどの説もある。ちなみに、日本に渡ったアークが「御神輿」のルーツとなったという説もある。本当に日本に渡っていたのなら、世界の歴史は大きく変わるだろう。

▼アークの超常の力によってエリコの城壁は崩落したという。

▲◀両脇には担いで運ぶための棒があり、また上には1対のケルビム像が飾られている。

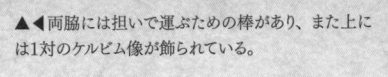

▲隣の峰、次郎笈《じろうぎゅう》から臨む剣山。

No.000086

剣山

紀元前1000年ごろ、ダビデ王率いる大イスラエル帝国は息子ソロモンに継承されて栄華を誇ったが、やがて崩壊。その末裔は莫大な「ソロモンの秘宝」とともに、いずこへと消えた。

彼らがたどりついた先が、縄文時代晩期の日本だったという驚愕の説がある。

『古事記』と『新約聖書』の「ヨハネの黙示録」を神道の言霊学によって説いた聖書研究家の高根正教は、四国の剣山周辺の住民にはユダヤ人に共通する特徴をもつ顔が多く、四国一帯には聖書に登場する地名に近い場所が多いことを発見した。さらに、剣山の山頂に「黙示録」に記された獅子・牛・人面・鷲に似た岩を見出し、剣山にソロモンの秘宝が秘匿されていると主張したのだ。

昭和11年から開始された発掘調査では、剣山の山頂にある亀岩の地下131メートル地点で巨大な球形の太陽岩を発見。さらに大理石の門や高さ15メート

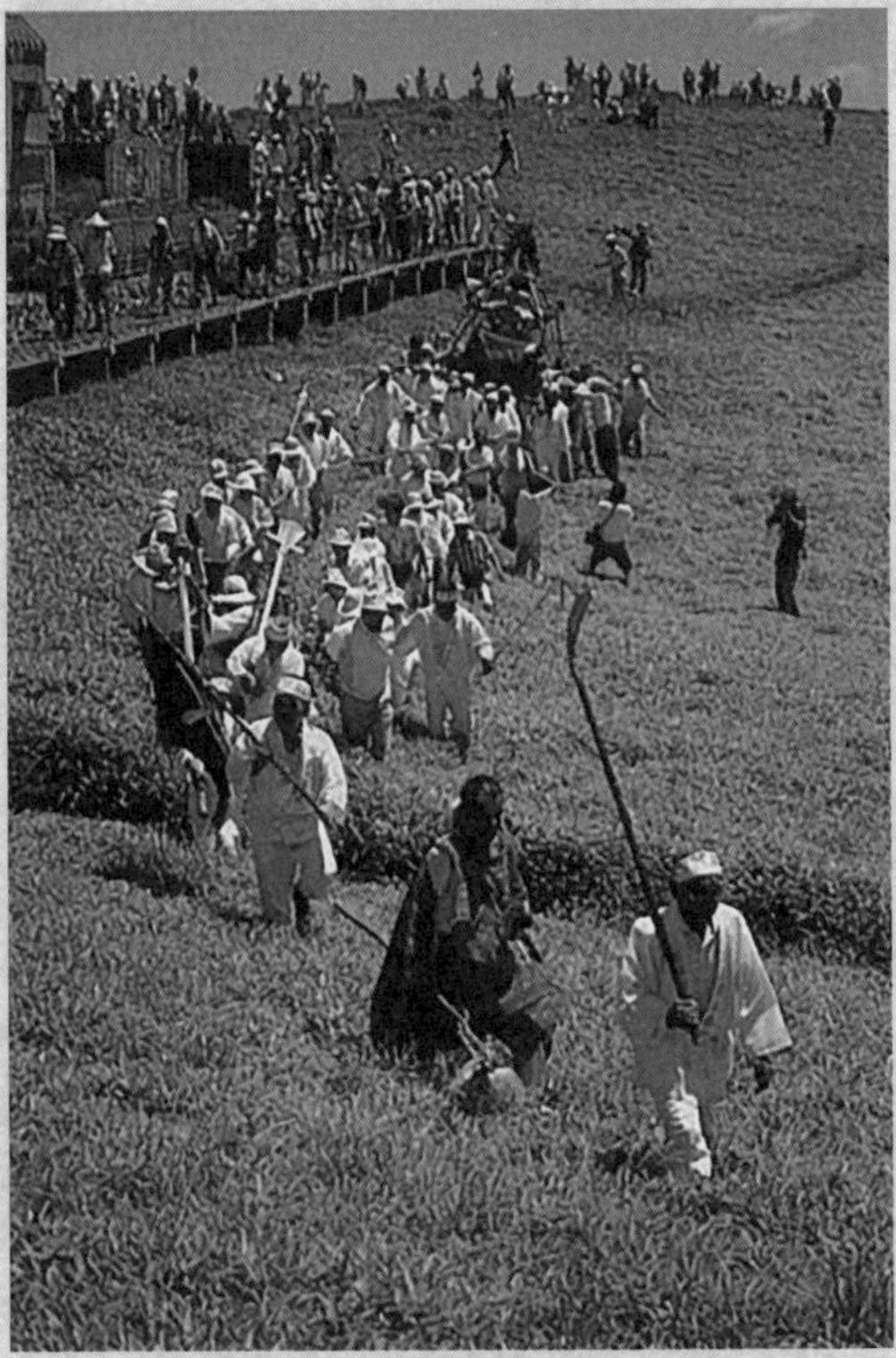

▲左上：モーセが神から授かった十戒が刻まれた石板が収められたというアーク。剣山に眠る秘宝はこの聖櫃なのか？ 右上：山頂付近にある大剣神社。背後にそびえる巨石、宝蔵石をご神体とする。左下：剣山山頂で毎年7月17日に行われる神輿まつり。黄金の箱をかついだ一行が山頂を目指す。右下：戦前に剣山の発掘を行った高根正教氏（写真右）。1936年にソロモンの秘宝を求めて剣山に入った。

ルのピラミッド型の広間も発掘された。その後、彼に続いた元海軍大将の山本英輔が、高根が残した穴をさらに掘り進み、100体以上のミイラを発見したという。これは当時の徳島日報でも報道されたが、なぜか記録ごと抹消されている。

いずれにしても、剣山に人工的な遺構が眠っていることは証明されている。だが、肝心の秘宝が見つからないまま、剣山一帯は国定公園に指定され、発掘はいっさい禁止されてしまった。

永遠に封印されたソロモンの秘宝だが、その正体はなんと「契約の聖櫃《アーク》」であるという説がある。

アークは金色の箱であり、信徒によってかつがれ、運ばれる〝聖所〟である。さらにいえば、剣山には昔から、神輿を担いで山頂へ登るという独特の風習があるのだ。これこそ、かつてソロモンの末裔が「失われたアーク」を剣山に運び込む光景を再現したものではないだろうか。

ム認定
AUTHORIZATION

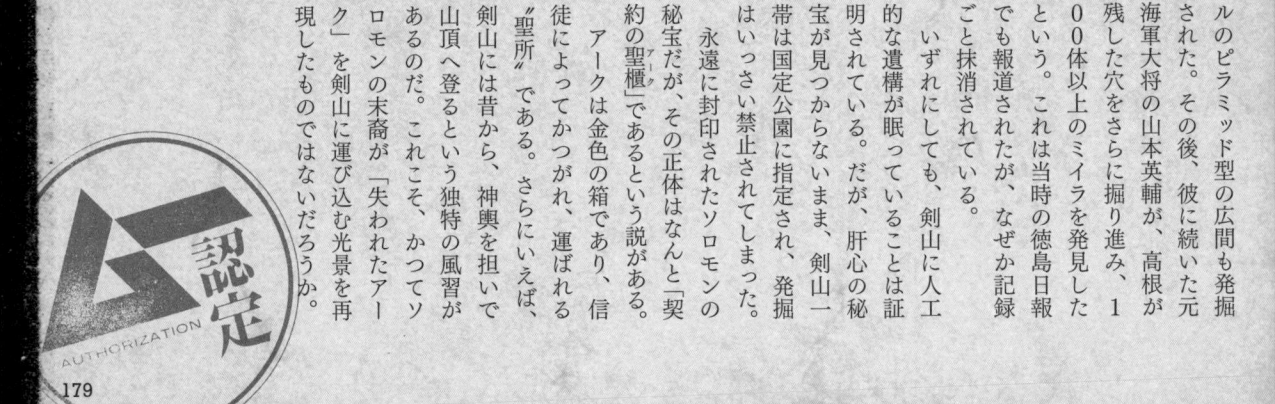

No.000087

エルサレム神殿

キリスト教、イスラム教、ユダヤ教と、3つの宗教の聖地があるイスラエル。中でも旧市街にある「嘆きの壁」は、ユダヤ教徒の心の支柱として強く信奉されている。なぜならこの壁は、ユダヤ人の歴史そのものだといえるからだ。

その始まりは紀元前10世紀。イスラエルの南東、モリヤの丘と呼ばれるこの地に、古代イスラエルの最盛期に君臨したソロモン王が唯一神ヤハウェを祀る祭壇を建立した。エルサレム神殿だ。

エルサレム神殿は当時のイスラエルの繁栄ぶりがうかがえる豪華絢爛な建造物で、はるばるフェニキアから輸入した高価なレバノン杉をはじめ、金銀宝石がふんだんに用いられ、完成までに20年もの歳月を要したといわれている。

紀元前586年、攻め入ってきたバビロニアによって国もろとも壊滅したエルサレム神殿だが、紀元前520年のバビロン捕囚後にソロモン王の一族、ダビデ王家直系の子孫ゼルバベルによって再建される。第2神殿

▲嘆きの壁を前に、祈りを捧げるユダヤ教徒。第3神殿の建設は実現するのだろうか?
▶上：ソロモン王が建立したエルサレム神殿。ソロモン神殿とも呼ばれる。「嘆きの壁」の向こうに、「岩のドーム」がそびえる。下・左：エルサレム第1神殿。内部は黄金で飾られていたという。下・中：バビロン捕囚後に再建されたものの、ユダヤ戦争によってエルサレム神殿はまたも破壊されてしまう。下・右：エルサレム第3神殿の模型。エルサレム神殿の再建はユダヤ人の悲願である。

として改めて信仰の場となり、紀元前30年にはヘロデ王によって大拡張された。

しかし、紀元66年に勃発した第1次ユダヤ戦争で、神殿は攻撃の対象になってしまう。そして132年から135年の第2次ユダヤ戦争で徹底的に破壊され、ユダヤ教徒は神殿跡ばかりかイスラエルの地への立ち入りすら禁じられた。

その神殿の一部の壁が「嘆きの壁」として名残をとどめているのだ。

現在、このエルサレム神殿跡にはイスラム教徒によってモスク「岩のドーム」が建立されている。イスラム教の預言者ムハンマドの昇天の地として、メッカ、メディナに次ぐ聖地としてこの場所が崇められているからだ。

その岩のドームを破壊したうえでエルサレム第3神殿が建設されようとしている——そんな噂もある。

その場合、ことはイスラームとユダヤ教の問題にとどまらず、この地だけでなく、世界が紛争地と化す可能性は高いのだが……。

No.000088

アララト山近郊の箱舟地形

世界各地に残る大洪水伝説を検証していくと、「世界は一度滅んだのではないか」という説が真実味を帯びてくる。

それを裏づける証拠が『旧約聖書』に書かれた「ノアの箱舟」が流れ着いた地、トルコ共和国の東端の「アララト山」にあるという。

1955年のこと。トルコ空軍パイロットがアララト山近郊の上空から撮影した写真に異常な地形が写り込んだ。それがアキャラ連山と呼ばれる海抜2000メートル地点に存在する有名な「船形地形」である。

測量技師による現場での測定で、船形地形の大きさは、長さ約160メートル、中央部の幅約50メートルで、『聖書』に記されたノアの箱舟の大きさと一致したのである。

翌1960年初夏、トルコ陸・空軍とアメリカの科学者、研究者合同の調査隊が地形の一部を爆破してまで再調査したが、何の残骸も見つからず、「自然の産物」との結論を下し〝幻〟となった。

ところが1985年3月、ア

▲上：アララト山海抜4700メートルのアホラ・ゴルジェで撮影された巨大建造物（丸囲み）。はたして、ノアの箱舟なのだろうか？　下：ノアの箱舟のイメージ。このような形だったと考えられている。

▶『聖書』に記されたノアの箱舟が最後に漂着した場所とされる、アララト山系の船形地形。その地形は、まるでそこに箱舟が埋まっているかのようだ。はたして、洪水伝説は真実だったのだろうか（写真＝川又一英）。

認定 AUTHORIZATION

メリカの「国際探検協会」が最新型分子震動スキャナーで地形を探査し、「金属を含む巨大な船体が埋没したものだ」と主張する。同6月、巨大な船体の構造線と思われる13本の長線と、龍骨らしき中央線を発見したと告げ、〝幻の箱舟〟が再びマスコミに登場する。

同8月、決定的な証拠を得るため、NASA使用の最新鋭のレーダーを持ち込む本格的な調査計画中にトラブルが起きた。アララト山本体に箱舟捜しに入った日本、ドイツ、フランス、アメリカの各登山隊が現地の過激派ゲリラに襲撃されるという事件が発生したのだ。事態を重視したトルコ政府は周辺への外国人立ち入り禁止令を出し、調査計画は頓挫。以降、箱舟調査に関して、政府からの許可が下りない状況が続いているのである。

近年の情報では、商業用衛星の画像からアララト山の海抜4700メートルの地点「アホラ・ゴルジェ」に、半ば氷に埋まった状態の「箱舟」らしき物体が確認されている。もしかしたら、ノアの箱舟の漂着地点は2か所あるのかもしれない。

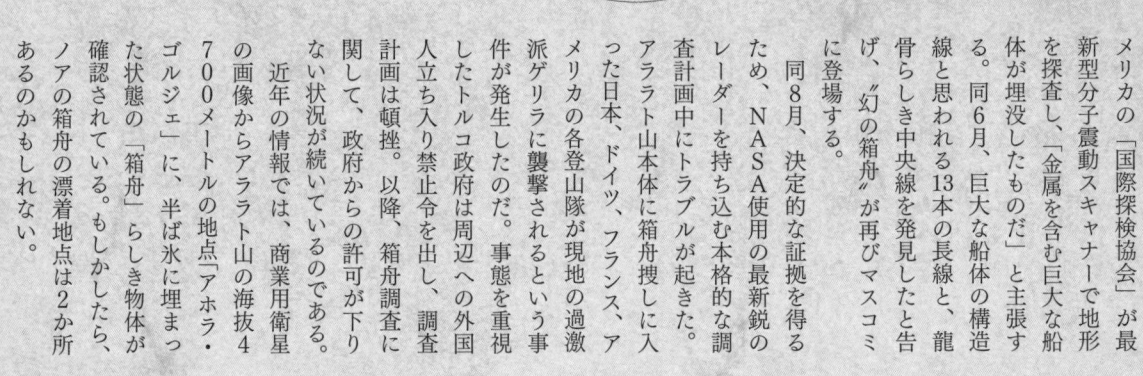

シナイ山

No.000089

▲シナイ山の山頂。『旧約聖書』の「出エジプト記」によればモーセはこの山で2回、40日間ずつ過ごしたという。
◀石板を持つモーセ。その頭には2本の角のようなものが描かれている。

エジプト、シナイ半島にあるシナイ山は標高2285メートル。『旧約聖書』の「出エジプト記」によると、ヘブライの指導者モーセが、唯一神ヤハウェから「十戒」を授けられた聖山だ。

十戒とは神から授けられた10の戒律のこと。2枚の石板に刻まれたこの戒律を守れば、ヘブライの人々は神による庇護の下に生きていけるのだ。

——紀元前13世紀、モーセはエジプトで奴隷状態にあったヘブライ人たちを引き連れ、「約束の地カナン（現在のパレスチナ付近）」を目指して同国を脱出した。そのとき、神はモーセ一行の出国のためエジプトに多くの災いを引き起こした。

たとえばナイル川の水を血に変え、疫病を発生させた。その反面、ヘブライ人たちには奇跡を見せた。昼は雲の柱、夜は火の柱を立てて彼らを導いた。進路を阻む紅海をふたつに割って人々を通らせた。天から食料を降らせた。

途中、モーセたちがシナイ山に寄ったのも、神の啓示があったからだ。モーセはこのとき一行を麓で待たせ、2回にわたって山に登り、それぞれ40日間ずつ過ごしている。

実は、このように数々の奇跡を見せた神＝ヤハウェの正体について、異星人説が持ち上がっている。そして、この説を唱える研究者は、シナイ山の山頂にUFO基地があった可能性についても示唆している。

というのも、標高2000メートルを超える山の自然は寒く、過酷だ。モーセが40日間も何のサポートもなく過ごせたはずがない。彼は何ものかに庇護されていたに違いないと……。

さらなる謎もある。モーセを描いた絵画や彫像に、頭に2本の角のようなものを戴いたものが多いことだ。研究者はこの角はヤハウェ＝異星人から与えられたアンテナであり、これを通じてモーセは異星人たちと交信していたというのだ。

「まさか」とは思いつつ、これまた一概には否定できない説ではある。もしかすると、シナイ山を発掘すれば、かつて地球を訪れた異星人の基地の遺跡が発見できるかもしれない。

No.000090

メギド

イスラエル、ハイファ南東にある人工の小高い丘の上。この地に約4000年前に建造された都市メギドの遺跡がある。

日本人にはなじみが薄いが、『聖書』にはよく出てくる地名だ。特に『新約聖書』の「ヨハネ黙示録」にある次のような一節が、この地を重要なものとしている。

「3つの霊は、ヘブル（ヘブライ）語でハルマゲドン（アルマゲドンとも）というところに、王たちを招集した。〈中略〉すると、稲妻ともろもろの声と雷鳴とが起こり、また激しい地震があった。この地震は人間が地上に住んで以来、かつてなかったほどのもので、それほどに大きな地震であった。また、あの大きな都は3つに裂かれ、諸国の民の町々は倒れた。〈中略〉大きな雹《ひょう》が人々の上に天から降ってきた……」

〝ハルマゲドン〟はヘブライ語で、実は「メギドの丘」のことだ。そして「ヨハネ黙示録」によると、悪魔はこのメギドに軍隊を集め、天使との最終戦争が行われるという。

メギドはかつて、北のアッシリアと南のエジプトを結ぶ通商路の要衝だった。そのためか、ある研究者は世界の歴史を通じて、このメギドほど数多く戦場になった場所はないと語っている。事実、この地には実に24回も破壊されては再建された、都市の遺跡が積み重なっているのだ。

2014年9月13日、ローマ法王フランシスコは、同年が第1次世界大戦開戦から100年にあたることから、イタリアのとある慰霊施設で戦没者を追悼した。

ところが法王はその際に、中東およびヨーロッパなど世界各地で戦闘やテロが続く現状を「すでに第3次世界大戦は始まっていると考える人もいるだろう」と述べたのだ。

キリスト教世界の頂点に立つ人物だけに、その言葉はきわめて重い。だが、仮に法王の言葉どおりとすれば、その主戦場は、やはり『聖書』の預言どおりメギドになるのだろうか？

——現在、メギドの遺跡には、次のように書かれた看板がある。

「ここはハルマゲドン。キリスト教徒の伝承によれば、ここで世界最後の戦争が行われるといわれている」

認定 AUTHORIZATION

▼歴史上、もっとも多く戦場になった場所ともいわれるメギドの丘。『聖書』の預言にある最終戦争もまた、この地が舞台となるのだろうか？

No.000091

死海文書

ム認定 AUTHORIZATION

◀ユダヤ教の一派であるエッセネ派「クムラン宗団」の人々が書き残したと考えられる「死海文書」。

2017年2月9日、ヨルダン川西岸地区のクムランで、「死海文書」を蔵する12番目の洞窟が発見された。今回の発見は未使用の羊皮紙や文書の保存瓶(文書は盗掘に遭ったらしく中は空)などだったという。

「死海文書」の最初の発見は1947年。羊飼いの少年が洞窟の中から、壺に入った羊皮紙の巻物を見つけたのだ。その後もほかの洞窟から総数972もの文書が出土した。主にヘブライ語で書かれた文書は、紀元前3世紀ごろから後1世紀ごろのものだ。書き手はこの地の住人・ユダヤ教「クムラン宗団」とされる。内容は『旧約聖書』最古の写本や外典、聖書関連書の注解書、そして教団関連の文書などの3つに大別される。

なお近年、最後の「教団関連の文書」が注目されている。というのも、この中で教団の教義「この世を光と闇の抗争の場とし、最後に光が勝利を治める」が語られているが、これは最終戦争を示す預言なのだ。そして、光が勝つまで人類は滅びの淵に立たされる。いずれ、ふたりの救

◀上：「死海文書」は巻物状になっているだけに、縦に細長い形をした壺に収められているものもあった。
下：1952年に見つかった「死海文書」だけは、唯一、青銅板に刻まれたものだった。ここにクムラン宗団の名前も記録されていた。

世主（＝メシア）、「アロンのメシア」と「イスラエルのメシア」が出現して人類は救われるというのだ。

——イスラエル王国には12の支族がいた。紀元前10世紀ごろ、2支族が分かれユダ王国を建国。紀元前6世紀ごろ、この2支族はバビロン捕囚に遭ったが、後に故郷に戻った。現在のユダヤ人はその子孫だ。

残りの10支族は、紀元前8世紀ごろ、イスラエル王国がアッシリアに占領され、捕囚の身となった。そしてアッシリア滅亡後、彼らは行方不明となったのである。

「死海文書」によると、アロンのメシアは2支族＝現在のユダヤ人から、イスラエルのメシアは10支族の末裔から現れるという。だが、10支族はどこにいるのか？　これについては諸説あるが、現在有力なのはなんと日本だ。彼らが渡来して日本人の祖先となったという。

イスラエル王国と日本の共通点は多々あるが、その謎の鍵は死海文書のさらなる読み込みと、クムラン周辺のより詳しい調査にある。

▲上：「死海文書」が発見されたイスラエル、クムランの岩山にある洞窟。これまでに12の洞窟で発見された。下：文書が発見されたときの様子。パピルスや羊皮紙などに書かれていた。

8 古代神と異人類

No.000092-000112

No.000092 メキシコの白い神ケツァルコアトル

▲マヤ・アステカの人々に叡智を授けた神、ケツァルコアトル。

▲右上：ケツァルコアトルの彫刻。その正体は異星人だという説もある。右下：ケツァルコアトル神殿。
左：純白のローブに身を包み、肌の色は白く、長い髭をたくわえていた白い神ケツァルコアトルの像。

メキシコ、ユカタン州の州都メリダの東方に、後古典期マヤの遺跡「チチェン・イッツア」がある。1988年に世界遺産に登録されたこの遺跡は、中南米随一の総面積5・6万平方キロを誇る。

その繁栄を示す象徴となるのがマヤの最高神「ケツァルコアトル（ククルカン）」を祀るピラミッド「カスティーヨ」だ。

この巨石建造物は〝暦のピラミッド〟とも呼ばれ、マヤ暦の一年を表している。マヤ人たちは金星の動きも正確に把握しており、その精度は現代のコンピューターに匹敵するほどだという。

だが不可解なことに彼らは、天文学の知識と都市建設技術だけが突出しており、生活自体は古代メソポタミア文明よりも未発達なものだった。それゆえ、彼らがいかにしてその知識と技術を会得したかは、大きな謎となっている。

マヤ・アステカの神話によると、彼らに叡智を授けたのはケツァルコアトルだ。アステカ族やトルテカ族の神話に登場するこの創造神は、赤く小さな十字を散りばめた純白のローブに身を包み、肌の色は白く、長い髭をたくわえていたとされている。

そのケツァルコアトルが〝翼の生えたヘビ（古代ナワトル語でケツァルが鳥、コアトルがヘビを意味する）〟と呼ばれるのは、〝光り輝く船〟で天空より降臨し、人々に叡智を授けたと伝承されているからだ。だが、戦神テスカトリポカの計略にはまった創造神は、金星に姿を変えて天に帰ったという。

ケツァルコアトルの正体は異星人だ、という主張がある。確かに、天空から現れ、天に帰った人智を超えた存在ということであれば、天空人、すなわち地球外生命体と結論するのが妥当だろう。実際、南北米大陸に伝わる伝承はみな、創造神が天上人であったことを示唆している。

アカデミズムでは解明できないチチェン・イッツアの遺物に残された叡智と神話こそ、エイリアンによってもたらされたものなのかもしれない。

No.000093

アンデスの天空神ヴィラコチャ

南米アンデス山中、海抜4000メートルの荒涼たる大地には、建造の謎が解明されていない巨石遺跡「ティワナク」がある。遺跡に使用されている石材は表面が丹念に研磨され、精巧な彫刻が施されている。重さが100トンを超えるものも多く、それがカミソリの刃さえ通さないほど密着している。

興味深いのは、数千もの巨大な岩が、100キロ以上離れた石切り場から、深い谷をいくつも越えて運ばれたことだ。馬も車輪もなかった当時、どうやって成し遂げたのだろうか？

インディオは、この壮大な都市を築いたのは白い神「ヴィラコチャ」だと伝えている。背が高く、髭を生やし、肌が白いヴィラコチャは、アンデスの人々に文明を授けた創造神だ。その神話はケツァルコアトルと酷似しており、再来の約束とともに天空に去るところまで同じだ。だとすれば、ヴィラコチャも宇宙から来た神なのだろうか？

実際、ティワナクは太古の宇宙基地だと主張する研究者もいる。

旧ソ連の科学評論家アレクサンダー・カザンツェフは、ヴィラコチャ像が刻まれた巨石建造物「太陽の門」に刻まれた48個の文様を研究し、これが金星の一年を記した暦だという結論にたどり着いた。さらに、その表面には宇宙船や宇宙服と思われる精緻な彫刻が刻まれていることからこの遺跡の王が、宇宙から来た存在と深い関わりがあったというのだ。

この仮説を裏づける伝承もある。アンデス奥地に住む先住民たちは、大災害から彼らを救うため、偉大な〝天空の道〟に〝宇宙からの訪問者〟が降臨した事実を口伝している。

天空の道とは、ナスカ平原に描かれた巨大な地上絵のことだ。そして、ナスカには天空人を模した「フクロウ男」の地上絵も残されている。これらをつなぎ合わせると、ヴィラコチャが地球外生命体であるという結論が浮かび上がってくる。

何より、今日でも建造困難な巨石遺跡の存在がその証拠だ。巨大かつ精密につくられた遺跡の謎は、地球外からもたらされたテクノロジーで建造されたことを前提にしない限り、合理的な説明はできないのである。

▲アンデスの人々に文明を授けた創造神ヴィラコチャ。
◀金星の一年の暦を刻んだものとされる「太陽の門」。

認定
AUTHORIZATION

No.000094

半人半魚の神オアネス

▲古代メソポタミア遺跡から発掘されたオアネス像（大英博物館蔵）。

◀魚をかぶった人のような姿をしている神、オアネス。

紀元前4000年以降、古代メソポタミア南部のチグリス・ユーフラテス川がつくる肥沃な三角地帯に侵入し、文明を築いたシュメール人たちは、どこから現れたか今なお謎の民族だ。だが、彼らが人類初の文明を樹立し、その後も続く歴史の礎を築いたことは間違いない。

古代シュメール文明の粘土板に刻まれた神話には、アヌンナキとは別にオアネス（オアンネス）と呼ばれる謎めいた海神が登場する。

その最大の特徴であり、アヌンナキとの決定的な違いは魚と人間のふたつの頭を有する、双頭の神であるということだ。つまり、頭の下に別の顔があり、魚の頭の下は人間の頭になっている。全身のほとんどをウロコが覆っているが、手は人間のものであり、尾ひれとともにその内側にやはり人間に近い2本の足をもつ。半人半魚ともいえる姿をしているが、人間そっくりである。

ペルシア湾から突然その姿を現したこの海神は、日中はシュメール人と言葉を交わして共に過ごし、日没とともに海に帰って海中で過ごしていたようだ。

海神はおよそ7日間かけて、あらゆる知識をシュメールの人々に授けたとされている。その存在はオアネスとしてバビロニア時代（紀元前3300～紀元前1600年）にも伝承され、神官ベロッソスによる次のような記述も残っている。

「原始的な生活を送っていた人類の祖先に、科学、芸術、文学への目を開かせた。まさに文明の教師だった。こうして神殿建設技術が、法律の何たるかが、その編纂方法が、そして幾何学が、人間のものになったのである」

このオアネスのおかげで、シュメール人たちは天文学にも長け、占星術を生みだし、バベルの塔のようなピラミッド状の天体観測所を造営して星の動きを観測した。そのデータを楔形《くさびがた》文字を使って粘土板に刻みつけた。

のちに七賢人のひとりにも数えられる海神は、シュメール人の〝知の教師〟ともいえる存在だったようだが、その正体はいったい何者なのだろうか？

実は、このオアネスの描写が、ドゴン族の神話に登場する「ノンモ」そっくりなのだ。ノンモとオアネスは同一の神（宇宙からの飛来者）だったのかもしれない。

No.000095

ドゴン族の水の神ノンモ

実は、オアネスに酷似した古代神が、アフリカ西部、マリ共和国の先住民ドゴン族の神話に登場する。

彼らの神は「ノンモ」といい、オアネス同様に、姿形は半人半魚である。その神話の源は、地球から8・7光年の距離にあるシリウス。かつてこの星系から「ノンモ」と呼ばれる半人半魚の水陸両棲人が地球を訪れ、人類に多くの知識を授けたというのである。

これを単なる神話だと切り捨てることは簡単だ。だが、工業化された文明とは無縁な暮らしをしている彼らが、現代の天文学者でさえ驚愕する高度な天文知識を有していることも広く知られている。

たとえば、現代天文学でシリウスがA、B、そしてCという3つの星から成り立つ連星系であることを知ったのは1826年だが、それ以前からドゴン族はその事実を知っていた。全天でもっとも明るく輝くシリウスAはともかく、Bは肉眼では見えない白色矮星だけに、その知識はノンモから授けられたとしか考えられない。

驚くべきはシリウスCの存在だが、従来の天文学の常識では、その存在が否定されている。実際、強力な天体望遠鏡によってしても、いまだ確認されていない。だが神話によると、ノンモの母星はシリウスCをめぐる肉眼では見えない惑星ニャントロだという。神話の一部を紹介しておこう。

「彼らノンモ（魚人）は、魚の土地に住み、水の支配者とか教示者や監督者とも呼ばれる。そこの土は清浄な土だが、オゴ（人類）の土は不浄の土である」「ノンモは清浄な土から回転する舟に乗ってオゴの地に降り立った。その日は、魚の日と呼ばれる」

この回転する舟とはUFOのことだろうか？　ノンモは、未開だった人類にさまざまな知識を授けたのち帰還したと伝承される。

いずれにしろ、オアネスとノンモの共通点は、無視できない。半人半魚という姿、文化神という立場……。もしかすると両者は同一の神なのかもしれない。だとすれば、6000年もの昔から、UFOに乗った異星人たちが、地球を訪れていたことになる。

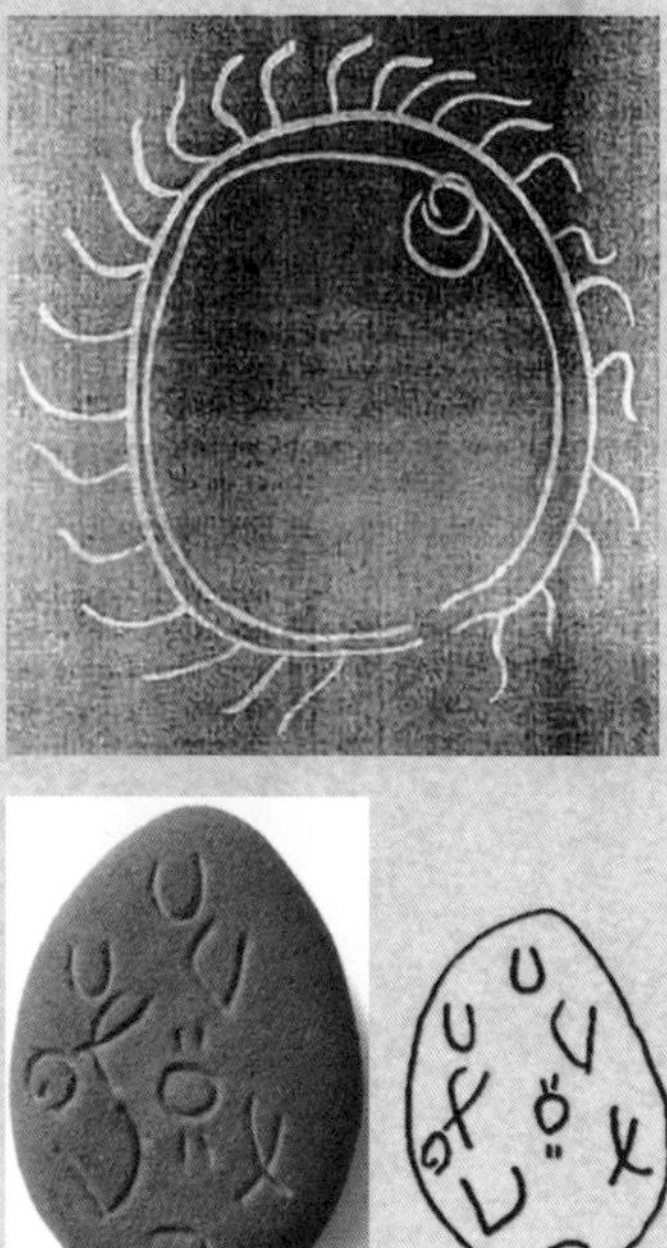

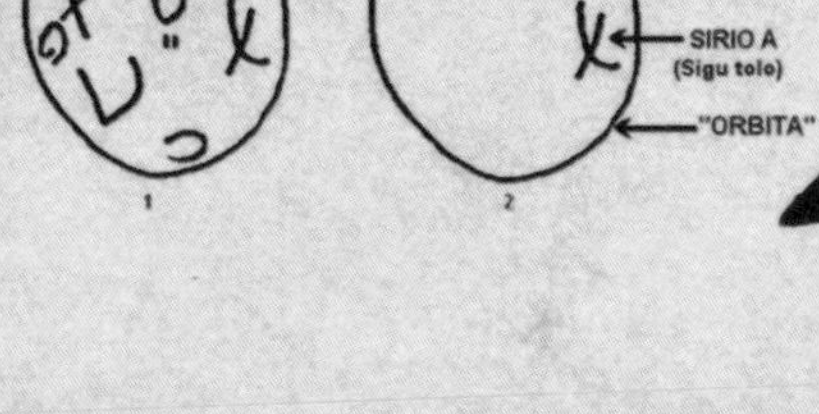

◀右：はるか昔、シリウスから地球へ飛来したというノンモ。左上：ドゴン族の壁画には宇宙船とおぼしきものも描かれている。左下：ドゴン族はシリウスが連星であることを知っていた。

No.000096

惑星ニビルの住人アヌンナキ

6000年前に開花したシュメール文明は、孤立した言語体系と独自の高度文明をもち、民族の身体的特徴も独特なことから、周辺文明とは系統が異なると考えられている。だとすれば、この文明はどのように生まれ、どこに消えたのか？　謎を解く鍵はシュメールの神「アヌンナキ」が握っている。

宇宙考古学者のゼカリア・シッチンの研究によれば、メソポタミアから出土したシュメールの粘土板には、火星と木星の間を長楕円軌道で横切る未知の惑星「ニビル」が描かれており、それは3600年ごとに地球に接近する放浪惑星で、災厄をもたらす赤い巨星だという。

シュメール人はこのニビルを畏怖し、崇拝した。なぜならそこには彼らの神であり、シュメール語で「天より地に降りきたる者」を意味するアヌンナキが君臨していたからだ。

シュメールの古文書によれば、太陽系には火星と木星の間に惑星「ティアマト」があり、地球は存在しなかった。だが、太陽系に侵入したニビルがティアマトと衝突。半分はそのまま小惑星帯となり、吹き飛ばされたもう半分は金星と火星の間に停止し、今日の地球となった。

その経緯はシュメールの神話が原点だという『旧約聖書』の「創世記」にも記されている。かくしてアヌンナキは地球を植民惑星とし、同時に自らを模した人類を創造した。

アヌンナキの地球支配は長く続いたが、ニビルが再接近した紀元前3800年、隷属民としていた人類に文明を授ける決断が下された。同時に、アヌンナキとの仲介者になる人類の王を選出。その最初の王が置かれたメソポタミアで発展したのが、シュメール文明だった。シュメールはアヌンナキが興した、人類の最初の文明だったのだ。

だが、その創造神がシュメールの滅亡を招く。地球統治をめぐる神々の戦いで、〝核兵器〟を使用し、メソポタミアを焦土と化した。『旧約聖書』のソドムとゴモラのそれである。

自らの行いを恥じたアヌンナキは、地球を中立地帯と定め、自らの星へ帰還した。だが、ニビルは3600年ごとに太陽系を訪れる。その再来が果たされたとき、いったい何が起こるのだろうか？

◀子を抱く母の像。聖母子像のモデルとなったこの像も、アヌンナキの姿を描いたものだ。
▼アヌンナキが描かれた印刻の板を手にするゼカリア・シッチン。

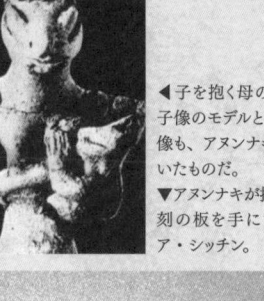

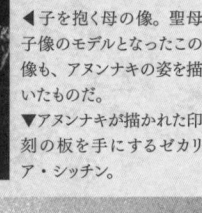

▲シュメールの最高神エンリルもアヌンナキだった。

No.000097

バビロン

イラクのバグダッドの南90キロのユーフラテス川岸に位置し、メソポタミア地方南部でもっとも繁栄した都市、バビロン。その歴史は、古代メソポタミア、さらにはシュメール文明にまでさかのぼる。

『旧約聖書』に登場する「バベルの塔」や世界の七不思議のひとつに数えられる「空中庭園」を擁したバビロンは、太陽神マルドゥク神殿や飛行神イシュタル門をはじめ、数々の神々を祀った神聖な都市だった。だが紀元前323年ごろから衰退し、やがて失われていった。

かつてイラクの独裁者だったサダム・フセインは、古代都市バビロンの復元事業を行った。結果、イシュタル門など、かつてのバビロンの栄華が復元されたのだが、フセインの本当の目的は神々が残したオーパーツだったという。

宇宙考古学の大家ゼカリア・シッチンはシュメールの粘土板や古文書を解読、シュメールやエジプト文明を興した神々は、ニビルという第10番惑星から地球を訪れたアヌンナキと呼ばれる異星人だ、と説いた。太陽神ラーであり、バビロンを支配したマルドゥクもプタハ(シュメール神エンキのエジプト名)の息子、つまりアヌンナキだったのである。そして飛行する女神として崇められたイシュタル(シュメール神エンリルの孫娘)もまた、アヌンナキだった。つまりバビロンは、アヌンナキが興した超古代都市だったのである。

2003年3月に勃発したイラク戦争で、米軍は未発掘の遺跡を襲撃し、多数の古文書や遺物を略奪したという情報がある。目的は、アヌンナキがウルクの砂漠に秘匿していった〝超文明技術〟の奪取だったといわれている。

アヌンナキの叡智を求めたサダム・フセインはアメリカ軍によって捕らえられ、失脚した。もしや、あの戦争はアヌンナキが残した超遺物をめぐるものだったのではないだろうか。

▲シュメール文明を代表する遺跡、ウルのジグラット(聖塔)。幅1700メートル、高さ700メートルの巨大建築物で、周囲には都市遺跡も発掘されている。

◀左:17世紀に描かれたバビロンの想像図。右:イラク戦争で、バビロンの遺跡を調査する米軍。軍事拠点でもない遺跡を調査し、遺物を奪取していった。

No.000098

有翼円盤に乗ったアフラ・マズダー

ム認定 AUTHORIZATION

◀有翼円盤に乗ったゾロアスター教の神アフラ・マズダー。

古代ギリシアの歴史家ヘロドトスによれば、ペルシア人は神の偶像はもちろん、神殿や祭壇さえ建てる風習がなかったという。だが、彼らが唯一残した神像がある。アケメネス朝ペルシアの都、ペルセポリス遺跡にある宮殿の入り口や門柱などに刻まれたゾロアスター教の最高神、「アフラ・マズダー」だ。

アフラ・マズダー像の特徴は、「有翼円盤」に乗っている点にある。円盤は大きな円環を中心に鳥のような翼と尾羽を有し、左右斜め下に向かって脚のようなものが伸びている。2本の脚は鳥の足にも思えるが、叡智の象徴であるヘビをシンボル化したもので、円盤は〝翼の生えたヘビ〟とも解釈できる。アフラ・マズダー自身は南米の白い神のように長い髭をたくわえ、左手に宇宙出自の象徴である小円環を握る。

こうしてみると、アフラ・マズダーは〝翼の生えたヘビ〟ケツァルコアトルや、髭を生やしたヴィラコチャと共通点が多いことに気づく。これについて、宇宙考古学者のゼカリア・シッチンは、アヌンナキが世界中の神のモデルになったからだと説明する。だとすれば、この神も天空人なのか？

実際、アフラ・マズダーがエイリアンだという主張もある。たとえば、『エデンの神々』の著者ウィリアム・ブラムリーは、翼の生えた円環はUFOの象徴であり、アフラ・マズダーは人間に酷似した〝異星神〟だと主張しているのだ。

アフラ・マズダーの最終的な役目は、最後の審判を下すことだ。ゾロアスター教では、世界の始まりと終わりは1万2000年と定められており、3000年ごとに霊的創造の時代、物質的創造の時代、善と悪の対立の時代、救世主の出現と最後の審判を受ける時代の4期に分けられる。

もしアフラ・マズダーが宇宙から舞い降りた神だとすれば、多くの神話にあるように地上へ再臨する可能性が高い。それはまさに最後の審判のときとなるはずだ。

No.000099

7.6メートルの巨人

▲1964年にエクアドルで発見された巨人の骨。埋葬されたような姿勢で眠っていた。

2014年5月13日、オーストリア在住のオーパーツ研究家クラウス・ドナ氏が来日し、「巨人の踵の骨」を公開した。この骨は、1964年にエクアドル南部、ロマ州のアイマラ（現地語で〝巨人の墓地〟）で発見されたもの。正式な考古学調査ではなく偶然見つかったという。

その年、アイマラはまれに見る荒天に見舞われ、一帯の高原の地盤はゆるみ、草花は流され、木々は倒れ、至るところで地肌がむき出しになっていた。荒れ果てた高原の一角に露出したこの骨を見つけたのは、神父のカルロス・バッカ。神父は一目で、それが人間の骨だと直感したらしい。一部は結晶化し、とても古い時代のものであることも明白だった。

問題なのは、その大きさである。発見した骨がどの部位かまではわからないが、人間の身体のどの箇所と比べてもオーバー・サイズなのだ。専門家の検査の結果、形状はヒトの踵の骨にきわめて近いが、大きさは現代人の5倍に値すると判明。推定される身長は約7・6メートルと

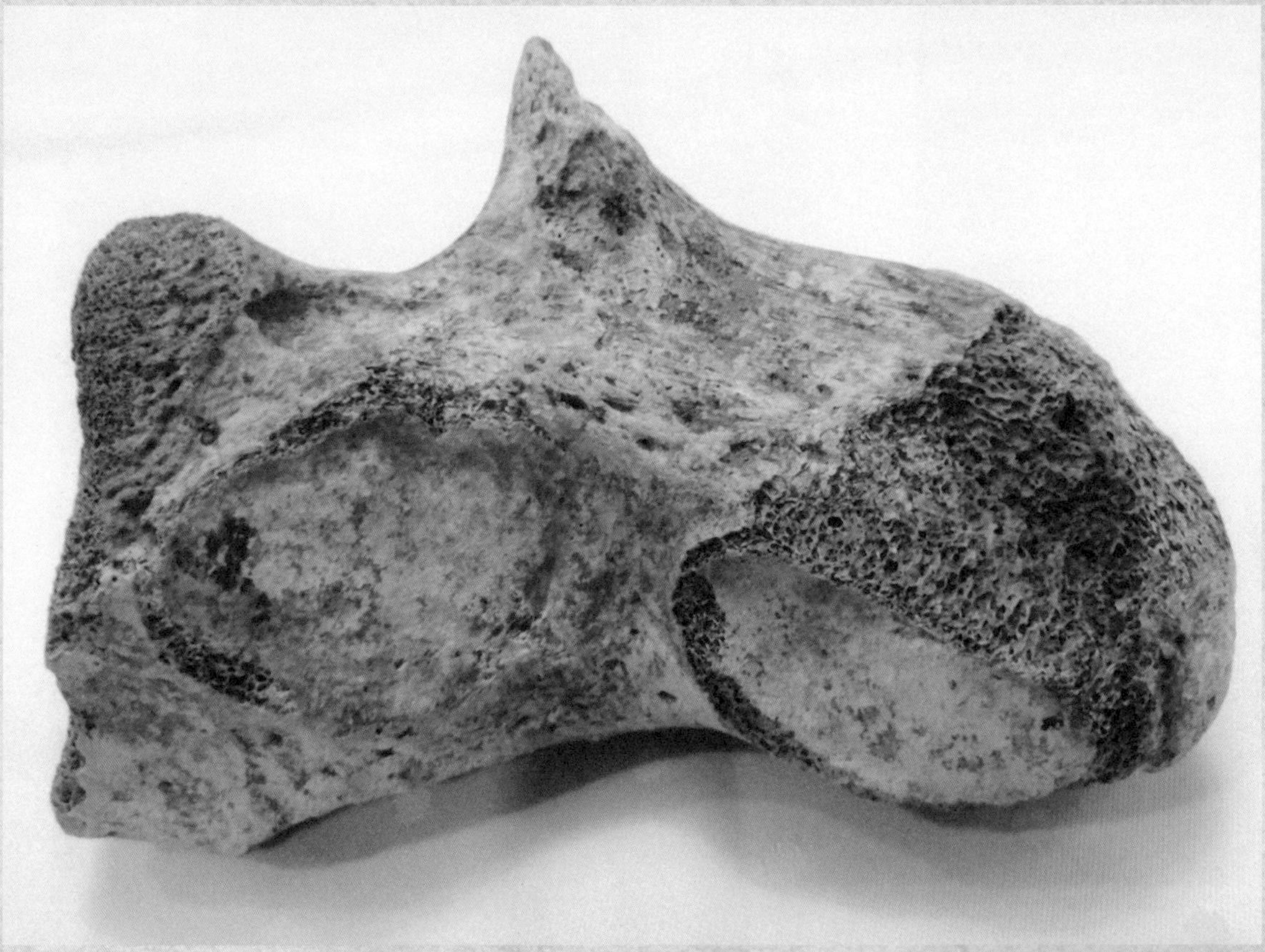

▲ドナ氏が保管する、巨人の踵の骨。人間の踵の5倍ものサイズで、1万年以上前のものだという。

▲オーパーツ研究家のクラウス・ドナ氏。

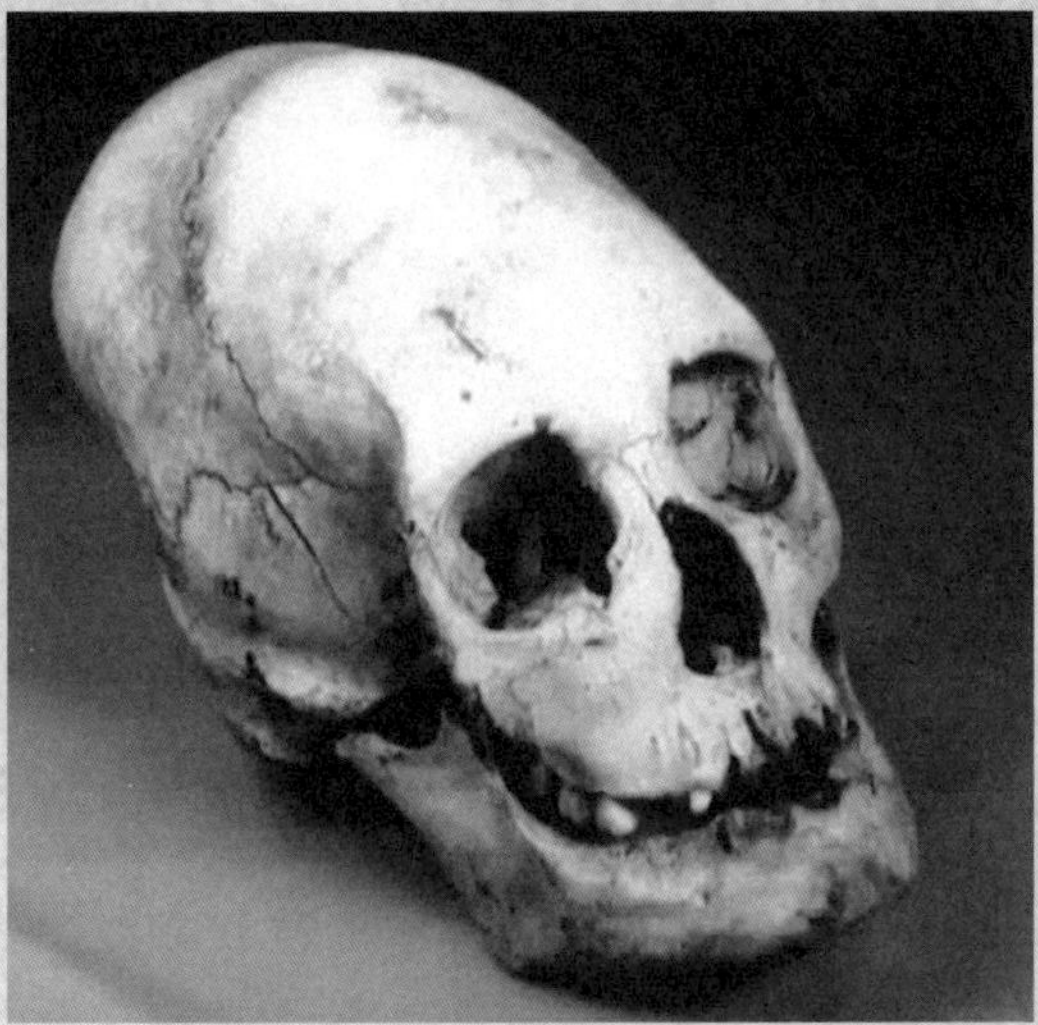

▶ドナ氏が保管する、巨人の頭骨。1988年にボリビアで発見されたもので、推定身長は2.4メートル。頭部の縫合線が人間と異なる。

された。

巨人と思われる骨格は世界中に存在するが、この骨の主は、これまで確認できた中でも最大級だという。

キエサ・デ・レオンという16世紀の歴史家が著した文書に、「今日、エスメラルダの海岸（太平洋岸）でいくつか頭蓋骨を発見した。いずれも私たち人間の5倍ほどの大きさだった」とある。

当時、中南米を征服していたスペイン人の平均的な身長は150～160センチくらい。その5倍だとすれば、頭蓋骨の主の身長は約7・5メートルとなり、今回の踵の骨の主のサイズと一致する。これらは、かつて当地には複数の巨人が集団で暮らしていたことを示唆するものだ。

オーストリアでの検査では、この踵の骨の正確な年代は導きだせなかったが、少なくとも1万年以上古いものであることが推定された。

地球上に巨人が生きていたその〝事実〟を物語る証拠は、世界中に存在している。ドナ氏の持つ骨は、まさにそのひとつである。

No.000100

スミソニアン博物館が隠滅した巨人族

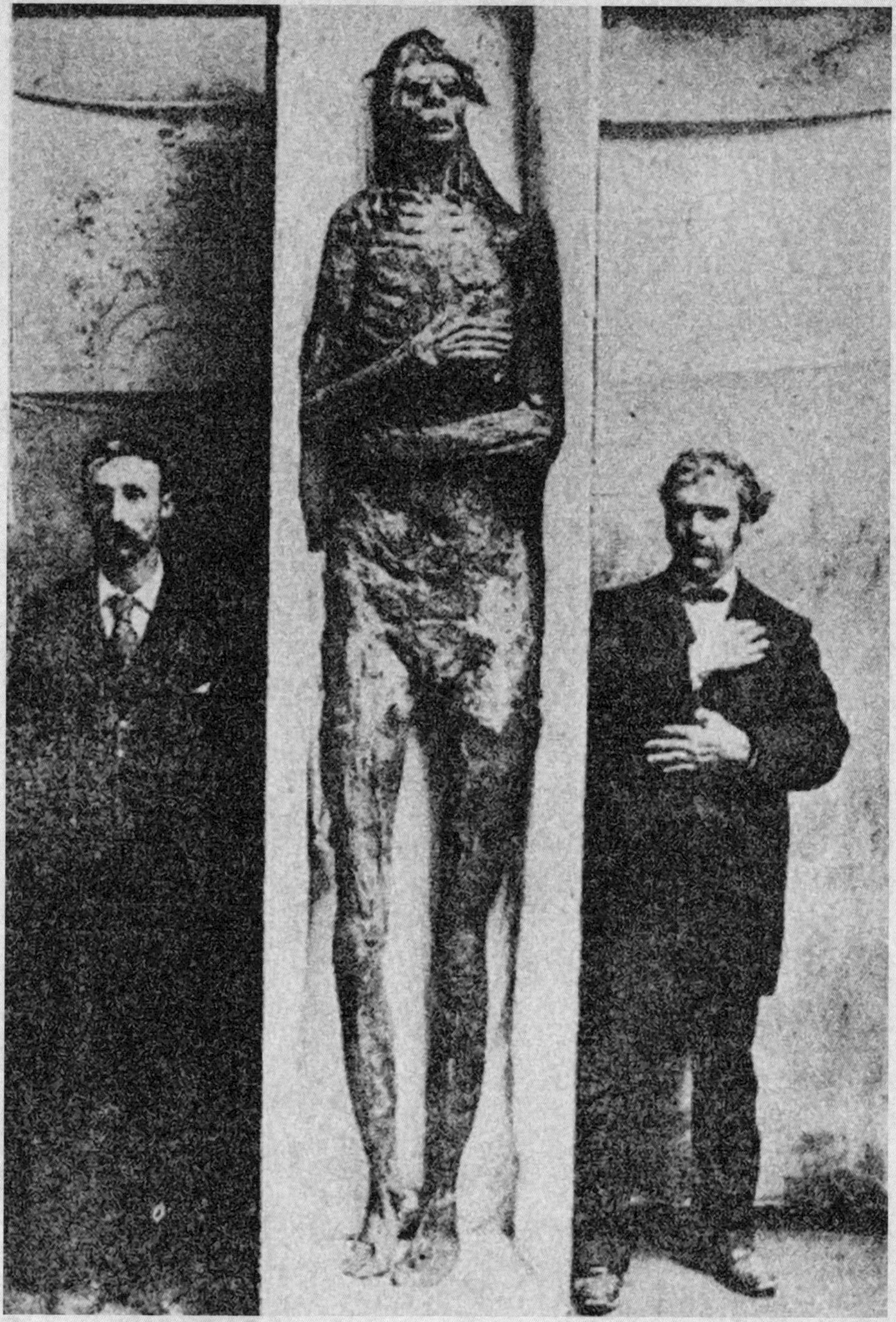

2014年12月、アメリカ合衆国の連邦最高裁判所がスミソニアン博物館に対し、同館が秘匿してきた「巨人族」に関する書類の公開を求める判決を下した。

これは、アメリカ・オルタナティブ考古学研究所（AIAA）が、スミソニアン博物館を相手どり、「1900年代初頭に何万という巨人族の骸骨を破壊した」かどで訴訟を起こしたことから始まった。

スミソニアン博物館は、「当館の169年の歴史と名誉を棄損し、評判を貶《おとし》めるものである」としてAIAAを逆提訴。しかし、法廷で審理が進むうち、同館の〝不正＝隠蔽〟が明るみに出た。なんと複数の内部告発によって、身長1・8メートルから3・6メートルもの巨人の骸骨が大量に破壊されたことを記す書類の存在がリークされたのだ。

1900年代、スミソニアン博物館は巨人族のものと見られる骸骨の調査を行ってきた事実がある。1912年5月に「ニューヨーク・タイムズ」紙が巨

STRANGE SKELETONS FOUND.

Indications That Tribe Hitherto Unknown Once Lived in Wisconsin.

Special to The New York Times.

MADISON, Wis., May 3.—The discovery of several skeletons of human beings while excavating a mound at Lake Delavan indicates that a heretofore unknown race of men once inhabited Southern Wisconsin. Information of the discovery was brought to Madison to-day by Maurice Morrissey, of Delavan, who came here to attend a meeting of the Republican State Central committee. Curator Charles E. Brown of the State Historical Museum will investigate the discoveries within a few days.

Upon opening one large mound at Lake Lawn farm, eighteen skeletons were discovered by the Phillips Brothers. The heads, presumably those of men, are much larger than the heads of any race which inhabit America to-day. From directly over the eye sockets, the head slopes straight back and the nasal bones protrude far above the cheek bones. The jaw bones are long and pointed, bearing a minute resemblance to the head of the monkey. The teeth in the front of the jaw are regular molars.

There were also found in the mounds the skeletons, presumably of women, which had smaller heads, but were similar in facial characteristics. The skeletons were embedded in charcoal and covered over with layers of baked clay to shed water from the sepulchre.

▲巨人の骨の発見を報じる1912年5月4日付「ニューヨーク・タイムズ」紙。

▼上：ネバダ州のラブロック洞窟からは、巨人のものと思われる手形も発見されている。下：ヨセミテ渓谷で発見された巨人のミイラ。子供を抱いている。

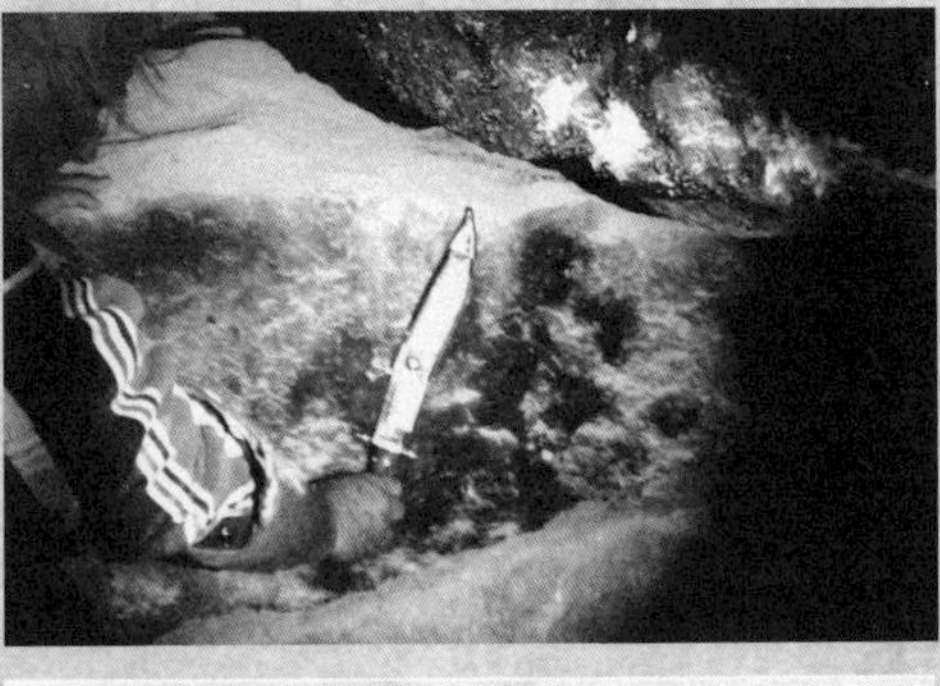

▶スミソニアン博物館に展示されていた巨人のミイラ。身長2.5メートル。発見場所にちなんでサンディエゴの巨人と呼ばれていた。

人の骨が発見されたニュースを報じている。とりわけ、ミネソタ州、アイオワ州、イリノイ州、オハイオ州、ケンタッキー州、ニューヨーク州での発見が多いとした。

近年になり、アメリカの巨人族研究家セセリア・ホールが、グーグルアースの地図上に、過去から現在までの巨人の骨が見つかった地点をクリップしたところ、その数は、なんと1000か所を超えた。

ホールは「これまで、それこそ膨大な数の巨人の骸骨が発掘されている。不可解なのは、その〝実物〟が、いつの間にか消えてなくなり、行方不明になってしまっている点にある。さらには1950年代からは、巨人の骨の発掘や発見がニュースにもならなくなってしまった。おそらく裏で糸を引いているのはスミソニアン博物館に違いない」と指摘している。

ちなみに、スミソニアン博物館が隠蔽した書類が開示される予定も発表されていたが、巨人族についての真実は、いずれの形でも明らかにされることはなかった。

No.000101

サルデーニャ島の巨人の歯

イタリア半島の西方、地中海に浮かぶサルデーニャ島は、5000年前に謎の巨石文明が栄えたとされる謎めいた場所だ。

島には20トンを超える巨石でつくられた通称「巨人の墓」が800余り、階段状ピラミッドに似た構造物、そして世界遺産になっている「ヌラーゲ」と呼ばれる円錐形の石の塔が7000以上点在している。これらはすべて巨石文明の遺構で、高度な石の建築技術のルーツこそ、「先住民たる巨人たちだ」と島の古老たちは信じて疑わない。

2019年、「巨人の墓」から見つかったという「巨大な顎骨と歯」の画像が話題になった。これは2012年に農夫が偶然発見したもので、同島在住のジャーナリスト、マルセロ・ポラスッティが縁あって預かり受けることになったという代物だ。

情報によれば、そのポラスッティは知友の歯科医エンリコ・マンカに分析を依頼。結果、マンカは「顎骨に残っていた歯は3本とも人間の臼歯で、通常の人間の臼歯が約2センチなのに対し、3・5センチもあって、これまで見たこともない大きさの臼歯だった」と、ポラスッティに報告した。

2014年、イギリスのテレビ番組『Forbidden history』が、マンカが分析時に撮影した映像を公開。そこには象牙色に近い乳白色をした人間の親指ほどの大きさの歯と、ずっしりとした大きな顎の骨が映しだされている。当初、大型哺乳類動物の顎の断片と考えたが、手術用顕微鏡で詳しく解析すると、歯の内部構造まですべて人間の歯と一致していたという。

マンカは「歯は明らかに人間のものです。大きさから身長は2・4～3メートルはあったはず」と語っている。件の歯はその後行方不明になったままだ。

ちなみに、1979年の考古学発掘調査の際、サルダラという町の教会の下から、推定身長2・7～3・7メートルの巨大な骸骨が数体発掘されたが、行方不明になっている。2013年にもヌラーゲ遺跡で巨大人骨が発見されたが、公表されていない。

同島での人類史を覆すことになる〝巨人の証拠〟は、闇に葬られてしまう運命にあるようだ。

◀▼世界遺産の「ヌラーゲ」。迷路のように入り組んだ遺跡だ。

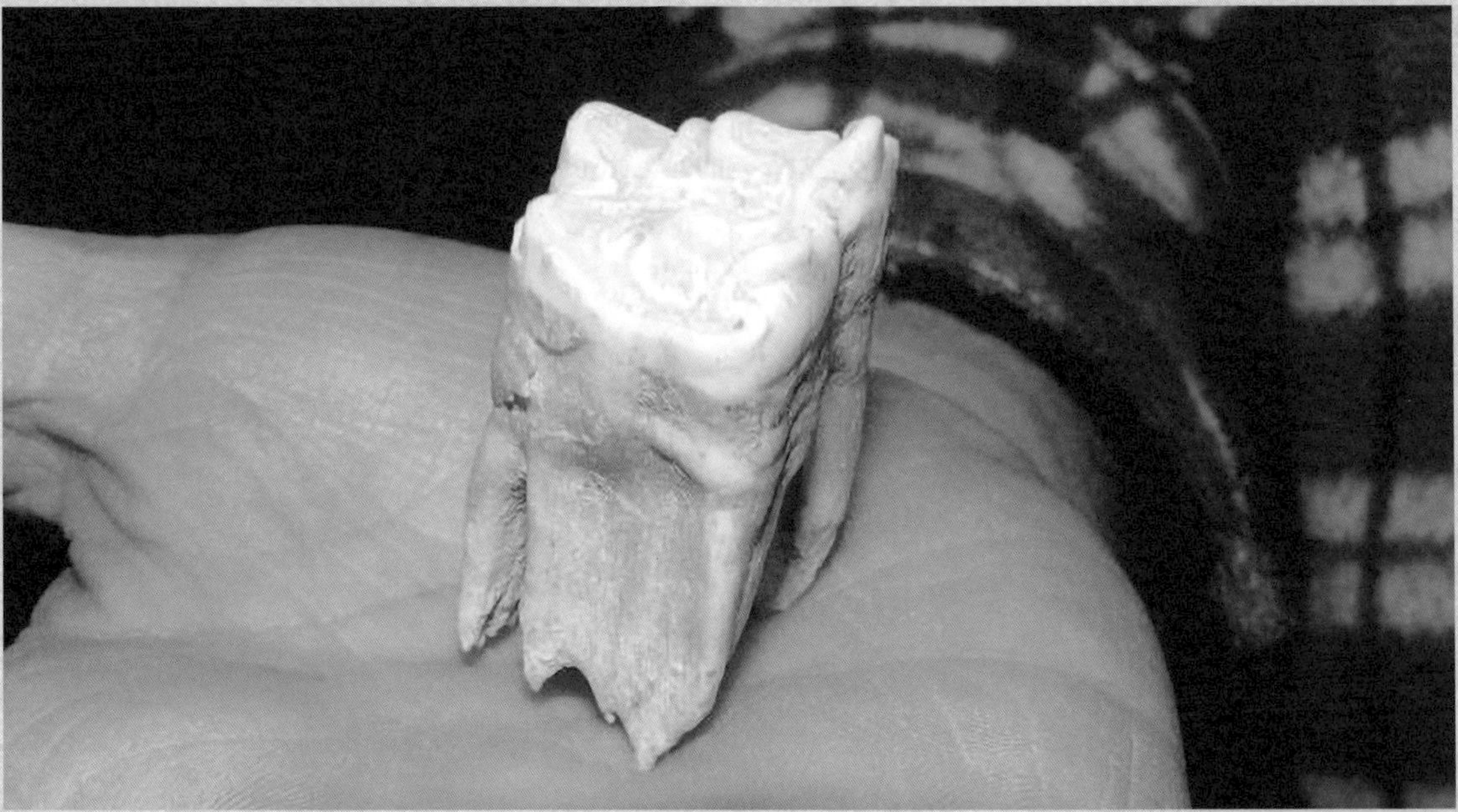

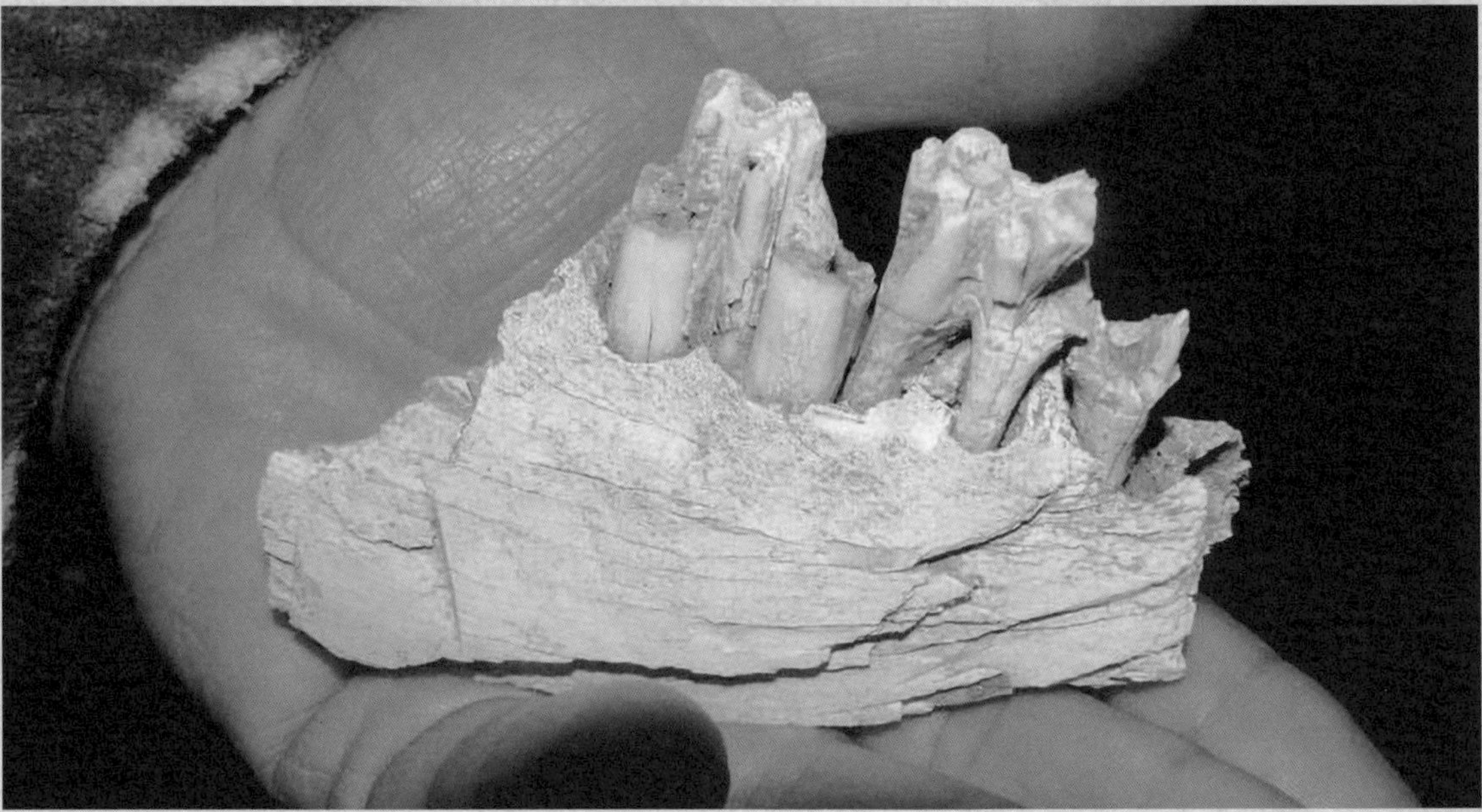

▲発見された巨大な歯（上）と顎の骨（下）。
分析の結果、ヒトと同じ内部構造であるということが判明している。
▶巨人の墓とされる遺構もある。

認定
AUTHORIZATION

No.000102

南アフリカの巨人の足跡

▲南アフリカとスワジランドの国境近くの町、ムプルージの山中で発見された、長さ120センチの巨大な人間の足跡。
▶北ナミビアの鉱山で鉱山労働者が発見したという巨人の大腿骨。

「巨人族は確かに存在していた」と、その証拠を捜し求め、世界各地を飛び回る研究家は少なくない。南アフリカの作家で探検家のマイケル・テリンガーもそのひとりだ。

彼はスワジランドとの国境近くの町、ムプルージの山中に長さ120センチもの巨大な〝人間の足跡〟を発見。その様子を映像におさめ、動画投稿サイト「YouTube」に発表し、足跡の正体について世界中に疑問を投げかけた。

この〝足跡〟がついた花崗岩が形成されたのは、なんと、約2億年～30億年前と推測されるという。

ということは、この足跡は少なくとも2億年前のものだということになる。

人類種が誕生したとされるのが、約700万年前である。はたしてその遥か昔、2億年も前に人類に近い生物・巨人種が存在しえたのだろうか。もし、この足跡が本物だとすると、持ち主の身長は約7・5メートルということになる。

実はこの足跡が初めて発見されたのは、1912年。地元の猟師ストッフェル・クッツェーによってだった。しかし、先住民らの間では、この地を聖地とし、足跡を〝ヘブンリー・プリンセスが残したもの〟として崇めてきたという。

〝ヘブンリー・プリンセス〟とは、いったい何者か。それはわからない。

さらにテリンガーは南アフリカの大学教授、フランシス・サッカレーから、巨大な人間の大腿骨（尻へ続く関節を含む）を見せてもらっている。北ナミビアの鉱山で鉱山労働者が発見したもので、1960年代の初期からヨハネスブルグにあるヴィッツ大学のアーチ形の建造物に展示されていたのだそうだ。

骨の大きさからして、約3・5メートルもの身長の持ち主だったはずだという。

現在、世界各地で巨人の骨や足跡などの遺物が発見されているが、これらは、かつて巨人がこの地上を闊歩していた証拠なのではないだろうか。

No.000103

巨人の指のミイラ

2012年、ドイツで長さ97センチのミイラ化した巨大な指の映像が公開され、「ネフィリムのものではないか?」と注目された。

ネフィリムは、神の子と人間との間に生まれた巨人族だ。『旧約聖書』の「創世記」や『旧約聖書外典』の「エノク書」などで言及され、伝説の種族として知られてきた。

ここに紹介している写真だが、これを発表したグレゴリー・シュペリが1988年に撮影したものだという。なぜ24年も経て、ネフィリムの指の存在を公表したのか。

シュペリはもともとスイスのバーゼル在住の実業家で、考古学は趣味にすぎなかった。とはいえ、エジプトには引きつけられ、過去に数回エジプトを訪れ発掘作業を行っていた。1988年の調査旅行の最後の日のことだ。盗掘者グループから接触を受けた彼は、謝礼と引き換えにカイロから100キロ北東にある農場で、彼らが秘匿する家宝を見せられる。それがこのミイラ化した指だった。

この巨大な指は、曲がった状態で楕円形の箱に入っていた。指を手に取ってみると驚くほど軽く、数百グラムほどしかなかったという。さらに彼らは、指が本物であることを証明する鑑定書類とレントゲン写真も見せた。いずれも1960年代のもので、かすかながらも信憑性が感じられた。

そこでシュペリは「売ってほしい」と懇願したが、「アラーの御名のもと、それはできない」とかたくなに拒否され、結局、写真撮影だけで終わってしまったという。

2009年、諦めきれなかったシュペリはエジプトに戻り、当時の記憶を頼りに巨人の指の消息を追った。しかし、このときは盗掘者グループとの接触すらかなわず、徒労に終わった。

そこで、自分なりに遺物の信憑性を検証した。そうして、ギザのピラミッドにある巨大すぎる石棺の存在を知り、各地の巨人神話を読みあさる中で、〝かつてこの地に巨人ネフィリムが存在していた〟と確信し、ついに指の画像の一般公開を決心し、新な情報を募ることにしたのである。

はたして、この指の正体は……。その謎は今なお、解き明かされていない。

▼2012年にドイツで公開された、97センチもある巨大な指の映像の一部。よく見ると指先には爪のようなものもある。

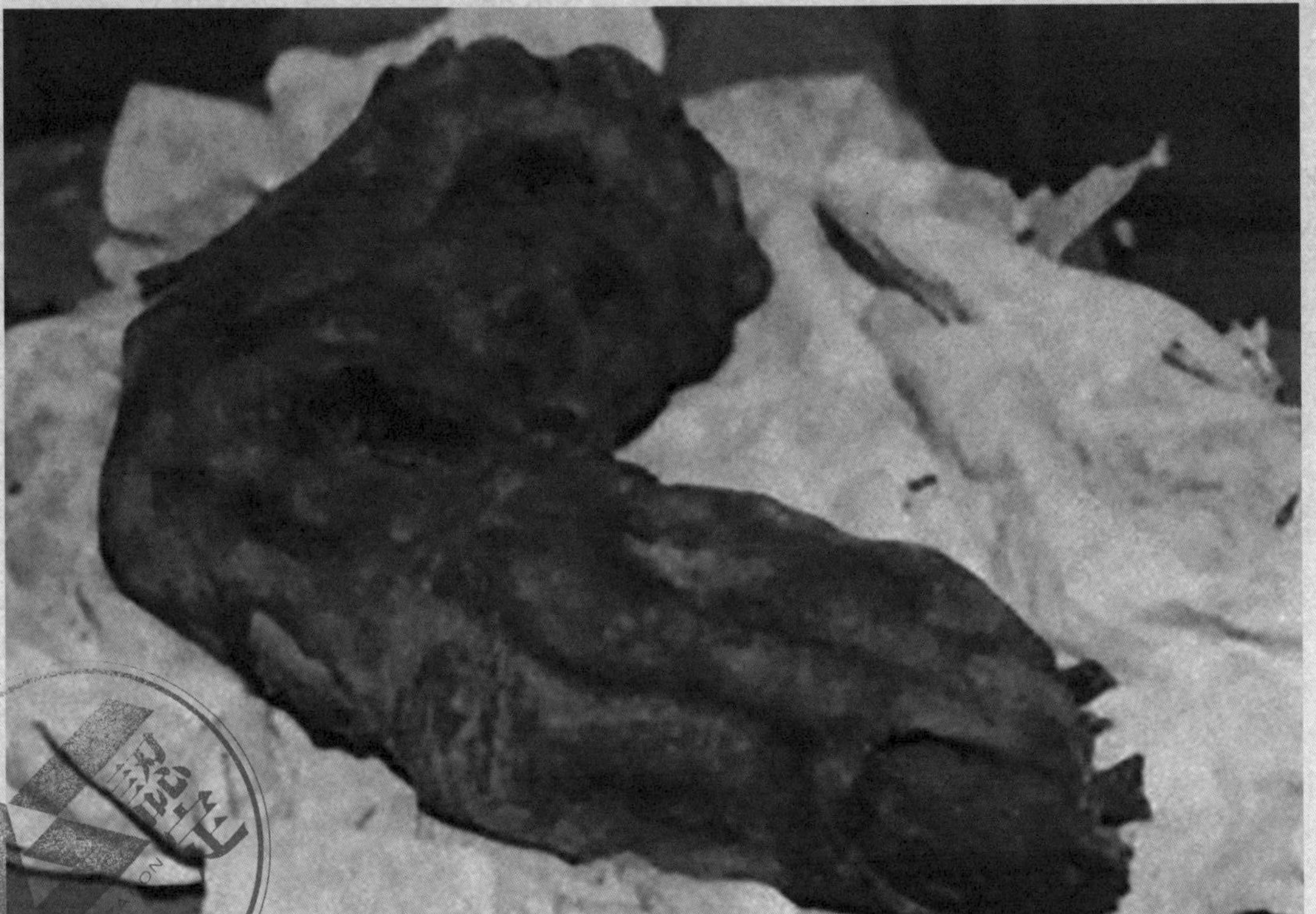

No.000104

スターチャイルド

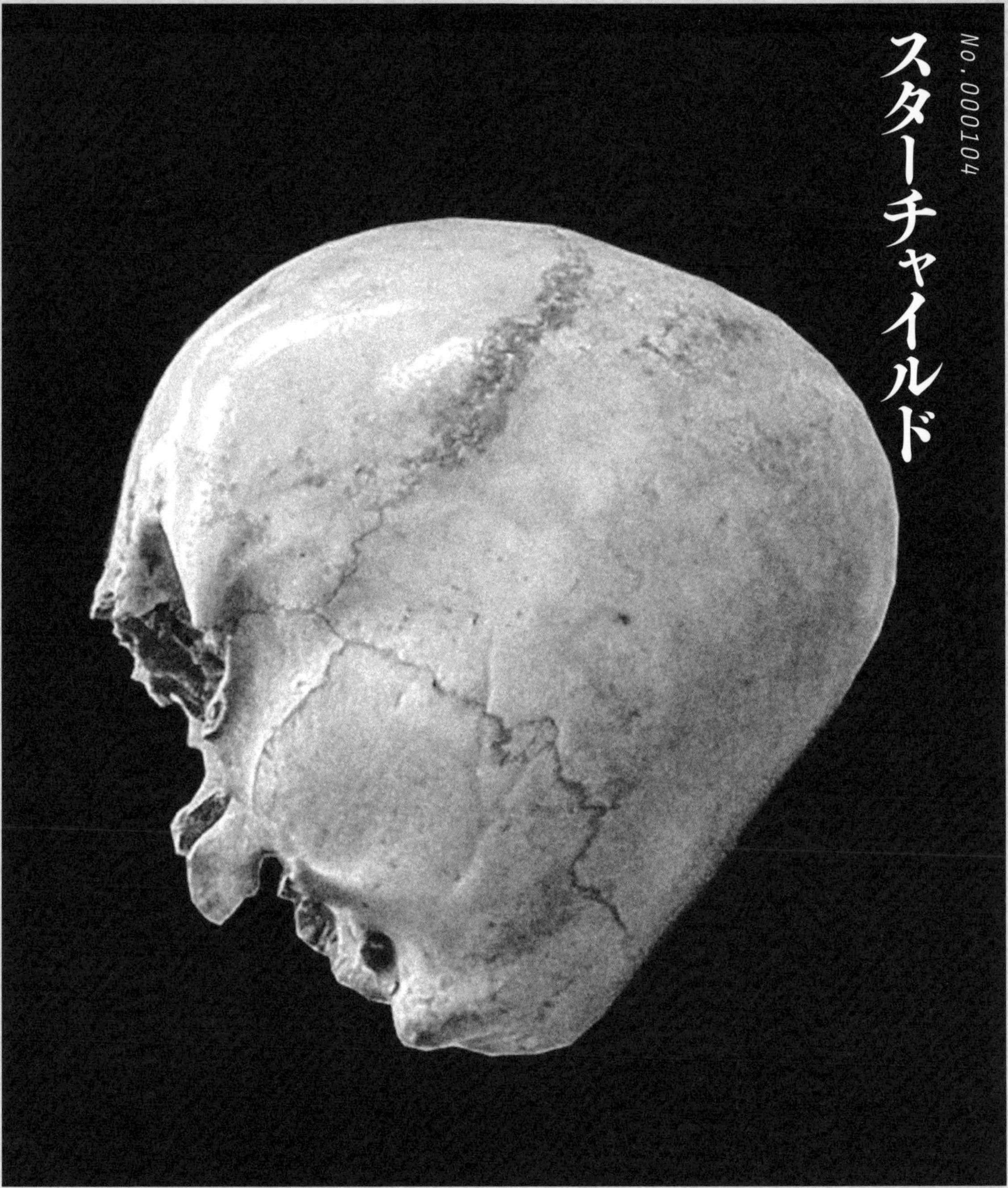

▲スターチャイルドの頭蓋骨。地球人類を母として生まれた異星人ハイブリッドと見られる（左ページも）。

1930年代、メキシコ、チワワ州の南にある廃坑で遊んでいた子供が、ふたつの奇妙な全身骨格を見つけた。そのうちのひとつは頭が異様に膨らんでいたのだ。だが、十分な検証がされないまま、奇形の一種だろうと放置された。

ところが、1999年2月にアメリカの解剖学者ロイド・パイによって、驚きの診断結果が発表される。

パイによれば、ひとつは推定年齢35～45歳のメキシコ人女性だが、問題はもうひとつの異常な頭蓋骨にあった。一部残った歯の形成具合から推定5～6歳の子供と推測されたが、脳の容積は現代人を大きく超える1600ccもあったのだ。しかも、先天的な奇形とは考えにくいという。

チワワ近郊では、天空から飛来したヒト形生物が村の女性たちを妊娠させ、数年後に生まれ育った「星の子供たち＝スターチャイルド」を天に連れて帰ったという伝説が語り継がれている。

このことから、パイは異形の

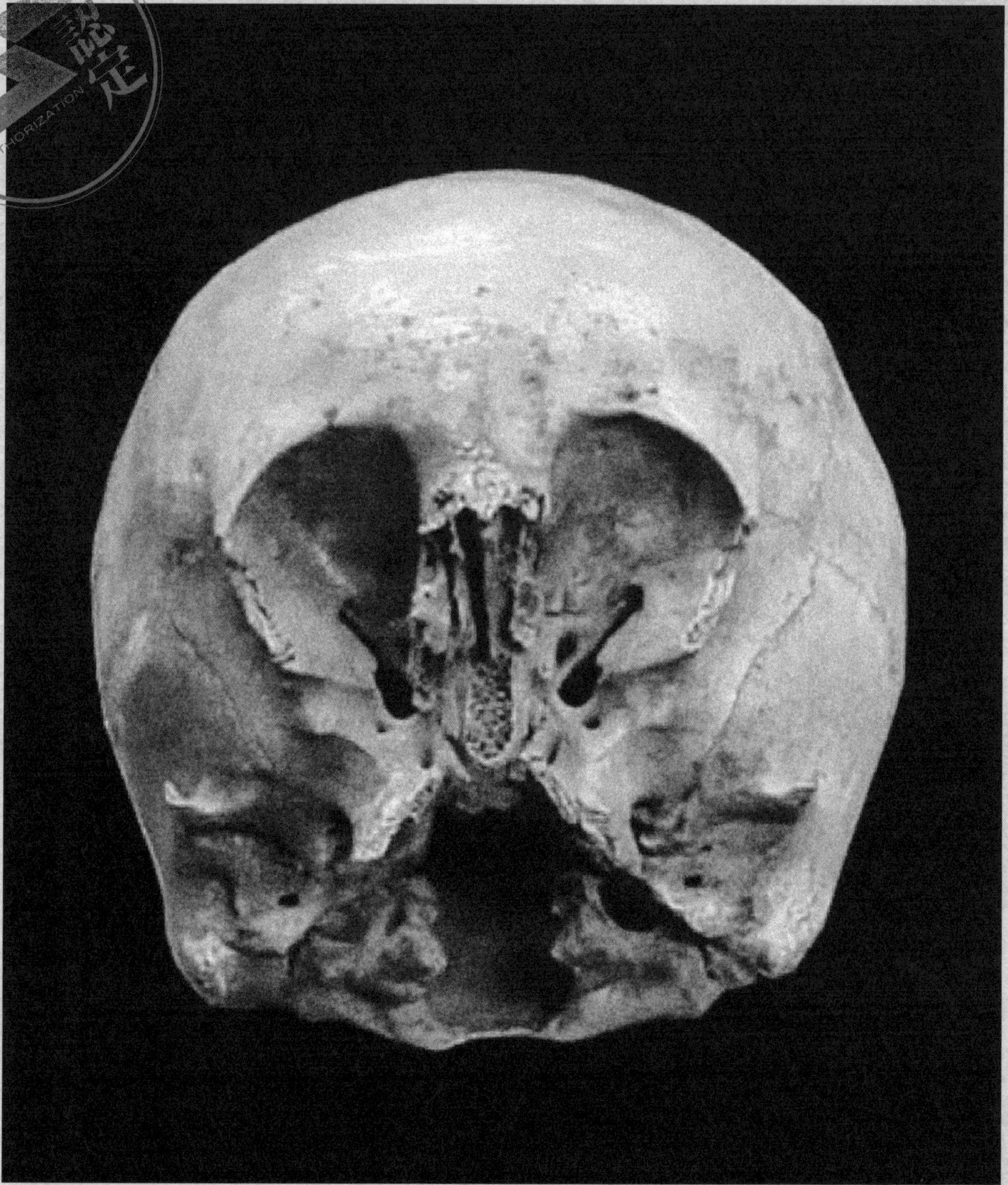

頭蓋骨をヒトとエイリアンのハイブリッドだと確信。DNA鑑定でそれを実証する「スターチャイルド・プロジェクト」を立ち上げた。

2003年、カリフォルニア大学で実施されたDNA検証の結果が出た。スターチャイルドが約900年前に亡くなっていたこと、さらにはミトコンドリアのDNAから、母親が人類だということが判明した。

さらに2010年になって細胞核のDNA解析が行われ、人やサルを含む、地球上に生息する全生物の遺伝子データベースとの照合が行われた。するとなんと、該当する生物はひとつもなかったのである。つまり、スターチャイルドの父親はヒトではなかったどころか、地球上の生物ではなかった可能性が高いというのだ。

スターチャイルドの父親は地球外生命体か？　それとも未知の人類種なのか？　さらなる検証に乗りだしていたパイは惜しくも2013年12月に他界した。だが、遺伝子学の進歩が、いつかスターチャイルドのルーツを明らかにするだろう。

No.000105

イランの小人族の集落遺跡

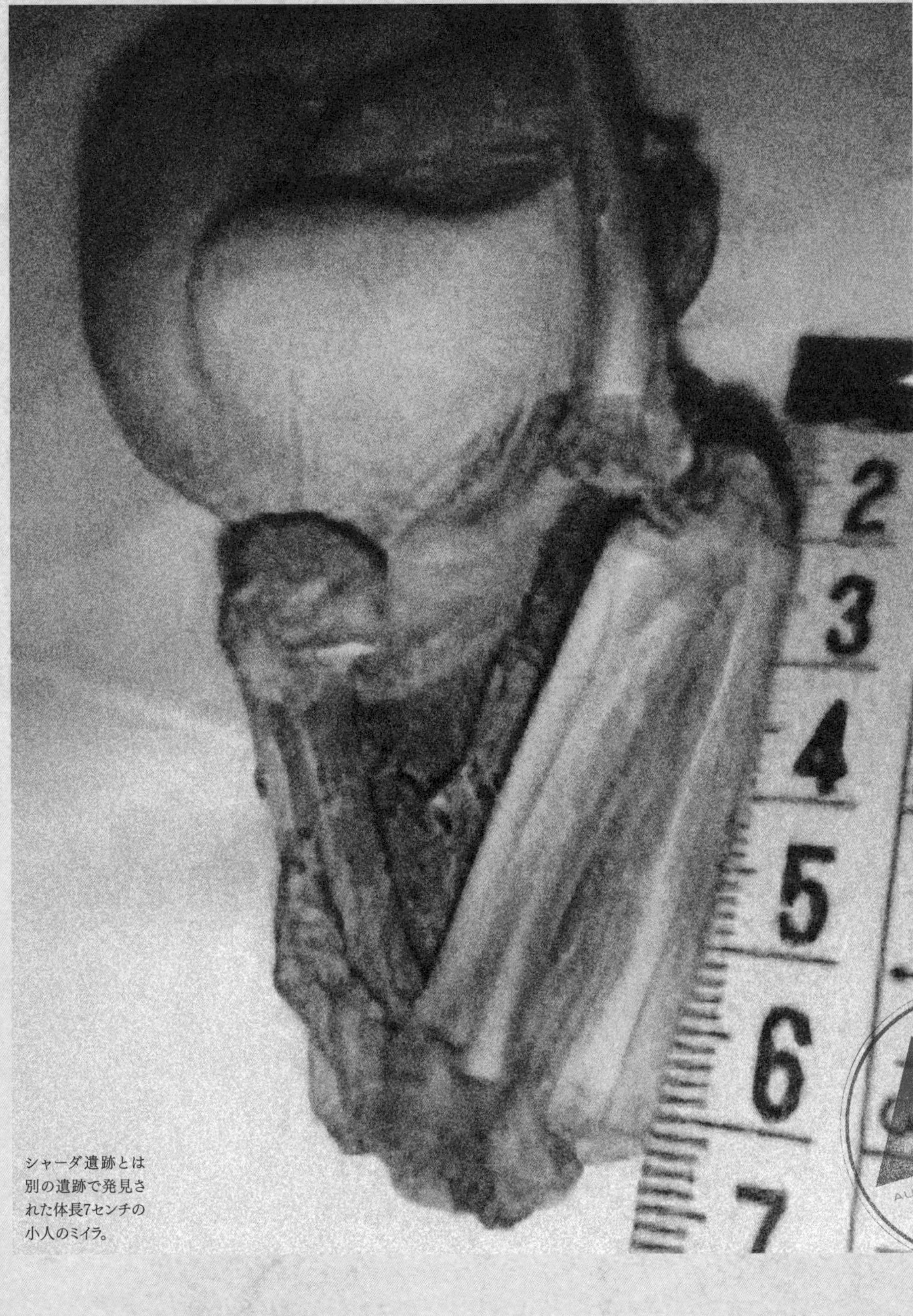

シャーダ遺跡とは別の遺跡で発見された体長7センチの小人のミイラ。

2005年8月、イラン、ケルマーン州のグディスにあるシャーダ遺跡で、奇妙なミイラが発見された。

ミイラの身長は25・4センチで、保存状態も良好だった。奇妙というのは、法医学検査で16～17歳で亡くなった若者だと判明した点だ。新生児にしても小さなミイラが、成人に近いものだというのだ。

しかも、このミイラは現地で「ドワーフ（小人）の都市」と呼ばれる遺跡を発掘中に発見されている。遺跡には高さ80センチにも満たない壁をはじめ、通路や天井のほか、かまどや棚に至るまでサイズが小さいものの、明らかに居住に使用した痕跡があった。

シャーダ遺跡全体はイスラム侵攻以前のササン朝ペルシア期（3～7世紀）のものだとされるが、小人集落について地元紙は「5000年前に繁栄したドワーフ＝小人族の都市である」と報じている。

作家のジャック・チャーチワードは「シャーダの村で発見された遺跡の建物の大きさや形状

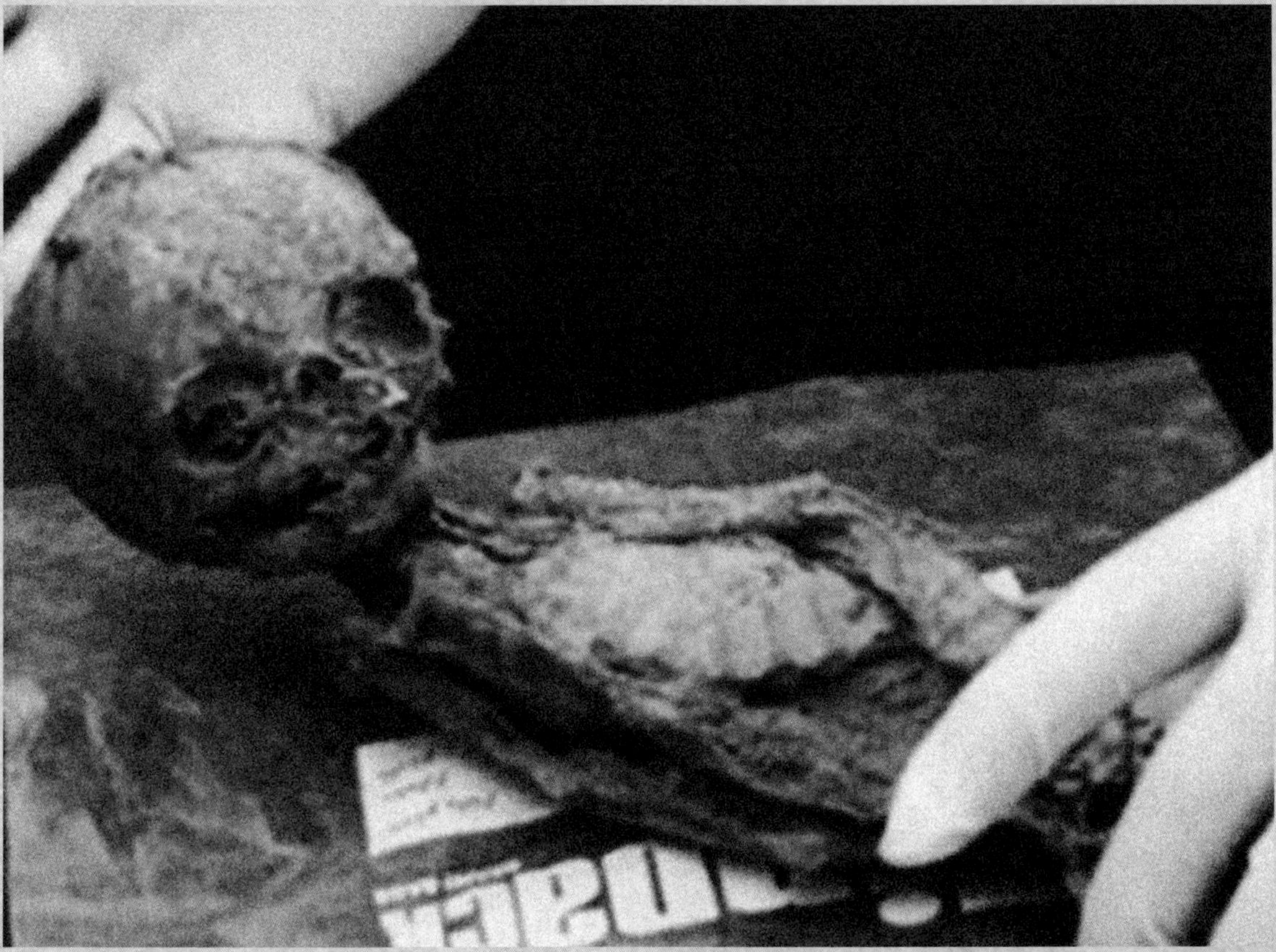

▲上：シャーダ遺跡で発見された小人のミイラ。身長25.4センチの若者のもの。下：マクハニック（小人の都市）の名をもつ遺跡。
▶高さ80センチほどの穴は、小人たちの通路だったのか？

を見ても、『ガリバー旅行記』に出てくるリリパッド人が住んでいた町だったのではないかと思ってしまいます。不思議なことに、彼らの小さな家のドアは土でふさがれており、まるでどこかに一時的に避難しており、やがてこの町に戻ってこようとしていたかのようです」と語っている。

つまり、小人族は滅んだのではなく、どこかに移住したのかもしれないのだ。

地元の人類学者たちは小人族の存在については否定的だが、小さすぎる遺跡の生活痕については見解を保留しているという。シャーダ遺跡の全容解明に向け、地元ケルマーン州警察や、イラン文化遺産および観光機構（ICHTO）が本格的な調査を開始しているが、真相はいつか明らかになるのだろうか。

ちなみに、2013年8月にイラン国内の別の遺跡から体長約7センチという超小人のミイラが発見されている。シャーダ遺跡の小人族との関連は不明だが、古代のこの地に、小人族が存在していた可能性はさらに高まったといえるだろう。

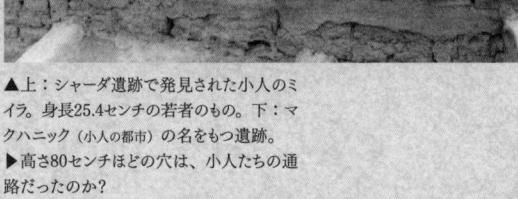

No.000106

ワイオミングの小人ミイラ

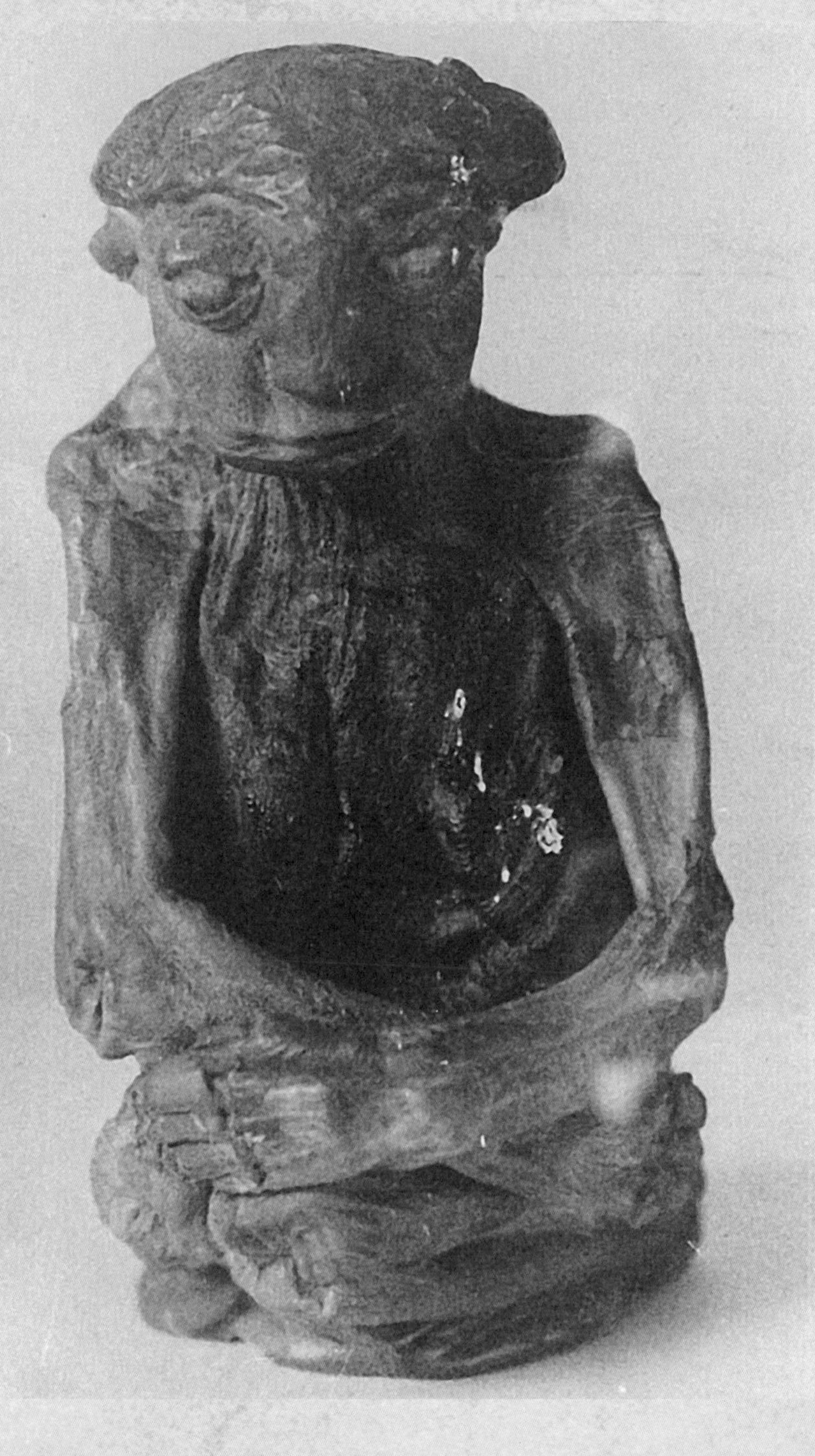

◀アメリカ、ワイオミング州の峡谷で発見された、背丈約36センチ、体重約340グラムの小人ミイラ。

ゴールドラッシュの熱気もとうに過ぎた1932年10月。アメリカ、ワイオミング州キャスパーの南西約100キロにあるペドロ山脈沿いの峡谷で小人のミイラが見つかった。

発見者は、金鉱を捜していたふたりの男性。爆薬で岩盤を吹き飛ばしたところ、縦横約1・2メートル、奥行き約4・6メートルの洞穴が出現。この洞穴の岩棚に、背丈が約36センチ、体重約340グラム、あぐらをかき、両手を膝の上に置いた小人のミイラが鎮座していた。ブロンドの剛毛に覆われた肌は浅黒く、まぶたがかぶさり、鼻は平べったかった。

ふたりは急いでこの異形のミイラを持ち帰った。ガラス容器に保存されたミイラは、たびたびメディアに紹介され、専門家の鑑定も受けた。X線で検査された結果、小さな頭蓋骨、背中の脊椎骨、肋骨、腕の骨、脚の骨などが識別できた。歯もすべて揃っており、死亡推定年齢が65歳前後だということも判明した。

この調査結果からハーバード

▲ミイラが発見されたペドロ山脈。
▶X線で検査すると、骨格がはっきりと識別できた。

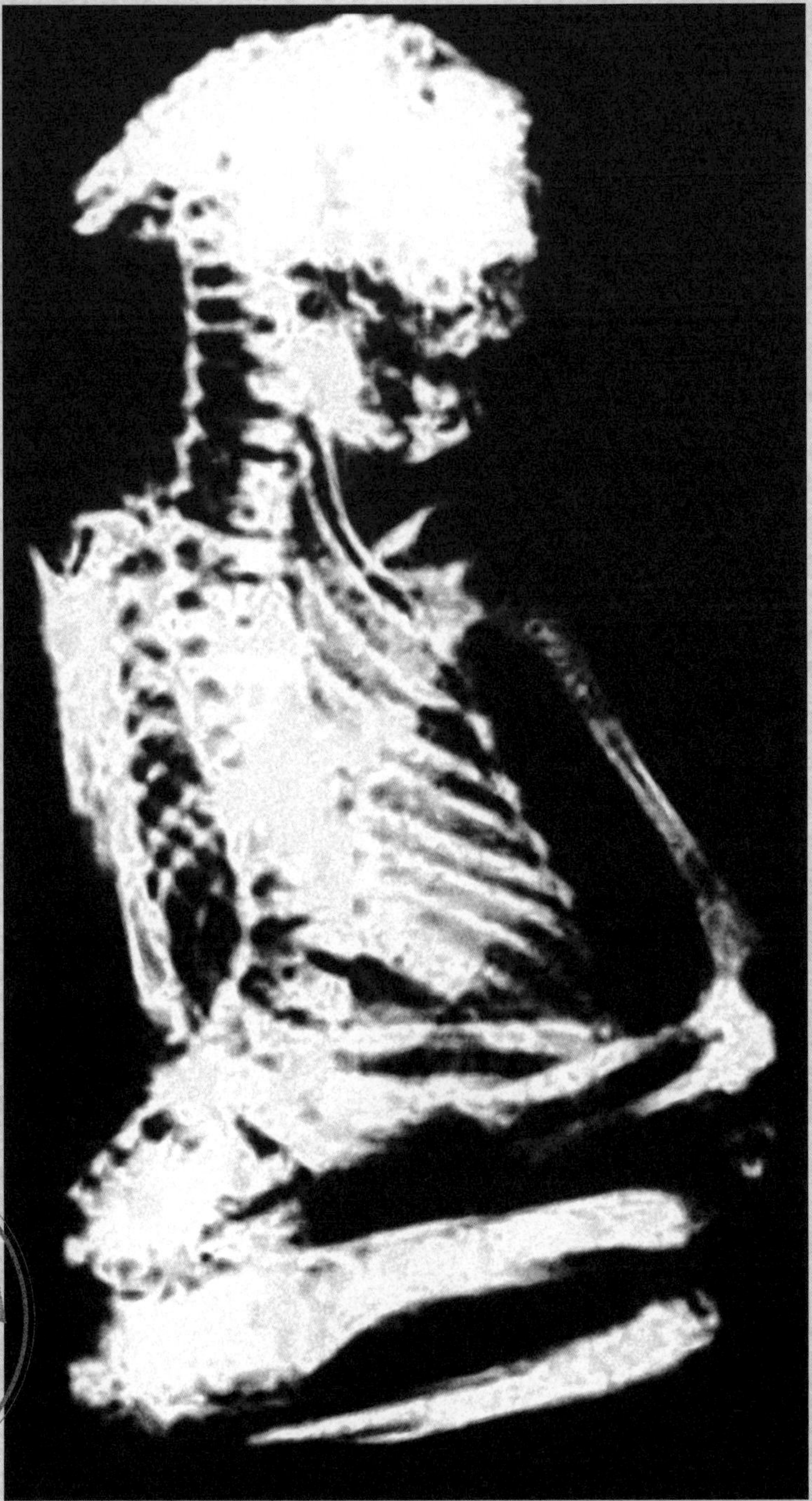

認定
AUTHORIZATION

大学人類学教室は、「ミイラは間違いなく本物である」と指摘。しかし、人類学者ヘンリー・シャピロ博士は、「その素性は見当がつかない」とコメントしており、この小人が〝未知の生物〟ということがわかっただけだった。

その後、洞穴の調査も行われたが、ミイラについての手がかりになるものは発見できなかったようだ。

では、この小人ミイラは、いったいどこから来たのか？

どうもこの地にもともと〝生息〟していたらしい。ワイオミング周辺の先住民の間には、峡谷に住む小人部族の生活様式や彼らと戦ったという伝説が残されているからだ。

ある先住民の古老が「少年時代に、とある岩山の角を曲がったところで小人と顔を合わせたことがある。友人たちと捜索したところ、ピグミーの洞窟と呼んでいるところで、小人の寝床らしき場所を発見した」と話した、という記録もある。

しかし……、そもそも小人がいかなる種族でどんな生活形態をとっていたのか、正体は謎のままである。

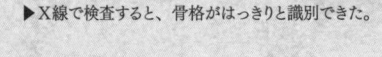

No.000107

アタカマ・ヒューマノイド

2003年10月19日、チリのアタカマ砂漠で、ミイラ化した体長15センチほどの超小人の遺骸が発見され、バルセロナにある「宇宙生物調査研究所」に持ち込まれた。

同研究所の所長ラモン・ナビア・オソリオ・ビジャは鑑定を行い、2009年に「人間とは肋骨の数が異なっている。頭も極端に長く膨らんでいて、皮膚はウロコで覆われている。地球外の生物かもしれない」というコメントを添えて世界に発信した。

その後、スタンフォード大学の医学部免疫学／微生物学科教授ギャリー・ノーラン博士をリーダーとする研究チームが検証にあたった。2012年10月、CATスキャンで肺および心臓と思われる部位の残存が確認され、この超小人が有機物質であり、生物であることが明らかになったのだ。

だが、小人ミイラの肋骨は人間の12対に対し、10対しかない。

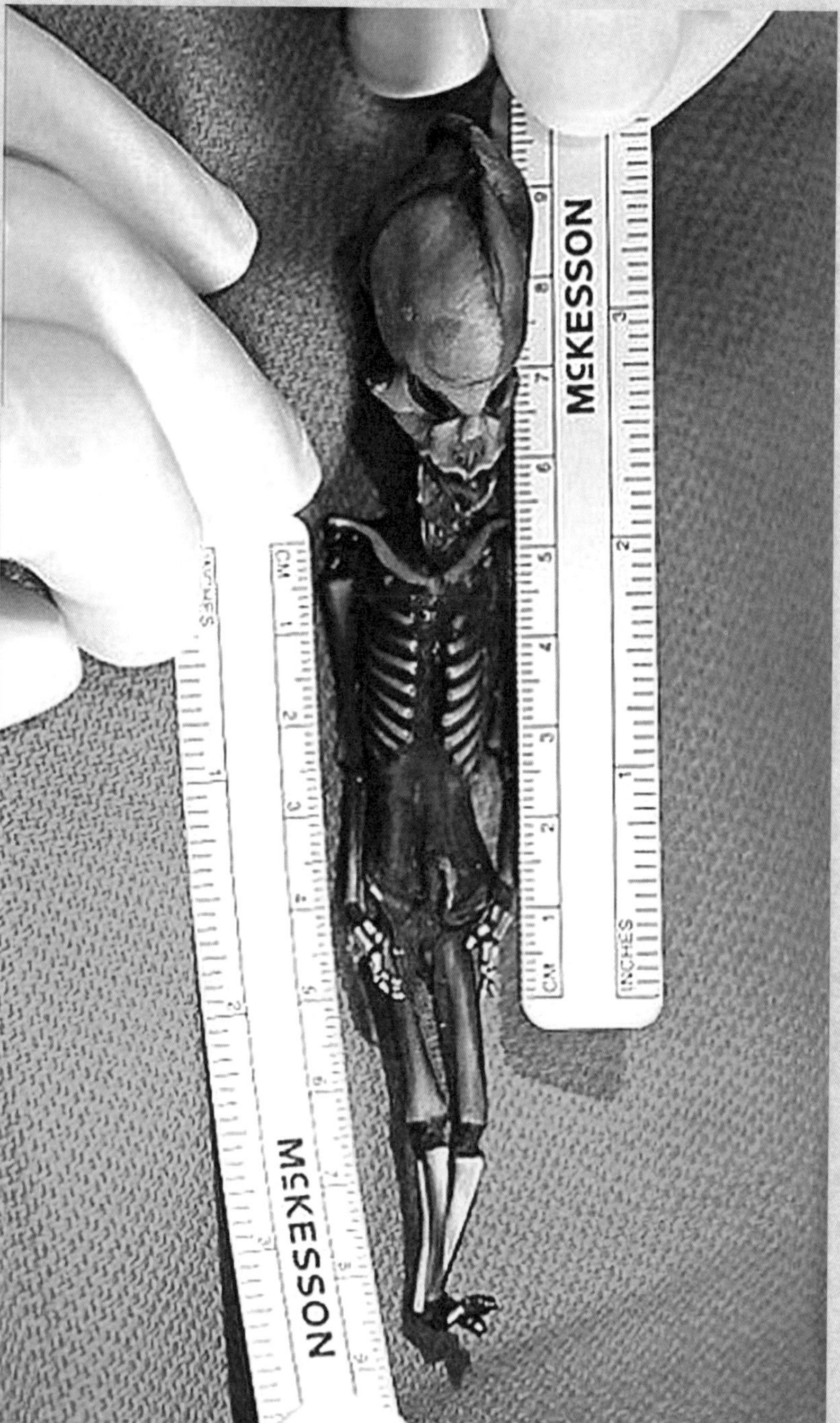

◀▼アタカマ砂漠で発見された超小人のミイラ。その体長は15センチほどだ。

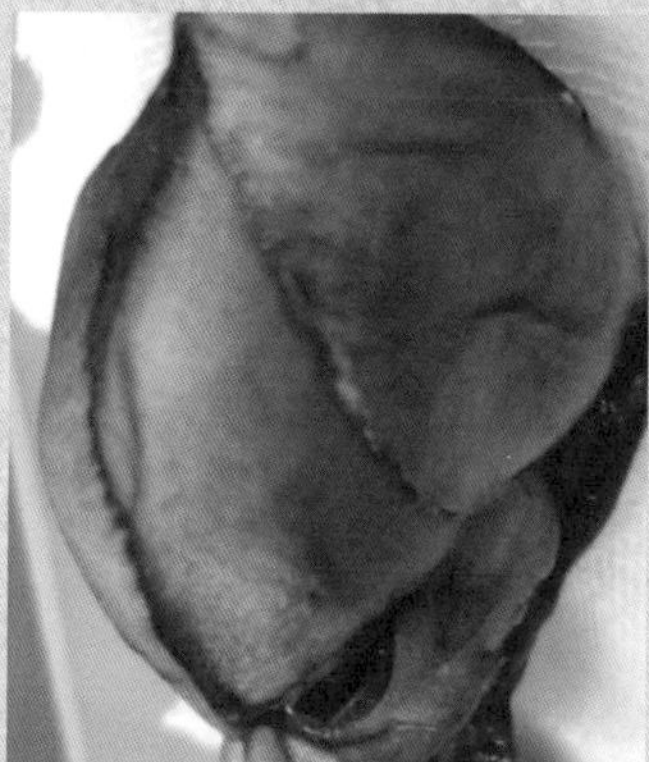

頭蓋部の形状も人間と異なり、頭蓋部全体と比較して上方口蓋《こうがい》弓《きゅう》が占める部分がかなり広い。この奇妙な外見は医学的な意味での奇形や遺伝子異常、骨格形成異常など、人間に現れる異常によるものではない。骨格がかなり発達し、顎骨に永久歯が生えていることから、6〜8歳まで生きていた可能性もあるとされた。この小型ミイラのような小人症の記録はなく、身長わずか15センチのままで6歳まで生き延びた例もないそうだ。

だとすれば、その正体は何なのか？

DNA抽出作業を担当したノーラン博士は、「あらゆる種類の小人症における既知の遺伝子とつながる遺伝子コード化タンパク質の変異が、この標本からは発見されなかった」と語っている。さらに、そのDNAサンプルは人間のものと完全には一致せず、小人ミイラは別種族と考えられたのだ。

ノーラン博士らは、「DNAから考えれば、アタカマ標本は人間である。とはいえ、人類とまったく同じDNAシークエンスをもつ地球外生命体という可能性に興味を感じる人は多いだろう」と語っている。

そもそも地球外生命体のDNAが人間と同じ、あるいは近似していたなら、アタカマの小型ミイラが超小人種エイリアン、あるいはそういった種族と人間の〝ハイブリッド＝交配種〟である可能性も考えられる。

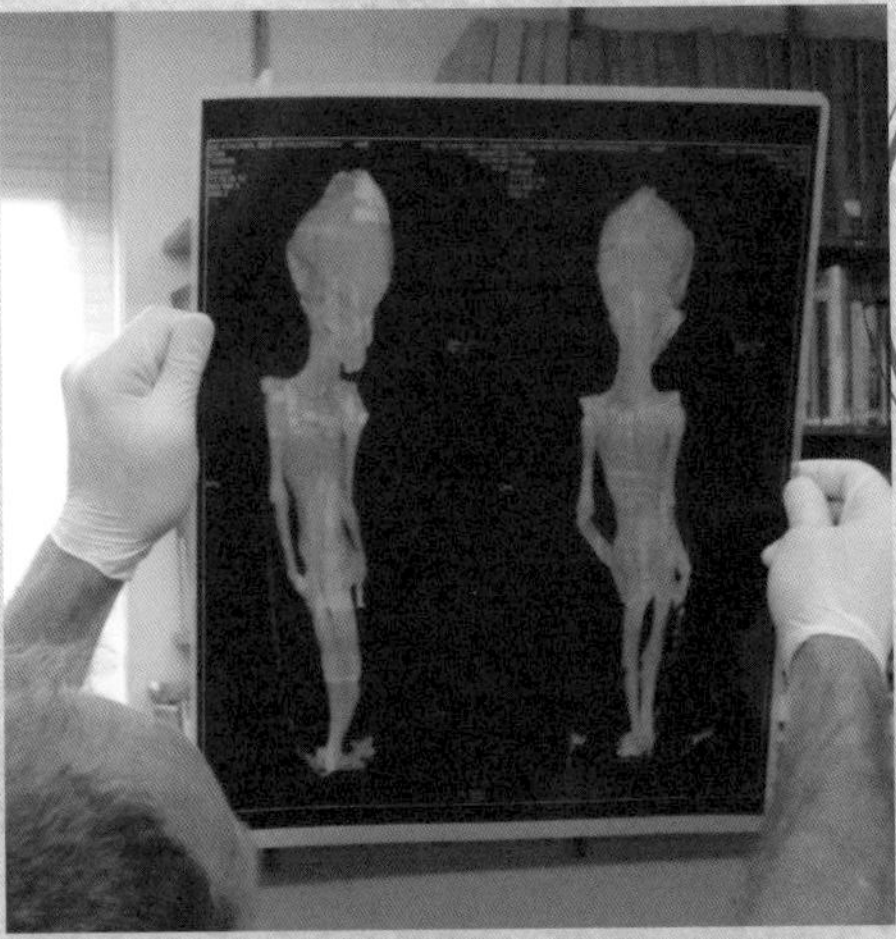

◀▼X線検査によって骨格の発達した6〜8歳の個体であることが判明した。

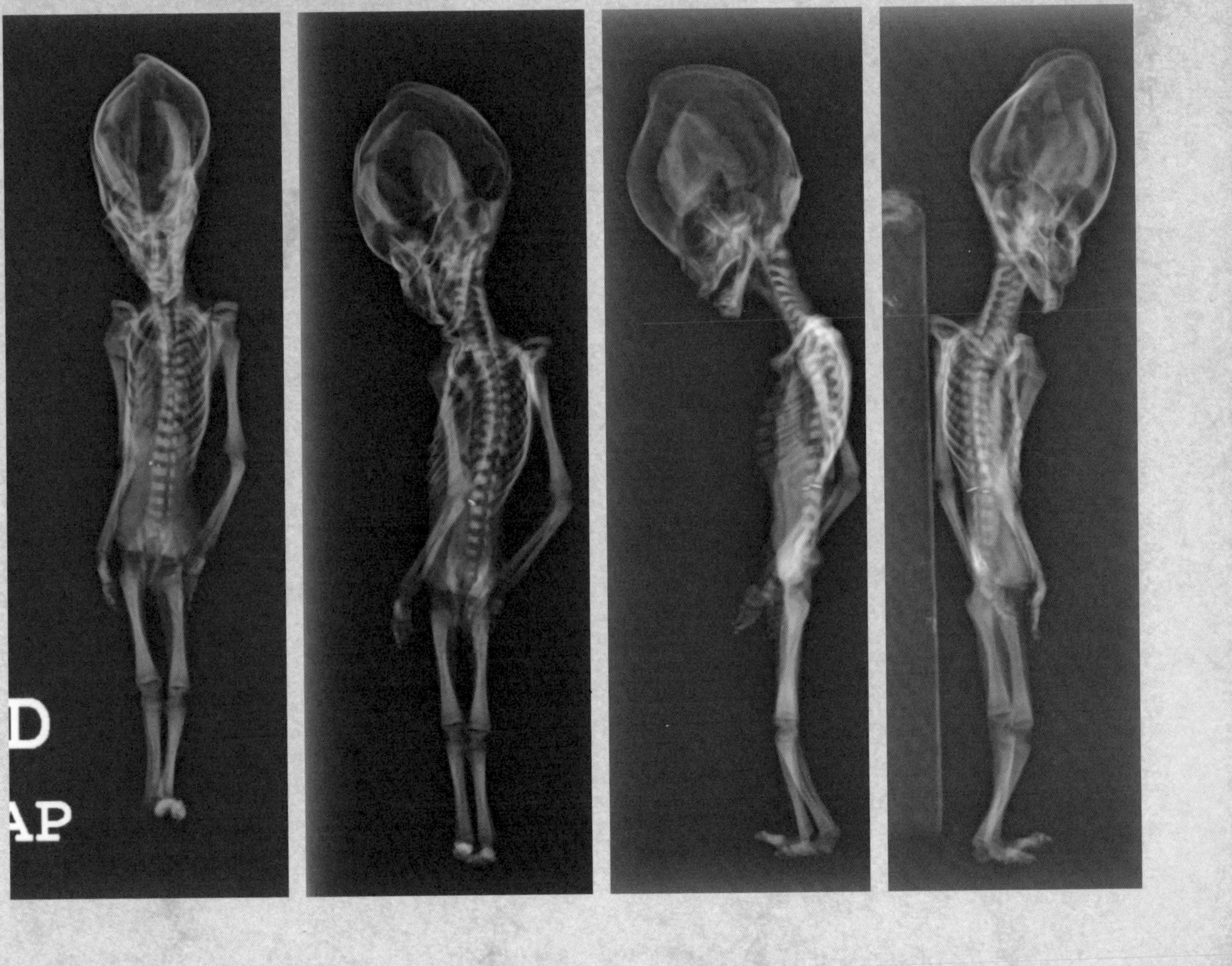

No.000108

長頭人

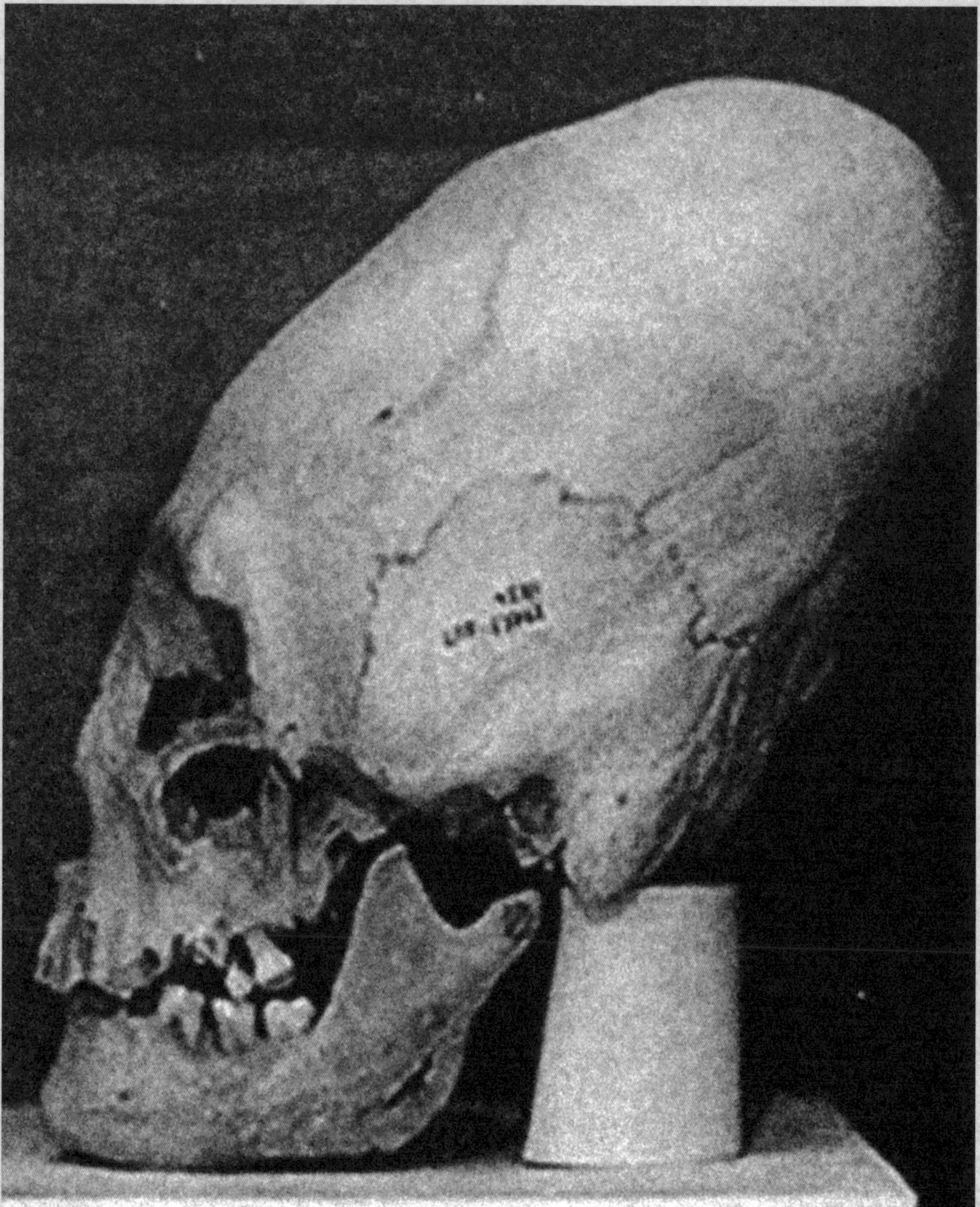

▲1928年、ペルー、パラカスの墓地遺跡から実に300以上も発見された、長頭の頭蓋骨のひとつ。2014年にDNA鑑定が試みられた結果、現生人類ではないことがわかった。

世界各地には故意に頭蓋骨を変形させ、長頭とする風習をもつ民族が少なくない。この〝人工頭蓋変形〟は1900年代初めごろまでフランスやロシア、北欧などでも行われていた。ところが近年、人為的なものとしては不自然に、頭頂部もしくは後頭部が巨大化した頭蓋骨の発見が相次いでいるのだ。

1928年、ペルー南岸部の砂漠地帯パラカスの墓地遺跡で、約3000年前のものと思われる長頭の頭蓋骨が、300以上も発見された。当初は人為的な変形と考えられたが、2014年に行われたDNA鑑定の結果、なんと現生人類と一致しないことが判明した。

また、2003年にも同じくペルー南岸部の洞窟から、新たに〝長頭人〟の頭蓋骨が発見されたが、奇妙なことにこの頭蓋骨は手のひらに乗るほどの大きさだった。同時に体長30センチのミイラも発掘された。その姿形は頭部が異様に大きく、あの異星人グレイを彷彿とさせた。

さらに、2005年、ロシアの北コーカサス、キスロヴォド

▲アメリカのスミソニアン学術協会の考古学者らが2014年に南極大陸で発見した、長頭の巨大な頭蓋骨（左）。

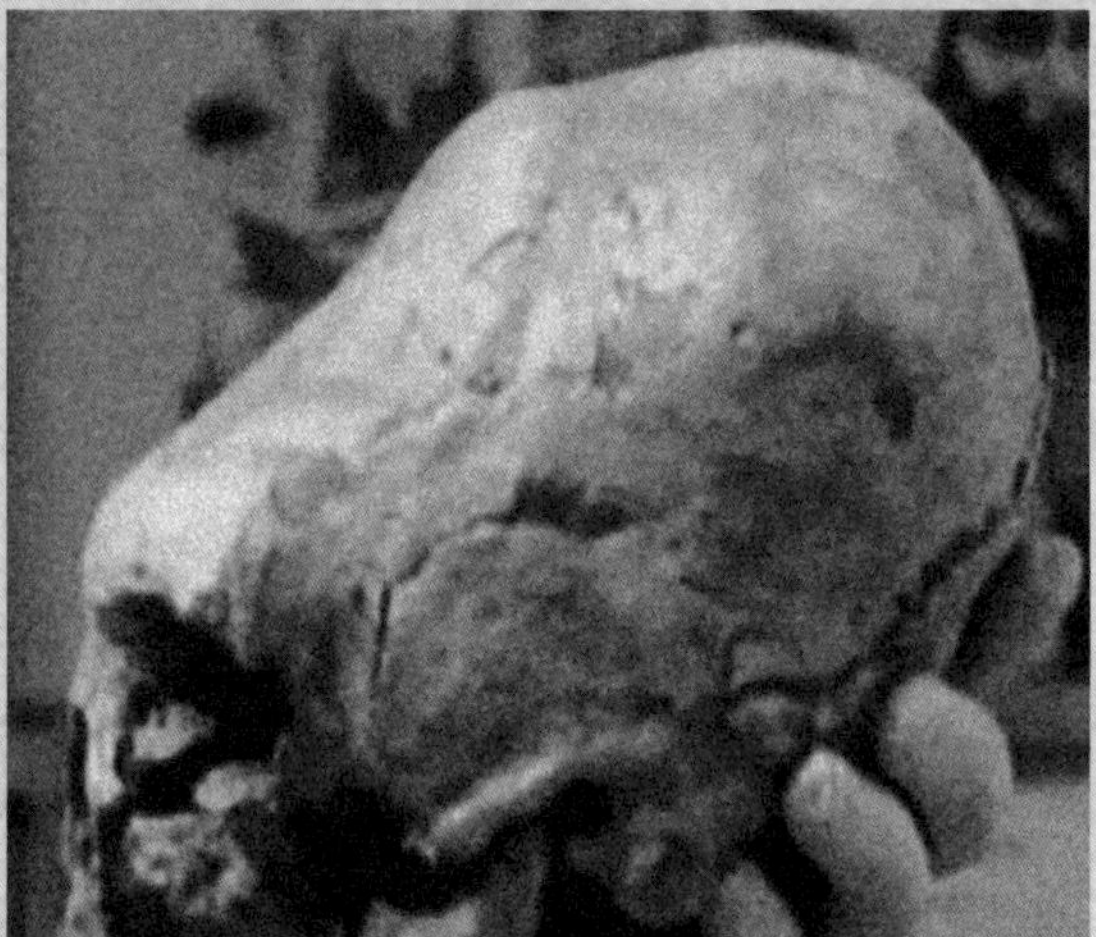

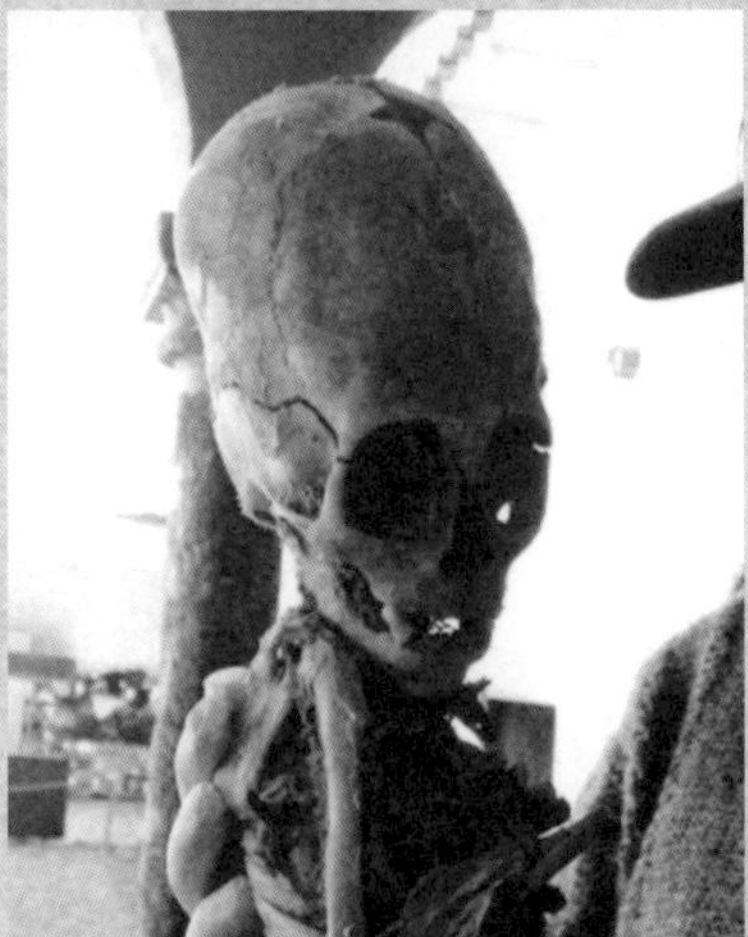

▶左：2005年、ロシアの北コーカサス、キスロヴォドーツクで、先住民の墓地から100個以上の頭蓋骨が見つかり、そのうちの3個が長頭の頭蓋骨だった。右：2003年にペルー南岸部の洞窟で発見された長頭人の頭蓋骨。手のひらに乗るほどの大きさだった。

ーツクで、先住民の墓地から長頭の頭蓋骨が発見された。

実は、2014年には南極大陸で人類の頭2個分もの長さをもつ巨大な頭蓋骨がスミソニアン学術協会の考古学者らによって発見されている。先住民の存在すら確認されていない南極で、このような人骨が発見されたこと自体驚くべき話だ。

こうした頭蓋骨や長頭の彫像は、古代エジプトなどの遺跡からも発見されている。これではかつて地球上に、人類以外に長頭人が存在したとしか思えない。だとしたら、彼らは何者なのか？

長頭である分、脳の容積も人類より大きいため、彼らが人類に文明をもたらした異星人である可能性を示唆する研究者も少なくない。

ある研究者はそうした長頭人が人類に〝神〟として崇められ、その神にあやかるため、〝人工頭蓋変形〟という風習が始まったのではないかという。はたして真相はどこにあるのか？

チブサン古墳

No.000109

◀熊本県山鹿市のチブサン古墳の内壁にある謎の絵。頭に3本のアンテナをつけた異星人を思わせるものと、UFOを表したような円紋が描かれている。

古代前方後円墳は、円形の物体が尾をひいて飛翔する様子を写しているようにも見える。その造形の原点は、太古に飛来した宇宙船の飛翔する姿にあるのかもしれない。つまり、古代人は〝天空人と交流〟していた……と。

傍証になるものもある。たとえば「装飾古墳」。石室や石棺、横穴の壁面に線刻や彩色による図柄が施されている。その中に、天空より飛来した〝宇宙船〟と、それを迎える王や人々の姿を彷彿とさせる不思議な絵が残されているのである。

その代表的なものに国の史跡「チブサン古墳」がある。

熊本県山鹿市にある古墳で、菊池川支流の岩野川右岸、標高約45メートルの平小城《ひらおぎ》台地の東端に位置する6世紀の前方後円墳で、全長44メートル。内壁に三角や菱形の文様とともに、上部に7つの円紋が浮かび、頭に3本の角を生やし両手を掲げた奇妙な人物が描かれている。

通常、この7つの円紋は太陽で、人物は冠をつけた被葬者の生前の姿と説明されているが、宇宙考古学者たちは、古代の天空人来訪を伝えたものだと主張する。

つまり、7つの円紋はUFOで、人物は、UFO＝宇宙船から降り立った異星人であり、頭の角はヘルメットについたアンテナと解釈できるというのだ。

「チブサン」という名称は、壁画正面に描かれたふたつの同心円が乳房に見えることにちなむという。だが、真の意味は明確ではない。また、「チプサンケ」と呼ばれていたが、長い歴史のなかで「チブサン」に変わった、という説もある。

アイヌに、「チプサンケ」という〝船降ろし〟の儀式がある。「チプ」は「船」、「サンケ」は「降臨させる」という意味だ。また「チュプ」という「月や太陽」を意味する言葉もある。そこで「チプサン＝太陽のごとき船＝UFOが降りる」という解釈もまた可能になる。壁画の絵は、その儀式を想起させる。この言葉こそが、「チブサン」の語源である可能性もあるのだ。

No.000110

フゴッペ洞窟

▲北海道のフゴッペ洞窟には、総数600にも上る絵や文字が刻まれており、そのうち78体の有翼人らしき姿が確認されている。古代日本に異星人が訪問していたかと思わせる遺跡として注目されている。

異星人が地球を訪問したのではないか、と思わせる遺跡が日本にある。北海道の余市町にある続縄文時代の遺跡、「フゴッペ洞窟」内の彫刻もそのひとつ。石狩湾に面した積丹《しゃこたん》半島の付け根に位置し、海岸から南方約200メートルの通称「丸山」と呼ばれる小丘陵の岩陰にある。

1950年8月、海水浴に来ていた高校生が偶然、岩場に小さな洞窟を発見。通報で専門家が調べると、内部は幅と奥行きが7メートル、高さが5メートルの広さがあり、貝殻や土器の破片が散らばる約2000年前の住居跡だとわかった。その後、日本では珍しい先史時代の壁画洞窟として一躍脚光を浴びることになる。洞窟の壁に600にも上る絵とも記号ともつかない不思議な彫刻が施されていたからだ。

動物、魚、船などの絵も見られるが、多くは記号化された正体不明の人物像だった。専門家の目をひいたのは、頭に角のような突起をつけた人物と、背に羽のようなものを生やした謎めいた人物像である。これらは「有翼人・有角人」と名づけられ、前者は78体、後者は107体確認された。当然ながら、この人物像の正体についての論争が起きた。学者は、角のある動物や鳥に変装したシベリア系シャーマン（呪術師）の姿を彫ったのだろうと説いている。

ところが宇宙考古学ファンは、そんな説明では満足しない。

「羽は背中に背負ったプロペラないしはジェット式の小型飛行装置、角はアンテナ類を表そうとしたのではないか?」

異星人大襲来を記録した絵とみなせば、なるほど謎はすんなり解けるというわけだ。そういえば、アイヌの伝説には「シンタ」と呼ぶ空飛ぶ乗り物で降臨するオキクルミカムイなる文化神の話がしばしば登場する。このオキクルミは異星人だったと考えられなくもないのである。

洞窟見学には、JR函館本線余市駅から北海道中央バス・小樽駅前行きに乗って15分。「フゴッペ洞窟前」下車、徒歩1分の距離である。

No.000111

オーストラリアのウォンジナ

オーストラリア最古の先住民アボリジニは、エアーズロックや太古の洞窟内に彼ら独特の壁画を数多く残している。

その中でも神秘的なのが、彼らの神話上の神、ウォンジナ（＝天空神）を描いたものだ。アボリジニの古老によれば、崇高なるウォンジナは、彼らにとっての創造神であるとともに、霊的祖先でもある。

今日でもアボリジニは、彼らが暮らす世界を創出した神がウォンジナであり、ときに恵みを授け、ときに罰を与える存在として崇めている。

今なお信仰の対象であるウォンジナは太古から描かれてきたもので、年代は古いもので2万年前までさかのぼれるという。

そのウォンジナの姿だが、見るからに異様だ。部族によって多少の違いはあるものの、その多くは巨大で、ガスマスクをかぶったような顔、頭を覆う後光のようなもの、宇宙飛行士が着る気密服のような衣服、そして

▲異星人、またはヘルメットをかぶった宇宙飛行士のような人物が描かれている。大きく黒い瞳はいわゆるグレイ・エイリアンを想起させる。左ページ上：魚のようなものも描かれているが、尾びれでなく繊毛か足のような存在も目につく。◀左：一様に揃った丸い顔が並ぶ。ヘルメットをかぶった集団を描写したのかもしれない。右：手足が伸びた怪物のような絵も残されている。

▶いわゆるグレイ・エイリアンにそっくりな姿で描かれている神、ウォンジナ。

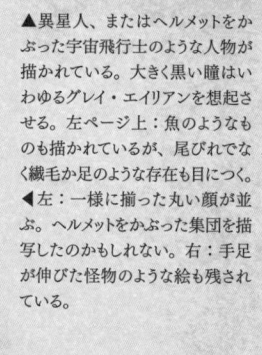

ひときわ大きい両目は、赤く光っている。

その姿はまるでグレイに代表されるヒューマノイド・タイプの異星人そのものだ。

この描写について、学術的には「自然の驚異や崇高さを擬人化、神格化して描いたもの」として理解されている。だが、ウォンジナについて、興味深い伝承がアボリジニの間に残っている。

「天から偉大なる鳥に乗って降りてきて、彼らの先祖に文明を教示した」

——まさしく、異星人説をさらに加速させる伝承だ。天から降りてきた〝偉大なる鳥〟とはつまり、宇宙船のことではないだろうか？

この伝承を手がかりにすると、ウォンジナはやはり異星人だったと思わずにはいられない。そう考えれば、壁画に残された異形の姿も説明がつくのだ。

彼らは太古のオーストラリアを訪れた地球外から飛来した宇宙飛行士たちで、壁画は太古のアボリジニの人たちがその姿を描き写したものだったのかもしれない。

No.000112

タッシリ・ナジェールの異星人

有史以前の地球に栄えていた超古代文明は核戦争によって滅亡した――。この古代核戦争説の証拠であるといわれる痕跡は、世界各地に残っている。

そのひとつが、北アフリカのサハラ砂漠中央部にある巨大な砂岩大地タッシリ・ナジェールの岩肌だ。

1956年に、フランスの考古学者アンリ・ロートによって発見されたこの遺跡には、8000〜2000年前までの数千年間にわたって描かれつづけた、1万5000点以上に上る岩絵や線刻画が現存している。

その多くは先史時代、サハラに草木が生い茂っていた時代を鮮明に伝えるものだが、その中に、謎めいた絵が紛れ込んでいる。ロートによって「火星の神」と名づけられた宇宙服のようなものを身につけた巨人や、頭にアンテナのようなものをつけた「白い巨人」、空を飛ぶ人物、弓状の宇宙船のような乗り物などだ。それらは牧歌的に描かれた古代人の岩絵の中にあって、異彩を放っている。

これらの謎めいた岩絵を見る

▲長さ約900キロ、幅平均56キロにわたって6000年間も綴られた、人類史上最長期間の記録といえる岩絵。

と、かつてこの地に異星人が降り立った可能性を考えずにはいられない。事実、宇宙考古学者エーリッヒ・フォン・デニケンは、岩絵のひとつを見て、「まるで気密服とヘルメットをつけた異星人が、空中を遊泳しているかのようだ」と指摘している。古代人が太古のアフリカを訪れた宇宙服に身をつつんだ異星人を描いた〝岩絵のオーパーツ〟だと結論づけたのだ。

さらに、タッシリ・ナジェールは無数の岩山と谷、岩と岩でつくられる隔壁で形成されているが、これらの地形を図形化してみると、まるで都市遺構のように整然とした区画が浮かび上がるのだ。

タッシリ・ナジェールは現地語で「水の流れる楽園」を意味するという。このタッシリ・ナジェールの地が楽園であったとしたら、それはかつて異星人たちが築いた都市文明だったのだろうか？ 岩絵は、その残り香を伝えるものなのかもしれない。

▲洞窟の壁に描かれた角のある巨人。人間と明らかに違う、異形の存在を捉えている。

9 ナスカ

No.000113-000119

No.000113

ナスカの異人類ミイラ

2017年6月20日。アメリカ、コロラド州ルイビルで活動するミステリー探求サイト「ガイア」によって、南アメリカのペルー、ナスカ近郊にある地下墓地から発見されたという全身真っ白なミイラが公開された。

「マリア」と名づけられたこのミイラを最初にX線検査したペルーの放射線科医レイモンド・サラス・アルファラ博士によると、マリアは厳密にいえばミイラではなく、内臓がすべて残った保存死体だという。さらに行われたDNA検査でも、3本しかない手足の指は同じ物質・化学成分でできており、そのDNAが体のDNAとも一致していたことが判明した。

手のひらは5・5センチ、3本の指の長さは17センチあり、腕は膝上まで届くほど長いことも判明している。さらに、下肢には脛骨《けいこつ》と腓骨《ひこつ》がはっきりと見え、前腕には橈骨《とうこつ》や尺骨《しゃっこつ》が存在することも歴然としていた。さらに体の骨格や頭蓋骨の構造のみならず、マリアの皮膚がいかにも骨格に沿ったごく自然なたるみをもち、不自然なひきつれや亀裂箇所もいっさい見当たらないこともわかった。つまり、皮膚が皮膚らしく全身を覆っていたことになる。

これらの情報により、マリアが複数の生物遺体をつなぐなどして作られた贋作ではないかという説は否定された。

骨の比率や形状も本物の骨格と一致し、骨格全体の形状が調和していて、アンバランスさが皆無だった点もしかりである。もし複数の遺体から骨をとって組み立てたら、必ずアンバランスな点が生じるものだという。

また、CTスキャンによる検査で、長頭の頭蓋骨は人工的に矯正されたものではなく、内臓もまた無傷だったことが明らかになっている。通常、ミイラのフェイクを作るとすれば内臓を取り除くはずで、そのまま放置すると遺体の腐敗を招きかねず、ミイラ化を妨げる恐れがあるか

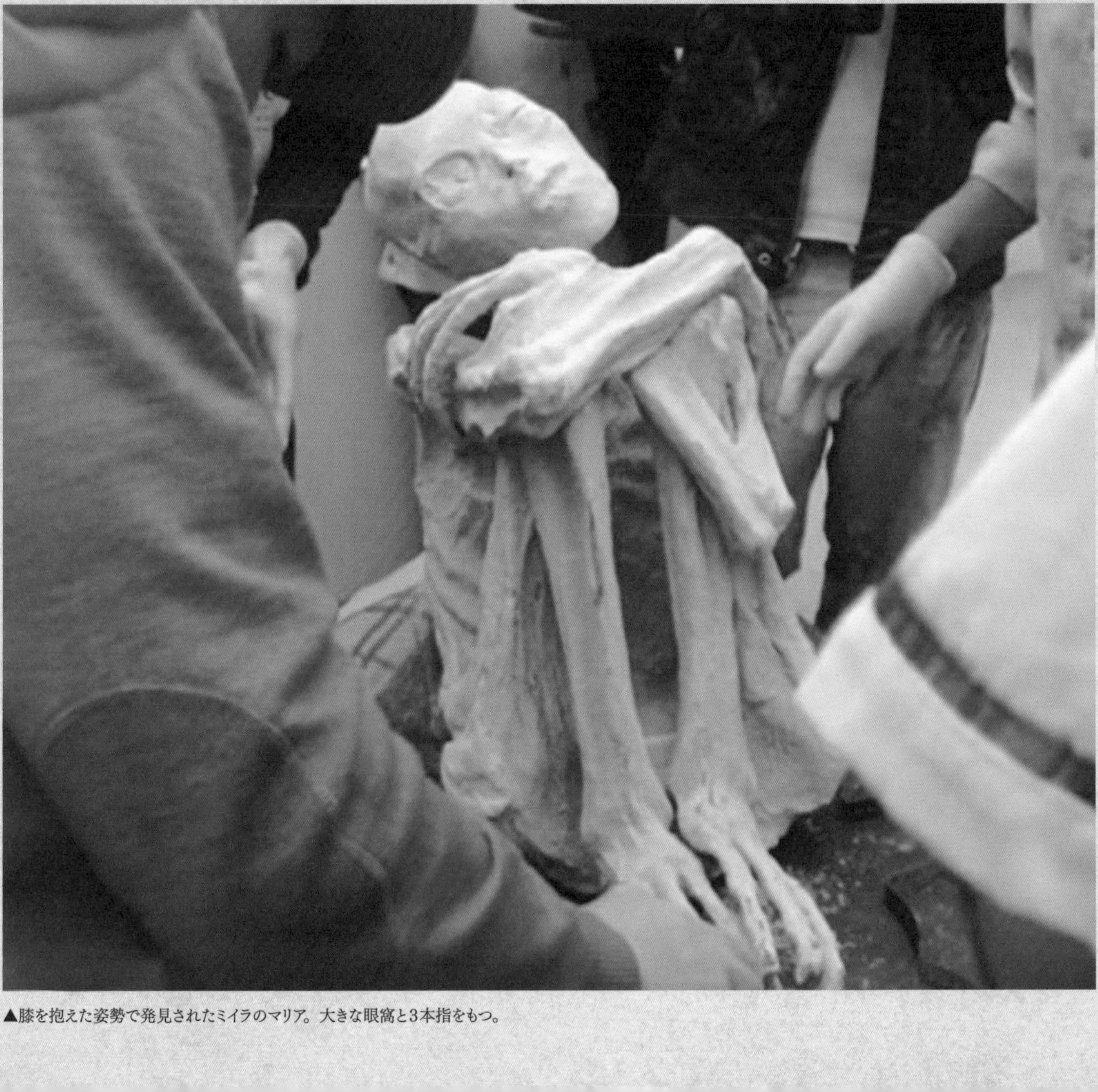

▲膝を抱えた姿勢で発見されたミイラのマリア。大きな眼窩と3本指をもつ。

らだ。
ついで、マリアの全身を覆っている白色の粉末についてだ。その成分がシリコン、マグネシウム、カルシウム、ナトリウム、鉄を含む珪藻土であることもわかった。珪藻土は、腐敗の原因となる寄生虫や有害な微生物を抑制する効果があるが、これまでミイラの保存に使われたことはなかったという。なぜマリアに珪藻土が使用されたのかは、現時点では謎となっている。

調査に加わったロシア、サンクトペテルブルク大学物理学部のコンスタンティン・コロトコフ教授をはじめとする研究チームは、このミイラが意図的にデフォルメされたものではなく「生前からこうした姿形だった」と断言している。

その後、さらに驚くべきことが判明した。
カナダ、オンタリオ州のレイクヘッド大学「パレオDNA研究所」がマリアの手と脳から採取されたサンプルを調査した結果、そのDNAが100パーセント、ヒトの、それも男性のものだと結論づけられたのである。だが、マリアは外見だけでもホモ・サピエンスとはかなり異質でかけ離れている。ヒトはヒトでも、マリアはホモ・サピエンスとは別種の〝異人類〟と呼ぶべき存在なのではないか？

放射性炭素年代測定法によって、マリアが西暦245年から410年の間に生存していたことがわかっている。その時期は、ちょうどあのナスカ文化が栄えていたころだ。となると、生前のマリアはナスカ文化の人々と交流、共存していた可能性がある。

実際、ナスカの周辺では、3本指の人物壁画やペトログリフ（岩面彫刻）が多く確認されている。これらの事実は、約1800年前のナスカにおいて、異人類がごく当たり前に暮らしていたことを示唆している。

❁

2017年7月11日、ペルーの首都リマで「ガイア」が記者発表を行った。新たにマリアとは別種と思われる超小型のミイラ4体に関する映像を公開したのだ。

4体はすべてマリア同様に全身白色で、それぞれ頭部が欠損したミイラが「ビクトリア」、ビ

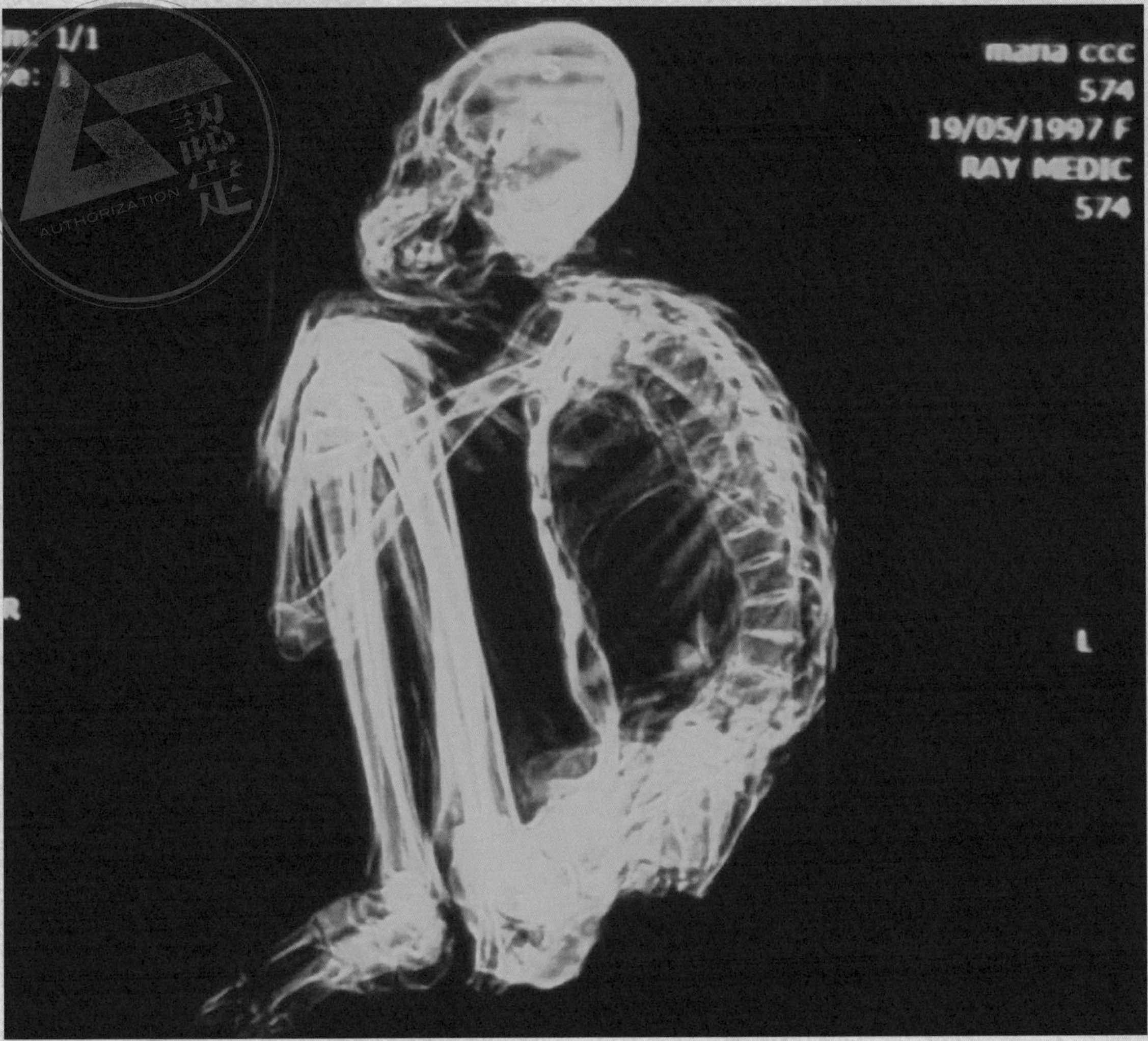

▲マリアをX線撮影すると、その骨格が明らかになった。

クトリアとよく似た体形のミイラが「アルベルト」と「ジョセフィーナ」、マリアと同じ種と目される赤子のミイラが「ワーウィタ」と名づけられた。

　ビクトリアはペルーの医師エドソン・サラザール・ヴィヴァンコ博士の検分で、身長約60センチ、解剖学上の特徴として脊椎が11個しかなく、人間（24個）に比べ圧倒的に少ないことがわかった。首の「腱と動脈」部分が植物の繊維質に似ているという事実も判明した。さらに、胸の空洞は極端に狭く、しかも背骨が際立って大きく腹部まで占めていて、肺や心臓など、本来あるべき内臓が存在しないこともわかった。さらに、白色の珪藻土をはがすと爬虫類に似た質感のザラついた皮膚が現れたのだ。

　また、マリアとビクトリアの肋骨の違いを強調した画像を見ると、マリアの肋骨は胸骨へと美しくカーブを描いているが、ビクトリアのそれは不自然に平たい輪が連なっているのだ。

　奇妙なのはそれだけではない。下肢に脛骨と腓骨がなく、前腕部にも橈骨と尺骨がない。ヒト科の生物が手首を回せるのは、橈骨と尺骨のおかげだが、ビクトリアの腕には1本しか骨がないため、手首を表にも裏にも回せなかっただろうと指摘されている。つまり手を使って食べるとか、垂れ下がったロープなど垂直なものをつかむ、体を洗う、道具を使うといった、いかなる単純な作業もできなかったのではないか、と考えられるのだ。

　マリアやビクトリアと同じ地下墓地から発掘されたアルベルトは長頭、手足の指が3本で手の指先がカーブしているのが特徴だ。体形はビクトリアに似て身長約60センチと小型。目が細く吊りあがっており、グレイ型異星人、もしくは爬虫類型異星人として知られるレプティリアンにも酷似している。

　ジョセフィーナは特筆すべきミイラだ。メキシコの医師ホセ・デ・ザルス・ベニテス博士の検分で、このミイラの下腹部には突き出た部分があり、X線によってその部分に3つの卵状の物体が存在していることがわかったのだ。また、胸に奇妙な金属板が埋め込まれていることも判明した。卵状の物体と金属板の正体については、今後の調査課題となっている。

　赤子のミイラ、ワーウィタも、まだ本格的な調査はされていない。現在までに伝わる情報では、大きな頭蓋骨と眼窩、ヒトとは異なる脊椎、手足とも3本指という特徴を示しているという点のみである。

　調査メンバーのひとり、サンクトペテルブルク大学物理学部のコンスタンティン・コロトコフ教授は、「これら4体はマリアとはまったく異なる生物種だが、それを完全に特定することはまだできていない」と調査の現状を明かしている。

　また、最初にナスカミイラの情報を伝えた人物として知られるメキシコのテレビプロデューサーでUFO研究家のハイメ・マサンはメディアに対し、「ミイラは聖域として知られる墓地から発掘された。墓地は本来、人間のものだ。そこに葬られていたということは、彼らはわれわれの先祖とは敵対関係になく、共に暮らし、互いの種族と文化を尊敬しあう関係にあったと考えられる」とコメントしている。

　新たに公開された小型のミイラたちの正体は？　少ない情報ながら、われわれ人類とは、外見も、骨格をはじめ、身体機能的にも大きくかけ離れているし、顔がややレプティリアン的な要素も兼ね備えていることから異星人のようでもある。ヒト科とはいえ、ホモ・サピエンスではない、いわば「超小型異人類」だからなのかもしれない。

　つまり、古代のナスカ文化には〝2種の異人類〟が存在していた可能性が高いことになる。ただし、それを断定するには、今後のDNA検査などを待つしかなさそうだ。

▲ミイラの発見場所付近では、3本指の人物を描いた壁画も発見されている。

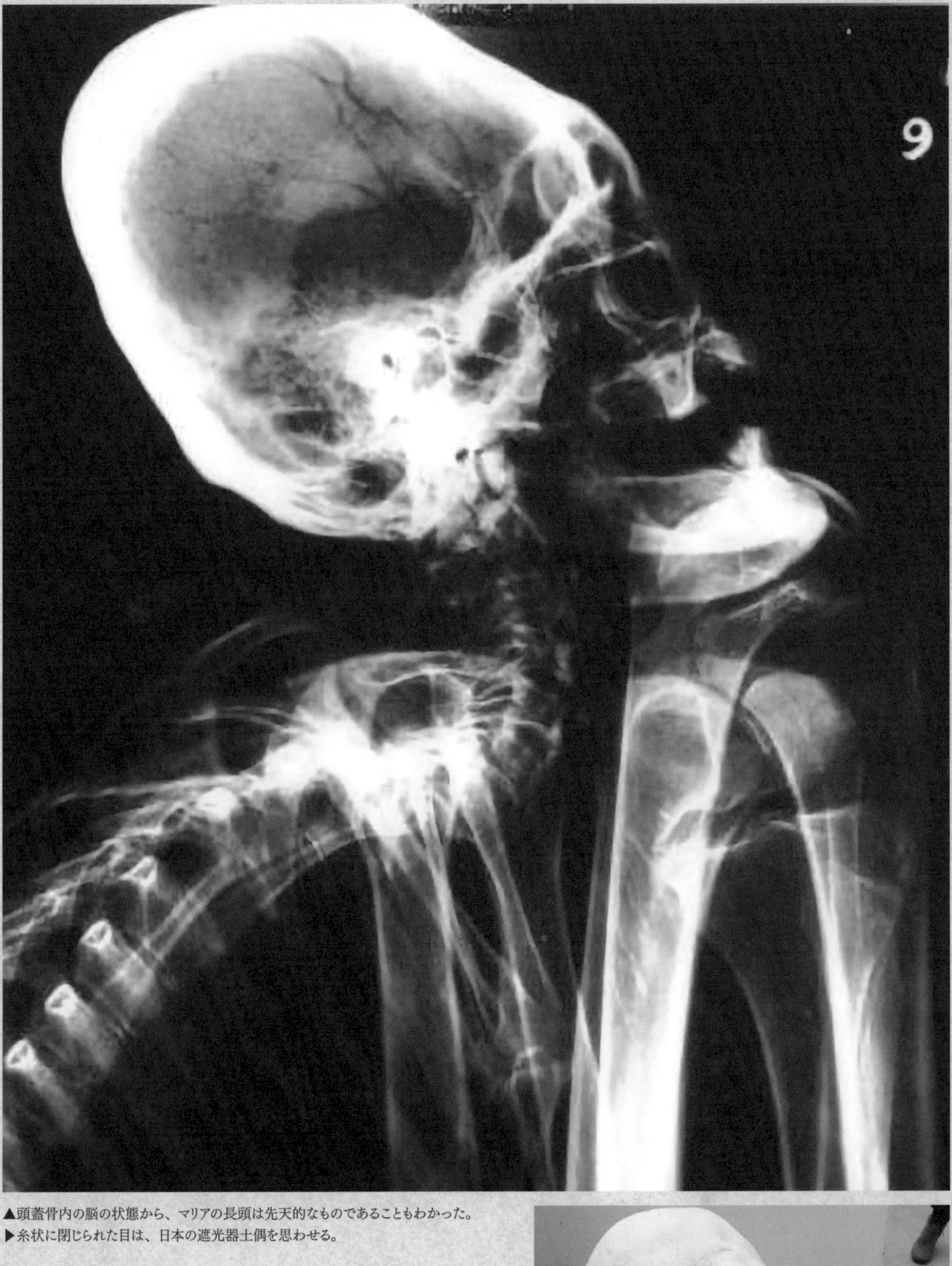

▲頭蓋骨内の脳の状態から、マリアの長頭は先天的なものであることもわかった。
▶糸状に閉じられた目は、日本の遮光器土偶を思わせる。

認定
AUTHORIZATION

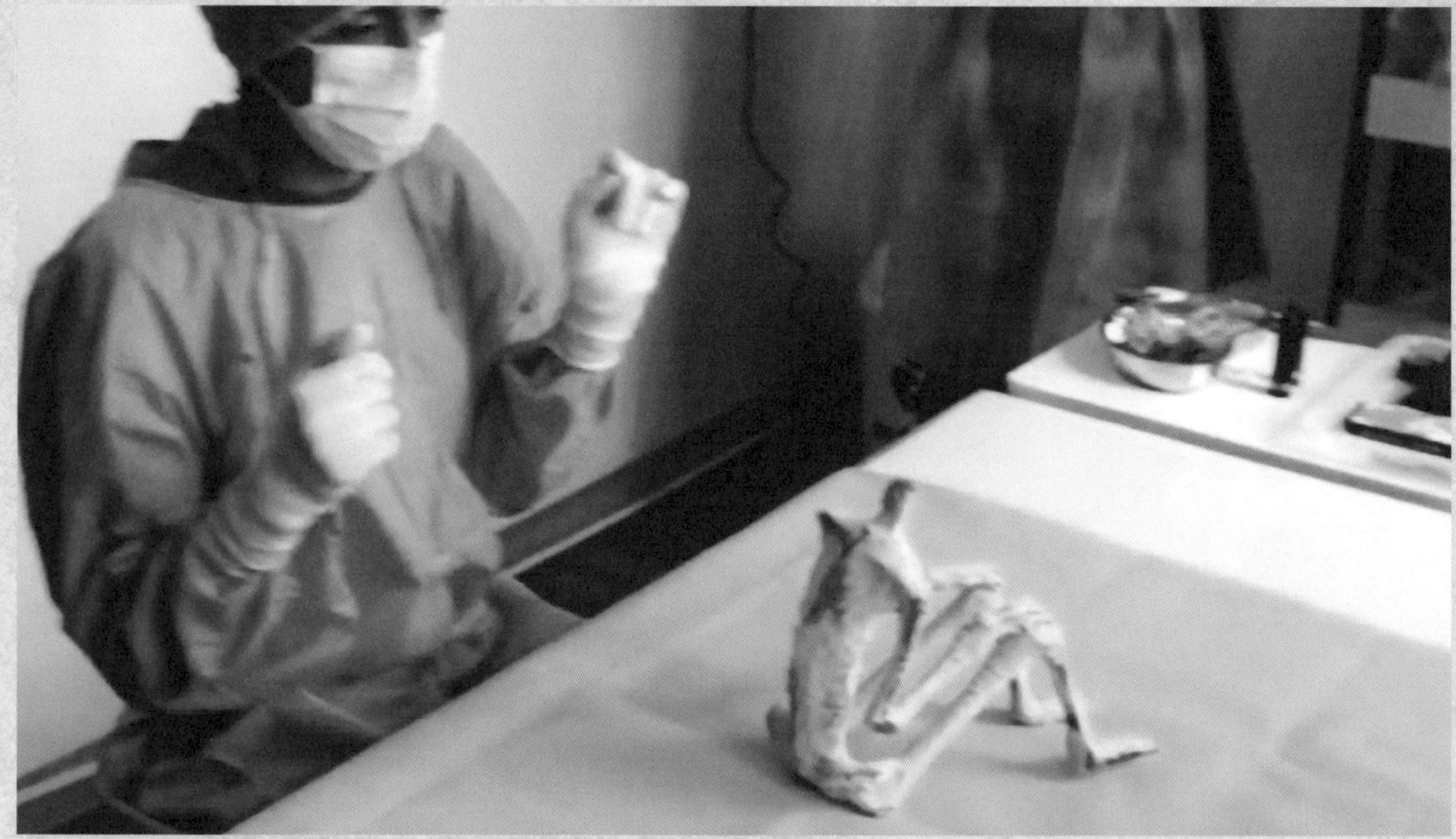

▲頭部のない状態で発見されたミイラのビクトリア。

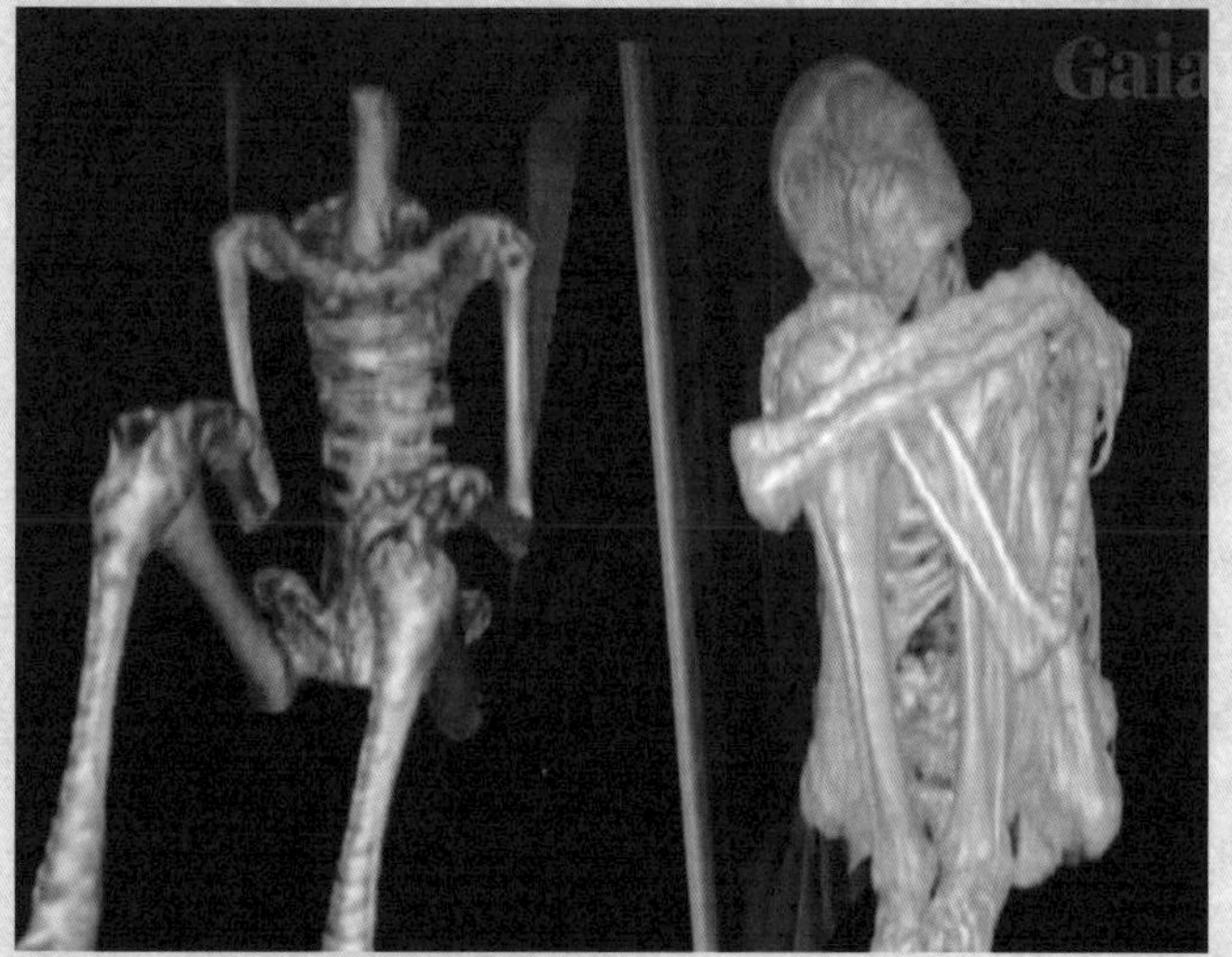

◀CTスキャン画像の比較。
左がビクトリア、右がマリア。
ビクトリアの骨の断面は植物のようだった。

▼赤子のミイラのワーウィタ。
3本指。

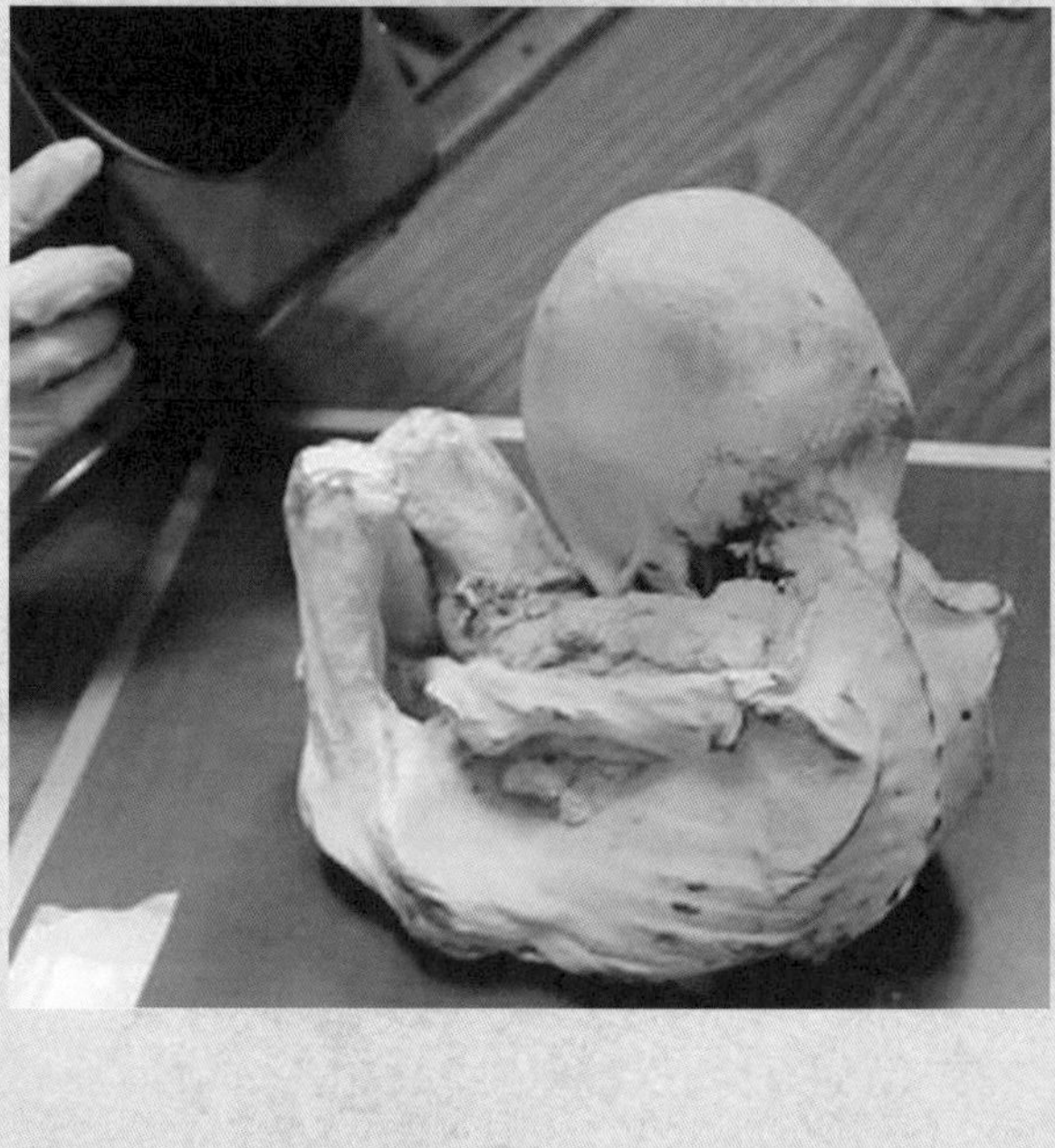

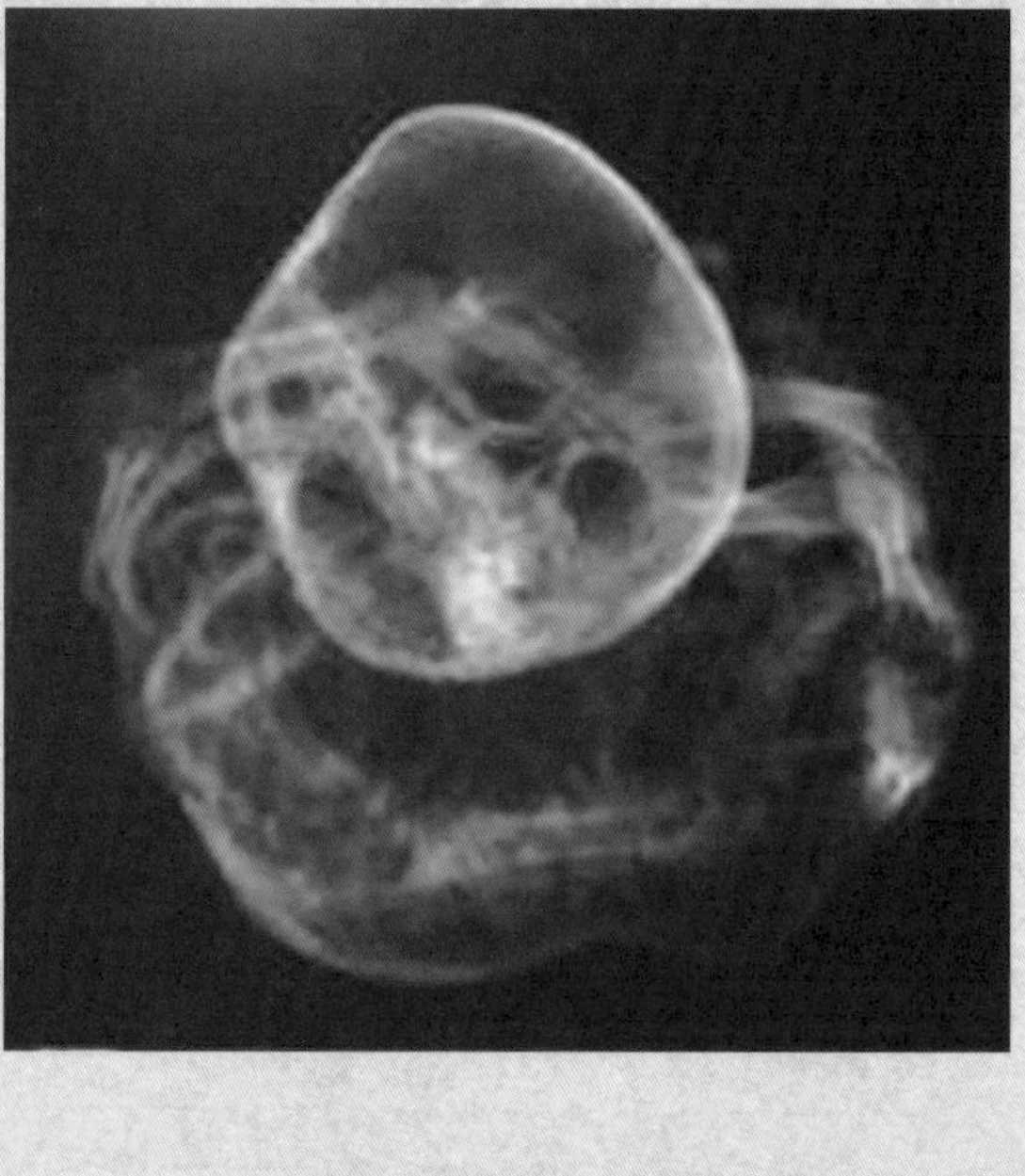

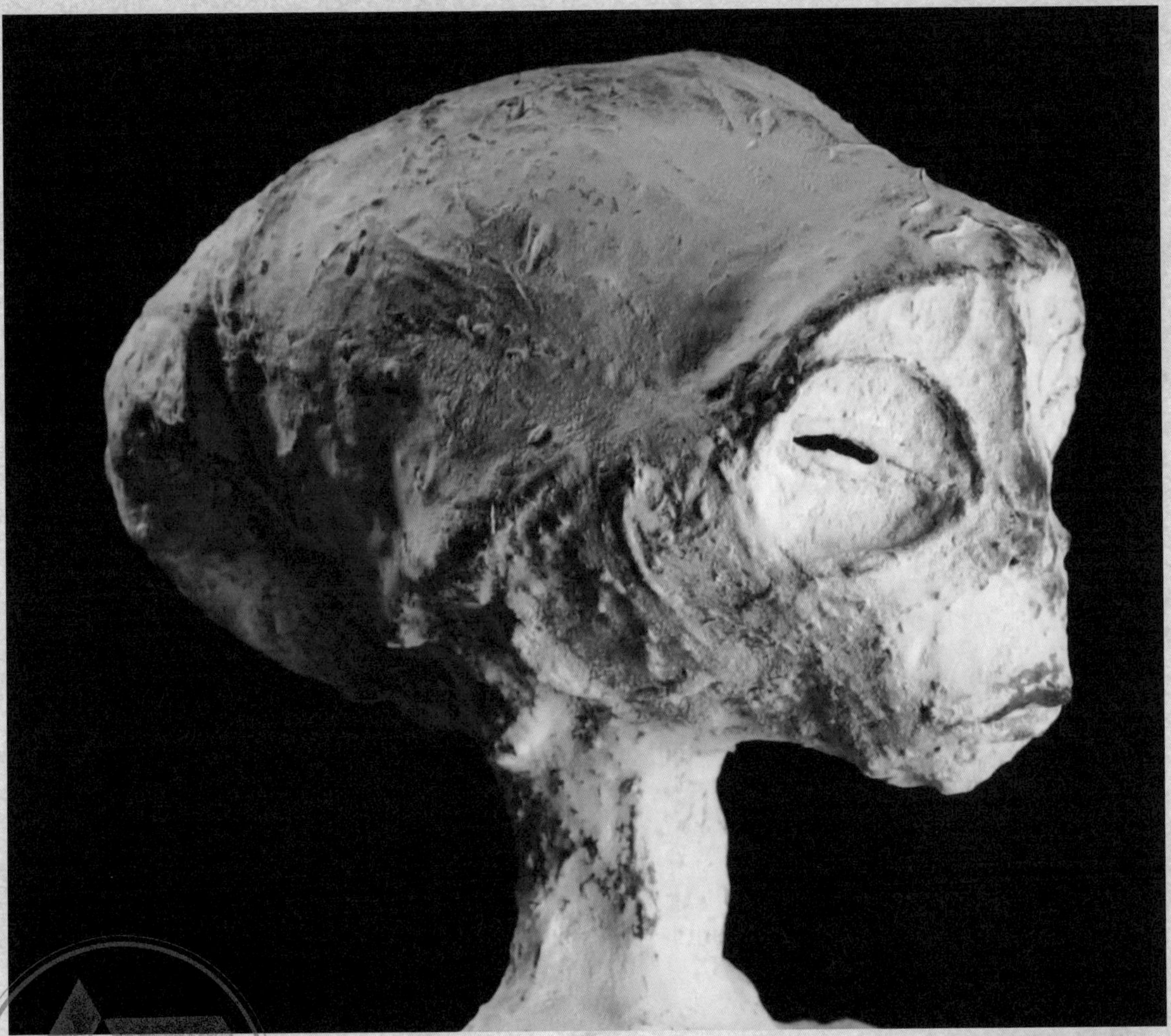

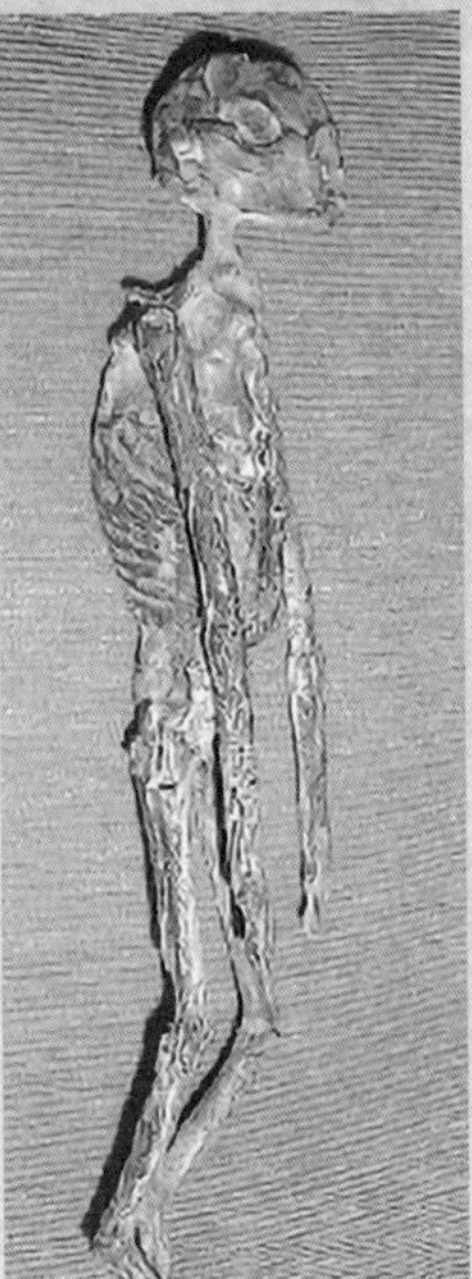

▲▶レプティリアンのような特徴のあるミイラのアルベルト。後頭部が大きく発達している。

▼ジョセフィーナと名づけられたミイラの胸部には金属板が埋め込まれていた。

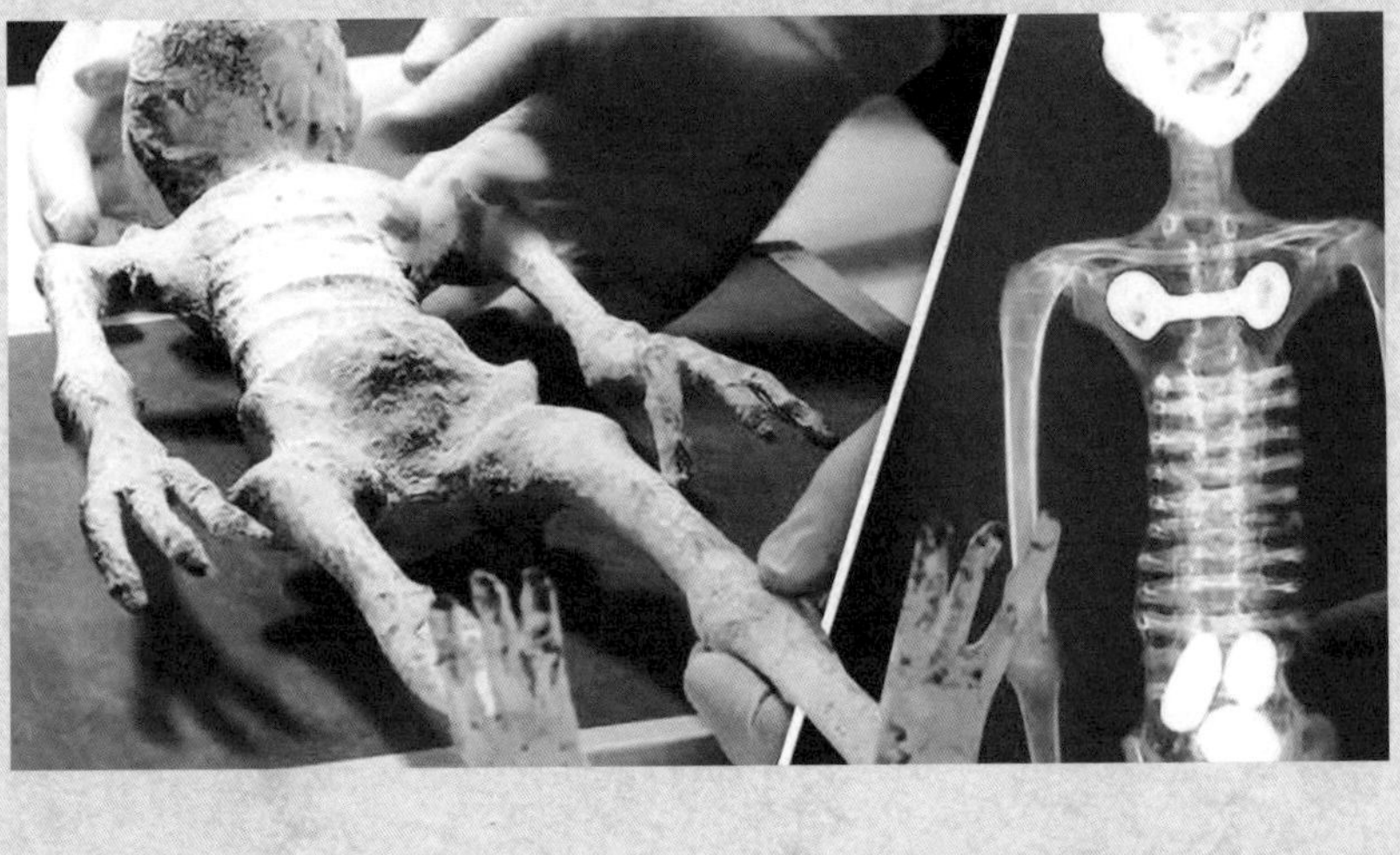

No.000114

異人類とクリスタル・ピラミッド

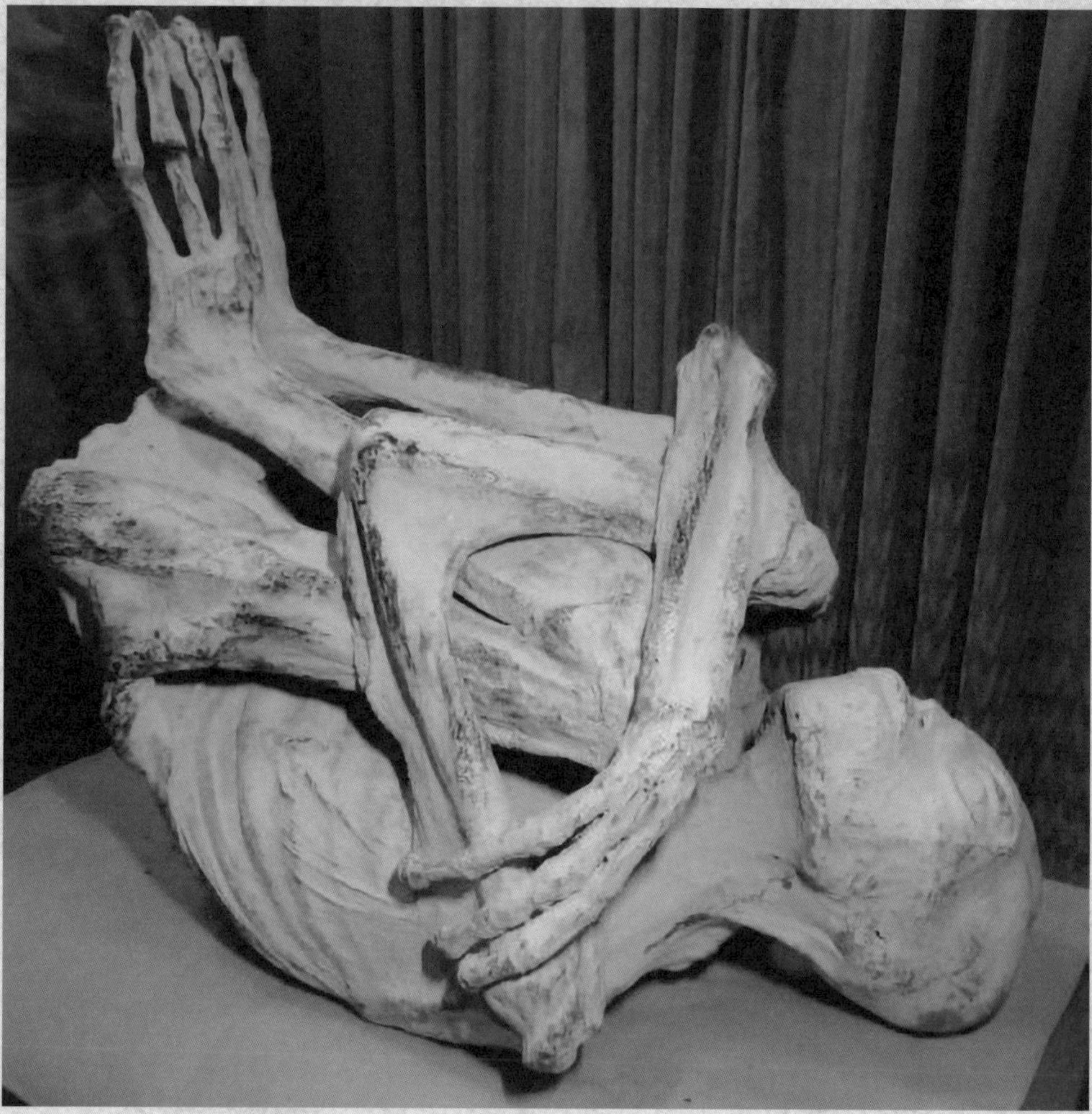

▲異人類ミイラのマリア。スティーブ・メラによる調査で95パーセントが霊長類、5パーセントが未知のDNAをもつことがわかった。

２０１７年の発見を受けて、マリアの謎を追っているイギリスのミステリー雑誌「フェノメナ・マガジン」および「超常現象の科学的根拠を設立する会」の創設者スティーブ・メラと相棒のバリー・フィッツジェラルドは、ペルーに赴いてマリアに関する情報を収集した。

その際、スティーブはマリアをX線で検査する機会を得ていたが、同時にマリアの体の3か所からサンプルを採取することに成功した。サンプルは、すぐにスリランカの信頼できる「遺伝子研究所」に送られ、最新のDNA解析と放射性炭素年代測定法による徹底調査が実施された。

２０１８年5月、その調査結果が公表された。それによると、マリアは１８００年前に生存していた個体で、遺伝子構造の95パーセントが「霊長類」、残る5パーセントはヒトと似ているが〝未知〟だという。

スティーブは、「本物」とされるミイラは、２０１７年7月に発見された小さな子供のミイラ「ワーウィタ」と、同じ洞窟から新たに発見された成人男性のミイラ（未公開）、そしてマリアの合計3体だと主張する。

スティーブはマリアたちの手足の指が共通して3本しかないことに着目し、「マリアたちは両生類のように水中でも生活していたのでは？」と大胆な仮説を唱えている。長い手足の指の間に水かきがあった可能性があるというのだ。

周知のとおり、ナスカの地は乾燥地帯であり、水は大変貴重なものだった。

スティーブとバリーは、古代ナスカ人は20キロも離れたアンデス山脈の麓から水を運ぶ地下水路をつくり、「プキオ」と呼ばれる井戸を利用して、生活はもとより集約的な農業を営んでいたこと、そして当時、40本以上もの地下水路がつくられ、年間を通じて水が流通していた事実を突き止めた。

彼らは、この地下水路こそ、マリアたちが暮らしていた場所に違いないという。マリアたちは水かきのある長い指を駆使して水路の中を自由自在に行き来し現地の人々と交流を深めてい

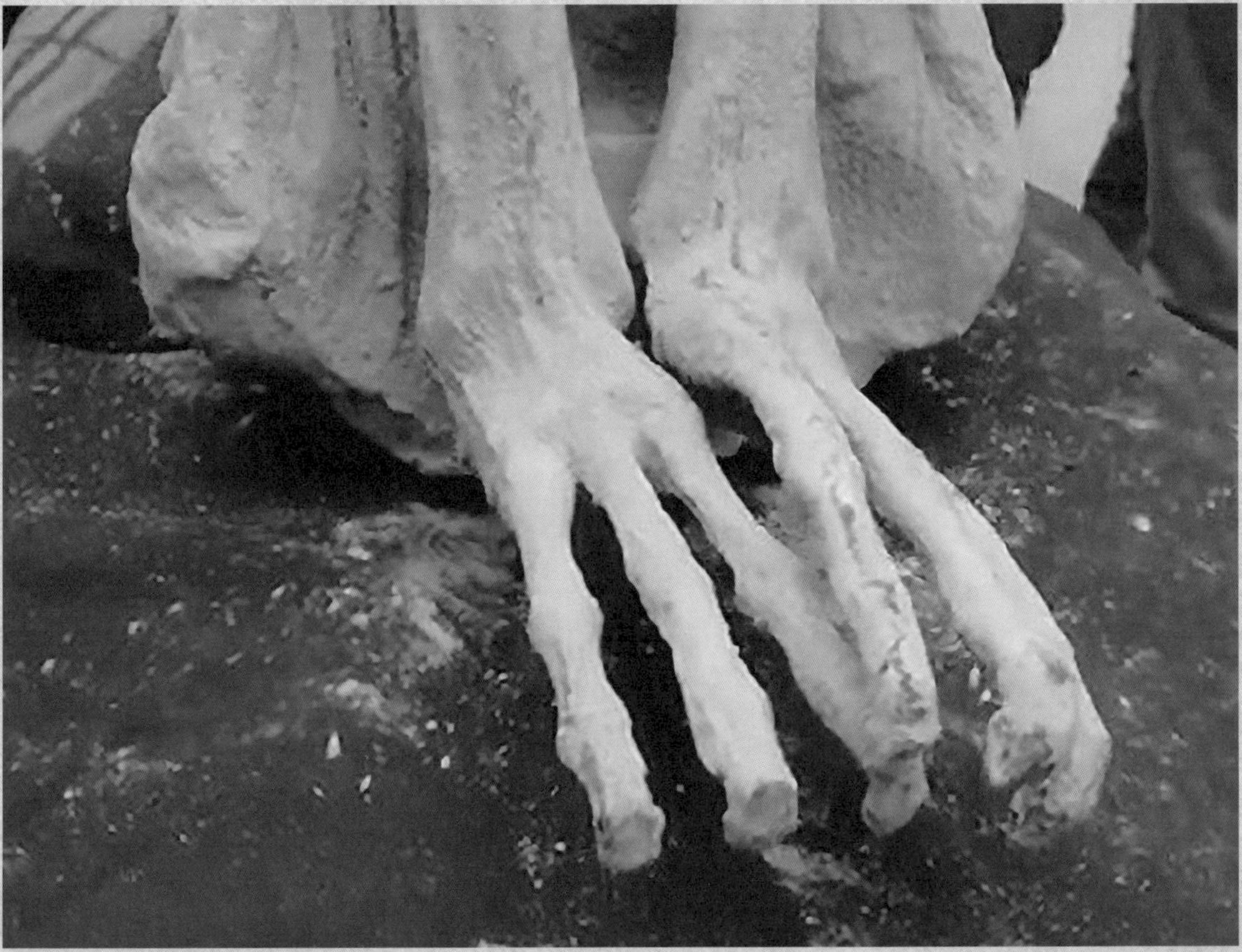

▲マリアの足先。長い指の間に水かきを備えていた可能性がある。▼マリアの指紋は環状ではなく横線になっている。

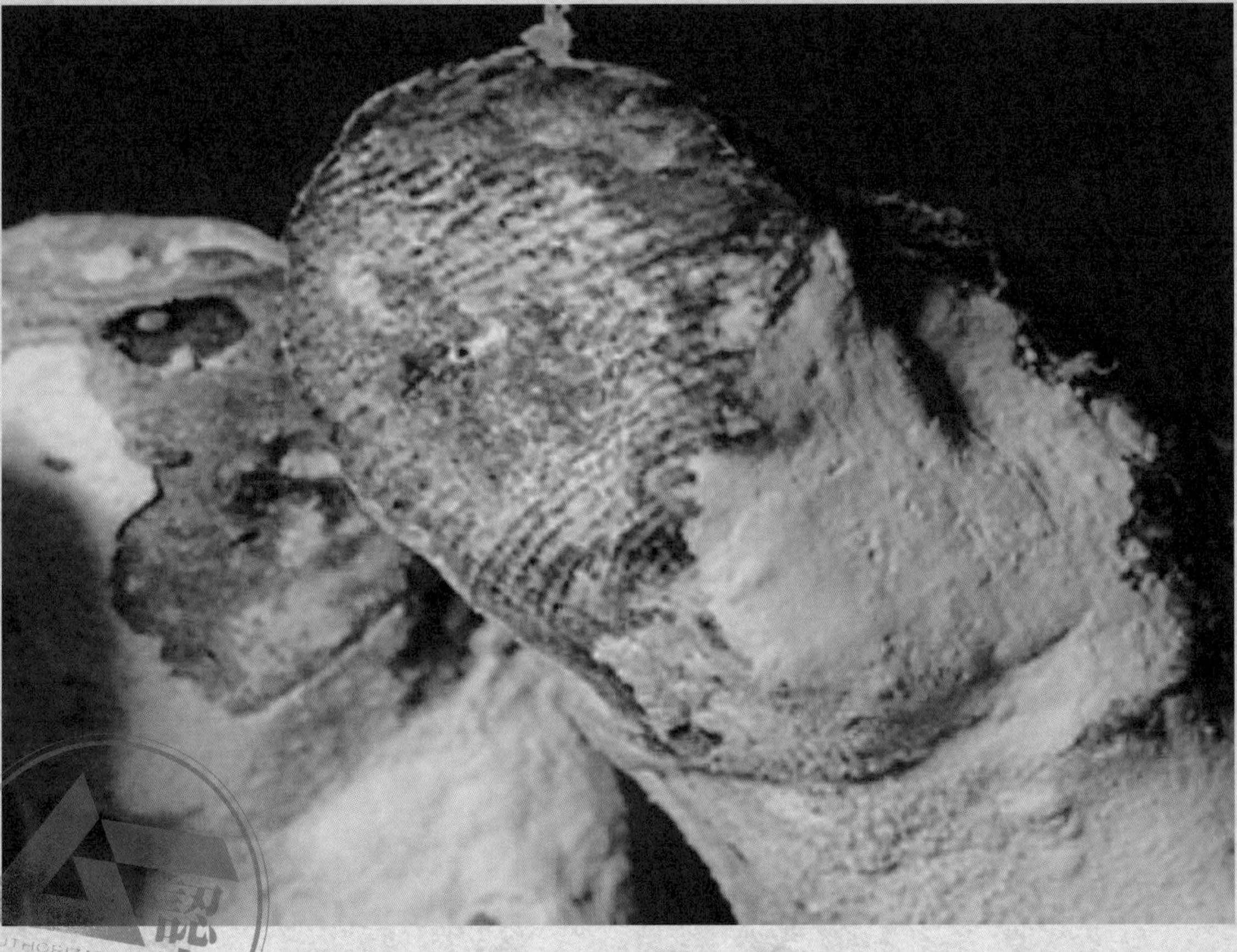

たのではないか、と推測している。

加えて、「マリアたちこそが、古代ナスカ人と異星人との関係を解き明かす重要な鍵である」とまで断言している。

つまり、太古に地球を訪れた異星人が霊長類の進化に関与しており、ホモ・サピエンスの遺伝子をかけ合わせてハイブリッド＝交雑種を創造した。このマリアをはじめとするミイラこそ、ヒトに似ているがヒトとは異なる〝異人類〟とも呼ぶべきハイブリッドではないか、というのだ。

❁

前述したように、マリアのDNAは95パーセントが霊長類の特徴を示していた。だがスティーブは、残りの「5パーセント」にこそ、ハイブリッドのDNAが含まれている可能性があるという。

それを裏づけるのが、マリアの指紋が環状ではなくて、横にまっすぐな筋になっていることだ。また、全身の骨の総数がヒトよりも多いことからも「ハイブリッド」の可能性が高いというのだ。

ちなみに、マリアはインカ帝国に関連する考古学専門機関であるクスコの「インカリ研究所」でも調査されているが、同研究所のティエリー・ハミン会長も、「マリアはヒトと異星人とのハイブリッドで、異人類の可能性があると考えている」と述べ、スティーブの主張を支持している。

実は、ミイラ以外に驚くべき発見がなされている。ひとつはマリアの見つかった部屋に記されていた楔形《くさびがた》文字のような線刻だ。これは古代アンデス文明が文字をもたないとされてきた研究を大きく覆す可能性がある。

もうひとつは、2016年にマリアと同じ地下墓所から盗掘者によって盗みだされたという代物で、高さ約4・5メートル、縦横約1・8〜2・7メートルの金色のクリスタル・ピラミッドの存在だ。現在、現物はペルー政府が押収しているというが、スティーブは、約30センチ大のレプリカを用いて分析を進めている。

幾何学模様が刻み込まれた台座の中心には大きな琥珀色のクリスタルが置かれ、クリスタル

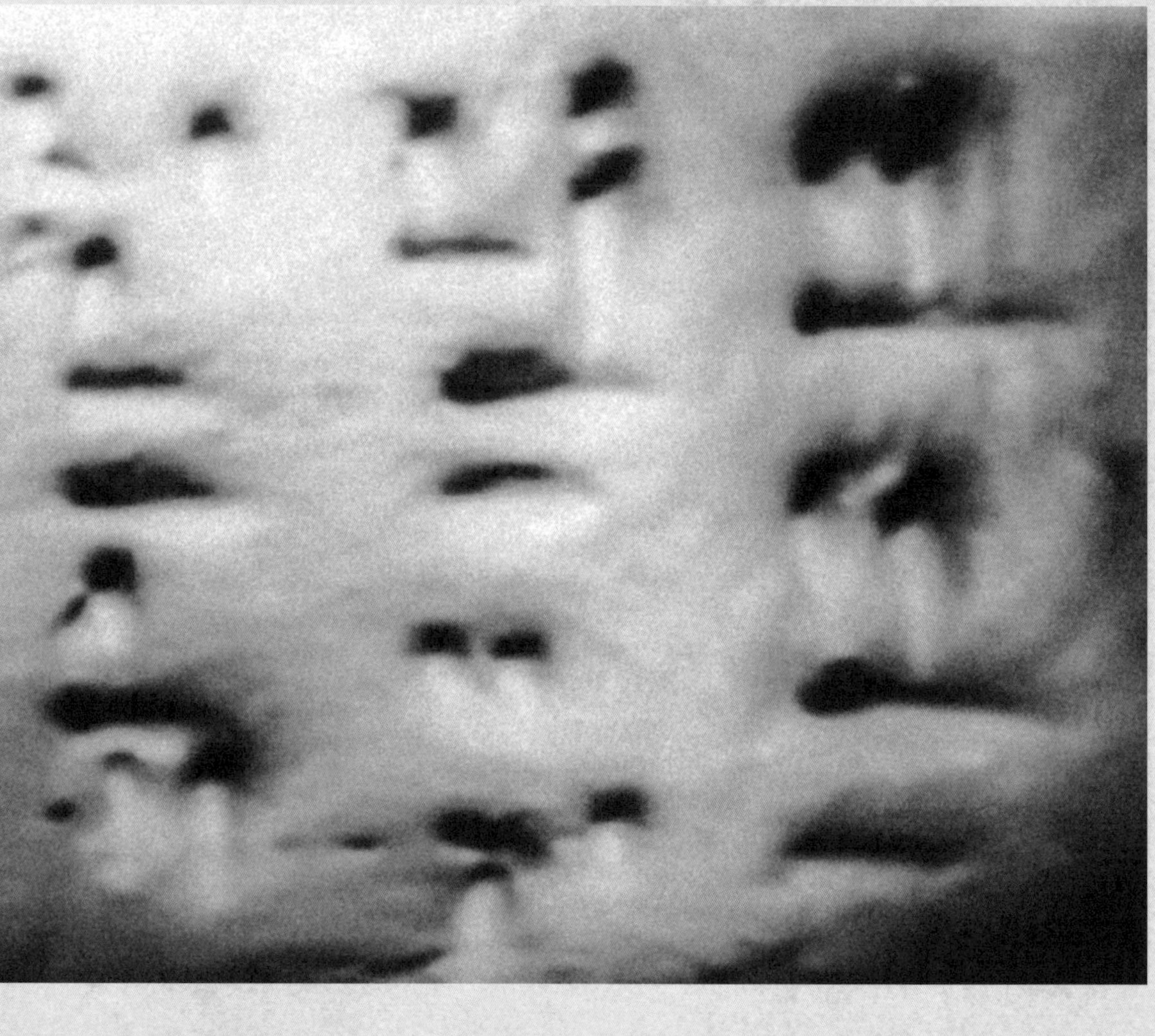

▼マリアが発見された墓地の岩壁に刻まれていた、楔形文字らしき線刻。

を囲むように四辺から伸びた4本の梁《はり》でピラミッドが形成されている。そしてピラミッドの頂点部分から、金属のようなものがクリスタルに向かってまっすぐに突出しているという。また、台座の下は、黄金、金属、そして黒鉛の順で層になっている。

スティーブは金属突起を電極、台座内部の装置を通信用のものではないかと推測している。

古代ナスカ人がマリアらと一緒に通信装置を埋葬した――。そこには、創造主との何らかの交流、再開を期した意図があったのかもしれない。

▲マリアと一緒に発見されたというピラミッドのレプリカ。黄金で装飾され、謎の突起がある。はたしてその用途は?

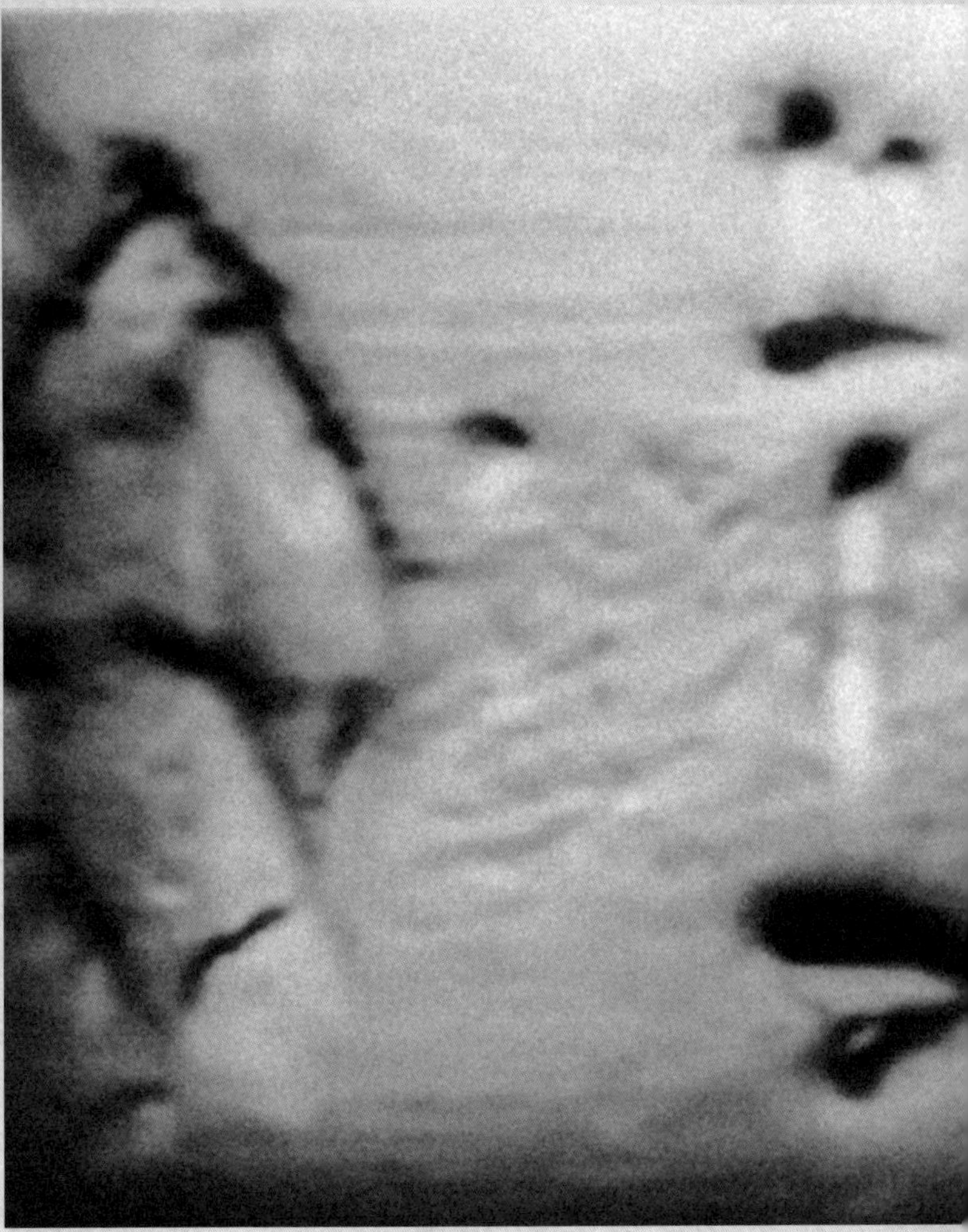

地上絵と天空人伝説

哲学および神学で博士号を獲得した文化人類学者でもあるジョージ・ハント・ウィリアムソンは、1950年から翌年にかけて、北アメリカの先住民チップワ族とスー族の中で暮らしていた。

このとき彼は、先住民たちに伝わる古代の伝説が、当時メディアを賑わせていたUFO目撃と不思議な共通点があることに気がついた。

1947年6月24日に発生した「ケネス・アーノルド事件」をきっかけに、UFO研究にも注力していた彼は、世界各地の神話や伝説、伝承の検証を重ね、古代遺跡を直に見聞した結果、偉大なる古代文明のほとんどすべてが〝天空の道〟を通じて、異星人とコンタクトしていたという仮説を構築するに至った。

ウィリアムソンの仮説をゆるぎないものとしたのが、「ナスカの地上絵」の存在だ。長年にわたり、現地で地上絵を研究してきたドイツの考古学者マリア・ライへは、「これらの図形の描き手は巨人だったのではないか?」と語っているが、実はこの言葉がウィリアムソンに大きなヒントを与えた。もし地上絵を巨人が描いたのだとしたら、それはパイチチ人なのかもしれないと……。

実は南アメリカの先住民たちには、美しい白い肌をもつ「ヴィラコチャ」と呼ばれる巨人が、かつてこの地を支配していたという伝説がある。そして、その国の人々は別世界から飛来した人類と交流があったという。ヴィラコチャと人々が築いたその幻の国は「パイチチ」と呼ばれた。パイチチは〝空への道〟を有し、伝説とされるムーやアトランティスにも匹敵する高度な文明を誇ったとされる。だが、未曽有の地殻変動により2大陸が海中に没したとき、同国もまた海の泡と消えたのである。

その際、危機を脱してわずかに生き残った者たちが、アンデスの山中に逃げ込んだ。その地

▼ナスカの地上絵には直線状のものがあり、伝説の“天空の道”を意図したデザインといわれている。

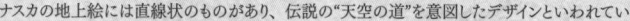

こそ、現在のナスカ平原の一部なのだ。

事実、アンデス奥地に住む先住民たちは、大災害から彼らを救うために〝天空の道〟に宇宙からの訪問者が飛来した事実を伝えている。この天空の道こそが、パイチチにおける〝空への道〟であり、そしてナスカ平原に描かれた巨大な地上絵が訪問者のための〝標識〟であったとウィリアムソンは確信する。

謎を解く鍵を握るパイチチ人の手がかりをつかむべく、ウィリアムソンは1957年にペルーで長期にわたる現地調査を行った。調査の最大の目的は、ペルー南部を流れるアマゾン川支流、マドレ・デ・ディオス川に沿う密林にあるという、パイチチ人が支配した失われた都市の発見であった。

目的地にたどり着くことは叶わなかったが、調査中に耳にした1000の都市と呼ばれるプレ・インカの伝説の都市、「聖地ポマタナ」と思われる場所には到達した。ウィリアムソンはそこで、1000戸を超える石造家屋や完全な円形の大広場、ギリシア、クレタ島の迷宮にも似た寺院を発見したという。さらには、その寺院近くの洞窟から200体近い遺骨をも発掘している。

実はそこに驚愕の事実があった。遺骨のほとんどが長頭頭蓋骨だったのである。それだけではない。頭蓋骨のいくつかには、外科手術が施された痕跡があったのだ。この事実は、南アメリカ各地の異人類との関連性を示すとともに、彼らが現生人類に匹敵、もしくは凌駕する科学的知識を有していたことを示唆する。

「天空人はなぜ、このような高原地帯にやってきたのか？」

ウィリアムソンは、この問いに対する答えを捜しつづけた。その彼が支持したのが、イタリアのカットイ教授の仮説だ。

ペルーでUFO目撃事件が頻発するマルカワシ高原について、教授は当地に見られる巨大な直立石柱とその地下を流れる強力な電磁エネルギーが、UFOを引き寄せると考えた。古の時代、電磁エネルギーは一条の帯を描くように地球上の2極点を結んでいたが、地殻変動によってそれが断続的になってしまった。

そのため、電磁エネルギーの所在を示すための〝標識〟が各地に設けられた。マルカワシ高原の石柱はそのうちのひとつだというのだ。

ウィリアムソンが求めていた答えは、まさにカットイ教授の仮説にあった。

天空人が異星の人々であったとすれば、彼らの乗る船＝UFOはエネルギーが必要となる。ナスカやアンデスに沿った南アメリカの沿岸には電磁エネルギー・ラインが走っていた。だからこそ天空人たちはこの地に飛来し、そこを起点に高度な文明が発展したに違いない——。

ウィリアムソンは無数に散らばったパズルを組み合わせるようにして、ナスカの地上絵は彼らパイチチ人、すなわち天空から降り立った巨人族、あるいはその子孫の遺産であると確信するに至ったのだ。

▼幻の国パイチチのイメージ図。

▲古代都市ポマタナの痕跡ともいわれる巨石。
▼ジョージ・ハント・ウィリアムソン。ナスカ文化と異星人の関係を指摘した。

▲ペルーのマルカワシ高原には人面のような奇岩が多く見られる。
▶ポマタナで発見された頭蓋骨には高度な外科手術の痕跡があるものもあった。

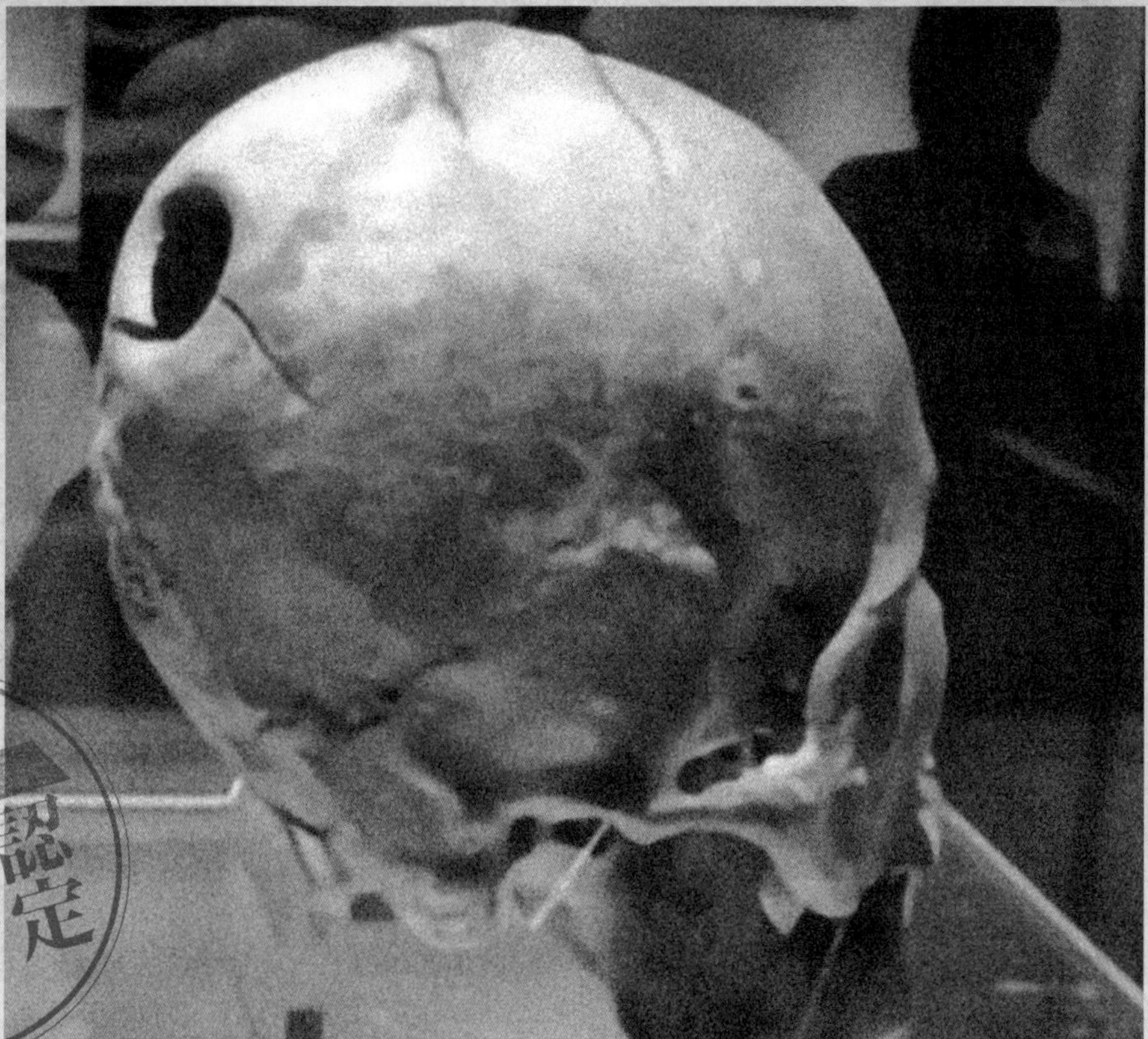

No.000116

三叉の大燭台

▲三叉の大燭台。上空から見ると、燭台というよりは枝を広げた樹木のようにも見える。

ナスカ地方から北西の170キロ地点に、世にも奇妙な地上絵が存在する。パラカス半島のピスコ湾に面した砂漠の斜面に現出する「三叉の大燭台」だ。

図像の全長は200メートルほどで、図が刻まれた溝の深さは1メートルほど。現時点で判明しているのは、実はそれだけだ。ナスカの地上絵とは明らかに異質なたたずまいを見せるこの図像が、いつごろ、何のために描かれたのか、ほとんどは謎のままだ。

この地域では、ナスカ文化の前代、紀元前にパラカス文化が栄えていた。

この文化はさまざまな土器様式を開花させ、ほかの地方へも多大な影響を与えたといい、燭台の地上絵付近からも多くの土器が発掘されている。この図像もパラカス文化の繁栄をしのばせる遺物であり、同時に、次のナスカ文化で開花する地上絵の〝原点〟といえる。

一方で、研究者たちの中には、さらに踏み込んだ見解を示すグループもある。

深さ約1メートルの溝には、かつて夜間でも遠方から識別できるよう、白い燐光を放つ小石が敷き詰められていたといわれている。そして、燭台の先端が遥か彼方のナスカの方角を指していることから、燭台は巨大な〝航空標識〟だというのだ。もともとナスカ高原が飛行場であるという説の裏づけにもなる仮説だ。

そもそも図像のモチーフは燭台なのだろうか？

当地の伝承に基づいて、これはインカの最重要神にして、文明の創造主ヴィラコチャ神の神器、稲妻の杖だという説もある。一方で、古代ユダヤの神殿で用いられた聖なる燭台「メノラー」とする説もある。神がシナイ山頂でモーセに与えた特殊な燭台がモチーフだというのだ。

さらには、こうした宗教的なものが生まれる前の時代にさかのぼり、南十字星を表したものだという説まである。

いずれの説にも決定打はない。砂上の巨大燭台は、その謎を闇に隠したままだ。

アタカマの巨人

No.000117

▲チリ北部、平均標高2000メートルの高地に位置するアタカマ砂漠。遠く、そして上空からも巨人の存在が強く訴えられる。

南アメリカのチリを走るアンデス山脈と太平洋の間に広がるアタカマ砂漠。そこには、隣国のナスカ高原同様に地上絵が多数残されている。

人間や動物、魚、鳥、ジグザグの線や十文字、菱形といった幾何学模様など、およそ500以上もの地上絵が点在するといわれているが、中でも圧巻なのが全長80メートルを超す「アタカマの巨人」だろう。

その大きさもさることながら、目を奪われるのは異形の姿形である。

大きな目と口をもつ四角い頭からは、頭上と両頬に猫のヒゲのような棒状の模様が4本ずつ伸びている。四角い体はまるでロボットで、四肢は針のように細い。さらには、左手の脇に羽まで生えているのだ。

人間のようで人間とは違うその姿は、現地では精霊もしくはその姿を模したシャーマンではないかといわれているが、決定的なモチーフはいまだ指摘されていない。

1975年から調査にあたっているタラパク大学のルイス・ブリオネ教授によれば、巨人をはじめとするアタカマの地上絵が描かれたのは西暦400〜1200年の間と推測されるという。そして、その多くが、アンデスの山々と太平洋を行き来する隊商や旅行者たちの通り道に存在することから、彼らのための目印だったと考えられるというのだ。

それを裏づけるように、これらの地上絵は斜面に描かれており、地上からでも目視しやすい。

だが、それでも謎が残る。

当地は海からの湿った空気が遮断された地域で、40年も雨が降らなかったこともある。それゆえ、この通り道は〝死の道〟と呼ばれていたほどだ。そのような過酷な環境下に、複雑な目印が必要だったのだろうか？

明らかに異形なたたずまいの巨人絵は、古代の南米に降り立った異星人ではないかという説もある。

〝死の道〟で、当時の人間たちと巨人エイリアンが対峙していたのかもしれない。

白い神と人類

No.000118

南米古代文明における創造神、あるいは文化神でもあった白い神は、長い金髪もしくは白髪に、髭をたくわえているといわれる。そして名前のとおり、肌は大理石のように白く、威風堂々としたその体躯に奇跡を起こす神通力を秘めていた。

白い神はまた、住まいを高所に設け、火の玉と雷光を支配していた。戦車を連想させる馬車や、空飛ぶ船ともいうべき乗り物で天空を駆けたとも伝えられている――。

こうした特徴を示す〝白い神〟の神話・伝説は、中央アメリカや南アメリカにいくつも存在する。

そして、その代表ともいうべき存在が、メキシコのアステカ族やトルテカ族の神話に登場する「ケツァルコアトル」だ。天空から舞い降りてきたこの創造神は万物を創造し、生みだされた人々に文化と農耕の知恵を授けた。白い肌、赤い小さな十字を散りばめた白いローブ、長い髭……。ケツァルコアトルはまさしく白い神であった。

アステカ族は彼を〝富の神〟、あるいは〝暁の神〟と呼んでいた。しばしば〝翼あるヘビ（古代ナワトル語でケツァルが鳥、コアトルがヘビを意味する）〟として象徴化されるが、この場合、翼が空から舞い降りてきたことを示し、ヘビは叡智を与えた存在であることを表しているのだろう。

彼について、アステカ族にはこんな神話が伝わっている。

――花や蝶を愛する穏やかな神であったケツァルコアトルは、人間を生け贄にすることを禁じた。だが、暗黒の戦神テスカトリポカとは幾度も対立し、敗れたケツァルコアトルはアステカを去る。そして「セーアカトルに私は必ず復活する。そのときは、生け贄の神（テスカトリポカ）

▶アステカの古文書に残されたケツァルコアトルの絵姿。
◀フライレと飛ばれる巨石像。両手で腹を抱える姿はモアイ像に似ている。
▼ティワナクの半地下神殿。177の顔の像が埋め込まれている。

を信仰する民にとって大きな災厄となるであろう」と人々に約束し、天空に消えたという。

ちなみに、セーアカトルとは「一の葦の年」を意味し、52年周期でめぐるアステカ暦の年ごとに割り当てられた名称である。つまり、ケツァルコアトル＝白い神は一旦この世を去っても、再び戻ることを人々に告げたのだ。この約束がアステカの予言として、生きつづけているのである。

実は南アメリカに栄えたアンデス文化にも、白い神の神話が存在した。

「プレ・インカ」と呼ばれるインカ文明以前の時代から伝わるこの神話では、白い神はヴィラコチャとして登場する。このヴィラコチャもケツァルコアトル同様に天空から飛来し、背が高く、髭を生やし、肌が白い聖人であった。そして彼もまた、創造神として人々に文明を与え、さまざまな技術を授けたという。

やはり争いを好まない神であったが、敵対する者には、炎の壁で身を包み、あらゆる武器を無力化して、容赦なく相手を屈服させたとも伝えられる。そして、その伝説の終焉もケツァルコアトルと同様であり、再臨を約束して天空の彼方へと去っていくのだ。

アンデスにはいつだれが、どのようにしてつくったか、今なお解明されていないティワナク（ティワアナコとも）遺跡がある。ペルーとボリビアの国境に位置するチチカカ湖から17キロ内陸にあるこのプレ・インカ期の遺跡の標高は、約4000メートル。遠く離れた石切り場から高山病を起こしかねない高さに巨石を運ぶのは、今日の技術をもってしても難しい。

ヴィラコチャが白い神であったとする説は、ティワナクで発見された神像によっても後押しされる。ほかのどの像ともまったく似ていないのだ。当時の先住民たちに髭を生やす者はほとんど存在しなかったにもかかわらず、ヴィラコチャ像だけは髭をたくわえている。その理由は謎とされているが、ヴィラコチャすなわち白い神が異人類であったのであれば納得もいく。

また、ヴィラコチャの正式名称は「コン・チキ・ビラコチャ」とされるが、「コン・チキ」とい

▼ティワナクの太陽の門に隣接した遺跡、半地下神殿。

う言葉はポリネシア諸島の先住民の間に登場する最高神の名前でもある。さらにその東南端に位置するチリ、イースター島では謎めいた石像モアイがマナと呼ばれる神秘的な力で運ばれたという伝説がある。その力は白い神「マケマケ」によるものとも伝えられている。

白い神の伝説はほかにもある。中央アメリカに栄えたマヤ文明では、白い神は「ククルカン」と呼ばれ、ケツァルコアトルと同様の神話を残している。さらに、北アメリカの先住民ホピ族には最高神たる〝白い兄〟として、ナバホ族の間では天空から舞い降りた金髪で肌の白い「バカチッディ」という神として語り継がれている。

――各民族や種族ごとに呼び名の違いこそあれ、これらの神話・伝説はどう見ても同一の存在を示しているとしか思えない。その〝同一の存在＝白い神〟の正体は何なのか？

例に挙げた多くの地域に、現在のアカデミズムで解明できない遺跡や遺物が多く残っていることを考えても、超文明を有する存在、すなわち外宇宙からの知的生命体以外、考えられないのではないだろうか？

古代の南北アメリカ大陸を白い神＝異人類＝異星人が訪れていたとしたら、先に紹介したナスカの白いミイラ＝マリアこそ、白い神の真の姿なのだろうか？

だとすれば、ほかの超小人や長頭人もまた、白い神と呼ばれた存在と関係する存在なのか？もしくは――マリアやほかの白いミイラはわれわれ人類と異人類のハイブリッドではないだろうか？

〝白い神＝異星人〟は人類を超える頭脳をもち、しかも同時に人類と似た特徴を有するはずだ。対して、マリアたち異人類とわれわれの違いは身体的特徴からも明らかだ。マリアたち異人類を古代の神々＝異星人と仮定すると、古代の伝説が現実味をもって立ち上がってくる。

ケツァルコアトルが再臨の約束をしたのは、セーアカトルだ。約束された次の一の葦の年は2039年――。そう遠くない未来に白い神がこの地球に再臨するかもしれない。

▼イースター島に残された「マケマケ」のレリーフ。

No.000119

ナスカの地上絵

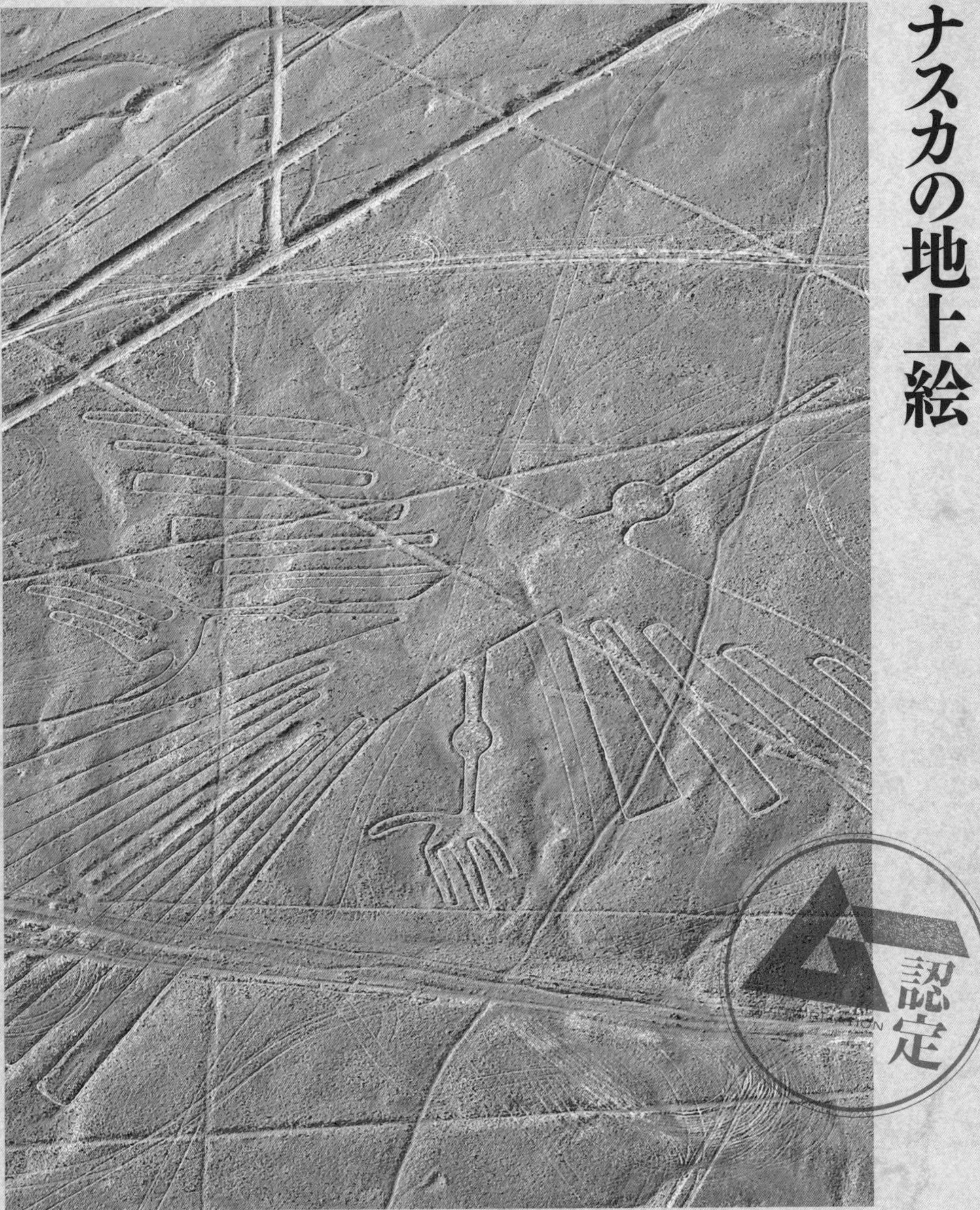

▲ナスカ高原に描かれた、ナスカの地上絵の代表的なもののひとつで、コンドルと呼ばれる。約500平方キロもの広大な砂漠には、このような模様や図柄が総計約890個も残されている。

世界的に有名な「ナスカの地上絵」は、南米ペルーの首都リマから南へ400キロ、太平洋とアンデス山脈に挟まれた広大なナスカ台地に描かれている。

描いたのは1〜6世紀のナスカ人だ。1994年、ユネスコの世界遺産に登録された地上絵は、高度300メートルを飛ぶ飛行機から見て、初めて明確にわかる。

その地上絵は、ハチドリやコンドル、サル、クモなどの動物、花や木々、そして幾何学的模様などさまざまな図柄や、その数2600本という数キロにもおよぶ巨大で膨大な直線からなっているのである。

これらの直線は地上絵全体を巨大な暦として機能させていたという説のほか、飛行場説や宗教儀式説も出たが、従来の考古学概念では説明できないミステリアスな遺物である。

さらに白眉な発見があった。上空900キロから人工衛星が撮った写真に、全長50キロ、左右対称で正確に南を向いた超巨大な矢印が写っていたのだ。宇

▲土を削って露出した白い石が地上絵の「線」である。地上からは何を描いたものかまったく見当もつかない。

宙からしか認識できない超巨大な図形の製作方法と目的は、いったい何なのだろうか。

世界的な宇宙考古学のエキスパート、エーリッヒ・フォン・デニケンの謎とロマンに満ちた仮説に、その答えが見事に披露されている。

「かつて、空から何者かが降りてきた。やがて、ナスカの古代民族は空からの訪問者を崇拝する宗教を生みだし、神が降臨するための目印として何世代にもわたって線が描き継がれ、幾何学図形が増えていった。が、一向に神が戻ってきてくれる気配がない。人々は、〝神はなぜ戻ってきてくれないのか？〟と思った。そして、空から来た者を見た最初の世代から数えて何代目かの人間たちが、今度は巨大な動物をモチーフにした地上絵を描くことによって、神の注意を惹こうとした。空からしか見えないのは、こうした背景があるからではないだろうか」

ぜひペルーに旅立ち、ナスカ台地の上空を飛行機で飛び、眼下に広がる謎めいた図形の数々を満喫されんことをおすすめしたい。

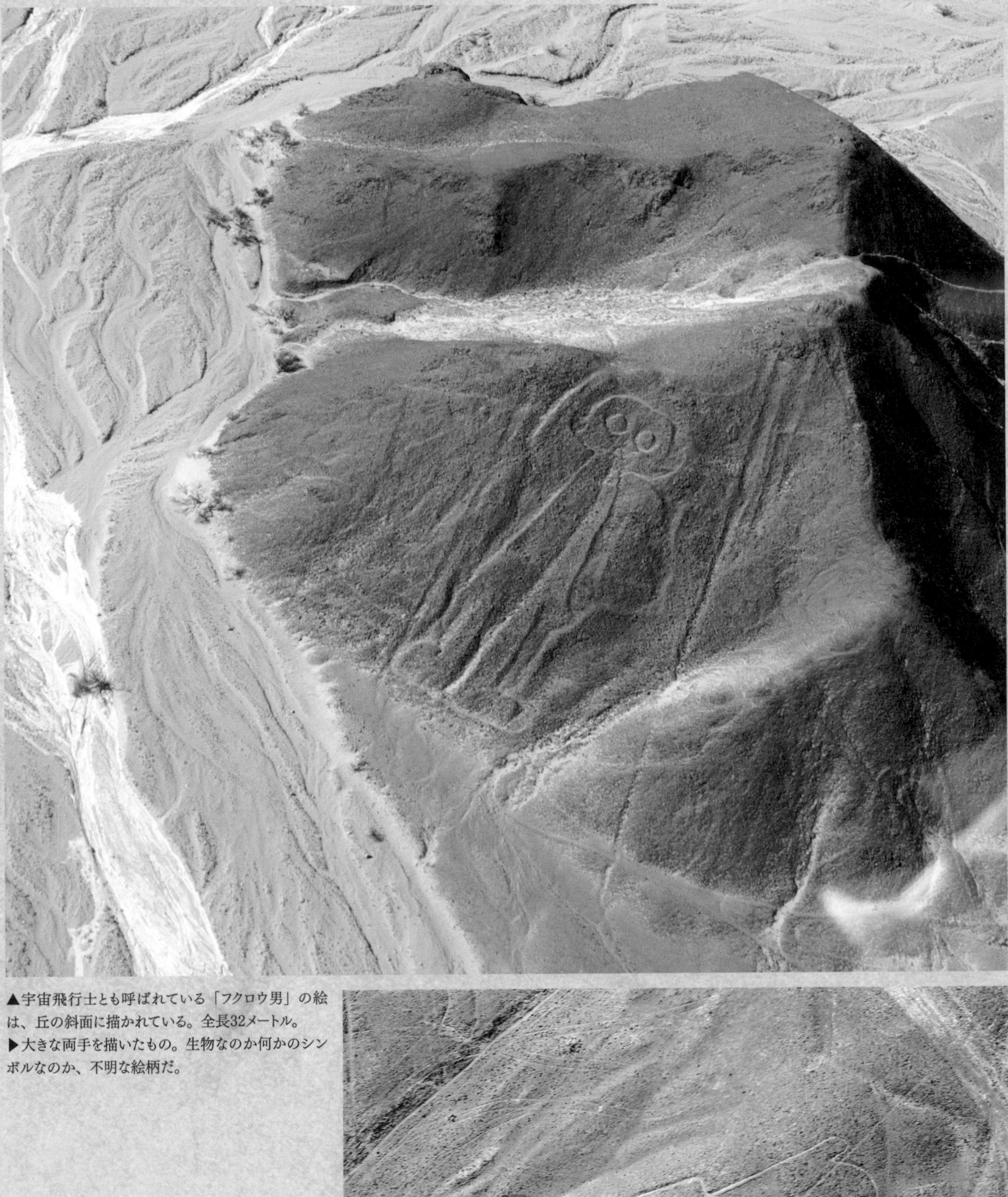

▲宇宙飛行士とも呼ばれている「フクロウ男」の絵は、丘の斜面に描かれている。全長32メートル。
▶大きな両手を描いたもの。生物なのか何かのシンボルなのか、不明な絵柄だ。

ム認定
AUTHORIZATION

▲仮面をかぶった人々も描かれている。ほかの地上絵と絵柄が異なる。
▼クジラを描いたといわれるが、現在のペルー沖にはクジラは生息していない。全長63メートル。

▲全長46メートルのクモ。農耕に関係した絵柄ともいわれる。▼犬の地上絵。

▲全長110メートルのサル。同心円状に巻いている尾は風化して消えかかっている。▼生い茂る樹木を描いたとされるもの。

▲ペリカンと名づけられてはいるが、サギやフラミンゴを描いたという説もある。全長285メートルで、ナスカの地上絵で最大の絵柄。▼全長96メートルのハチドリ。

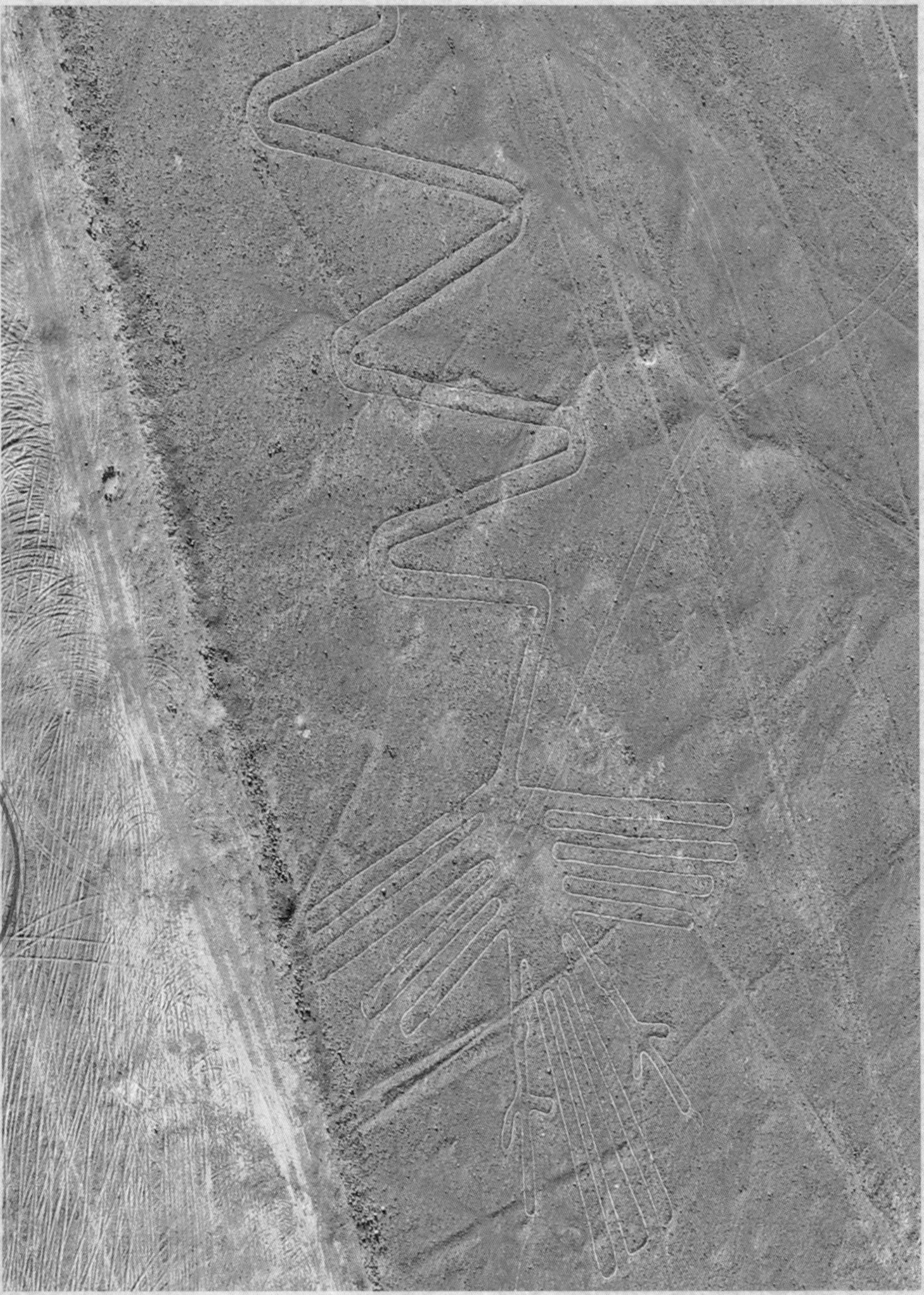

▶サギと呼ばれているが、異常に首とクチバシが長い。
▼ナスカには「バンド・オブ・ホールズ」と呼ばれる穴の列も残されている。地上絵との関係や建造目的はやはり不明だ。

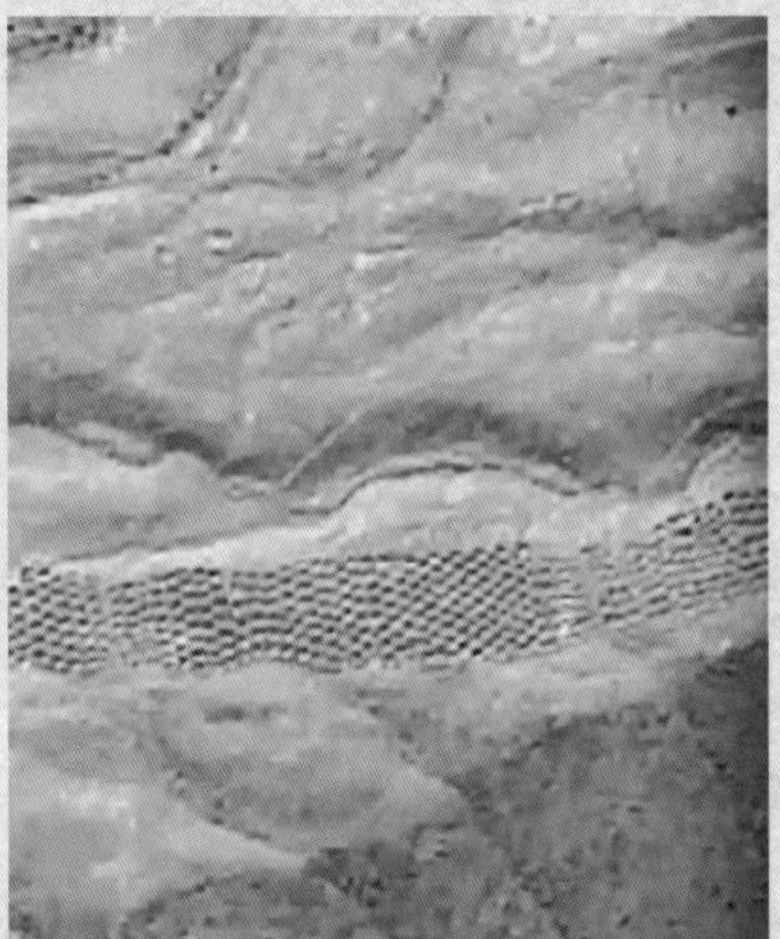

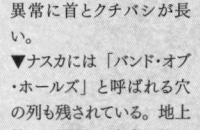

索引

あ

か

ムー認定 神秘の古代遺産

2019年 9月17日 第1刷発行
2022年 6月11日 第3刷発行

著者 並木伸一郎
発行人 松井謙介
編集人 長崎有
企画編集 望月哲史（ムー編集部）
発行所 株式会社ワン・パブリッシング
〒110-0005 東京都台東区上野3-24-6

編集制作 西智恵美
ブックデザイン 辻中浩一＋小池万友美（ウフ）

印刷所 大日本印刷株式会社
DTP制作 株式会社明昌堂

参考資料・図版協力
「ムー」各号／MUFON JOURNAL／Flying Saucer Review／UFO SIGHTINGS DAILY／
FORTEAN PICTURE LIBRARY／FORTEAN CRYPTZOOLOGY SOCIETY／LOREN COLEMAN／
アフロ／NASA／Google Earth／日本フォーティアン協会／宇都宮写真文庫／大地舜／柴田徹之／
須田郡司／有賀訓／出口富士子／Claudio Giovanni Colombo, Hu Xiao Fang, MS Debora waters, curtis,
Jarno Gonzalez Zarraonandia, Herbert Eisengruber, Joel Shawn（Shutterstock.com）

本書は「ムー的世界遺産」、「世界の超常生物ミステリー」、「最新禁断の異次元事件」、「世界の超人･怪人･奇人」、「ムー的都市伝説」、「ムー的古代遺跡」、「ムー的世界の新七不思議」、「ムー的異界の七不思議」、および「ムー」各号の一部内容を抜粋し、再編集して、大幅に加筆・改訂したものです。

●この本に関する各種お問い合わせ先
内容等のお問い合わせは、下記サイトのお問い合わせフォームよりお願いします。
https://one-publishing.co.jp/contact/
不良品（落丁、乱丁）については Tel 0570-092555
業務センター 〒354-0045 埼玉県入間郡三芳町上富279-1
在庫・注文については書店専用受注センター Tel 0570-000346